『介護福祉士 法改正と完全予想模
収録の予想問題が
第 36 回本試験でズバリ的中しました。

コンデックス情報研究所では、長年の過去問題の分析結果にもとづき予想問題を作成しています。その結果、第 36 回本試験（2024 年 1 月実施）においては、以下のように予想問題と同じ問題が本試験で多数出題されました。本書はその経験と研究の成果を活かして編集された書籍です。

本試験問題　問題 13
〈障害者差別解消法〉
1　法の対象者は，身体障害者手帳を交付された者に限定されている。(正解は×)

完全予想模試①　問題 12
〈障害者差別解消法〉
5　対象となる障害者は，障害者手帳を所有している者に限られる。(正解は×)

本試験問題　問題 70
〈社会奉仕の精神をもって，住民の立場に立って相談に応じ，必要な援助を行い，社会福祉の増進に努める者〉
1　民生委員 (正解は○)

完全予想模試①　問題 73
〈保健・医療・福祉に関連する人材〉
5　民生委員は，常に住民の立場に立って相談に応じ，必要な援助を行うフォーマルな社会資源の 1 つである。(正解は○)

本試験問題　問題 103
〈デスカンファレンス〉
4　亡くなった利用者の事例を振り返り，今後の介護に活用する。(正解は○)

完全予想模試②　問題 101
〈デスカンファレンス〉
4　介護福祉職自身の振り返りに活かすことができる。(正解は○)

的中問題続出！！

本試験問題 14-2	ズバリ的中!!	完全予想模試②　問題 9-2
本試験問題 14-3		完全予想模試②　問題 9-1
本試験問題 21-5		完全予想模試①　問題 90-3
本試験問題 85-2		完全予想模試②　問題 82-2
本試験問題 86-1		完全予想模試②　問題 85-5
本試験問題 107-4		完全予想模試②　問題 112-4
本試験問題 107-1		完全予想模試②　問題 112-5

他　多数 *!!*

本書の使い方

1 法改正と科目攻略法を特集！

巻頭に、必ずおさえておきたい**【最新 法改正情報】**と、試験攻略に役立つ**【特集 学習のコツ】**を掲載しました。問題に挑戦する前に確認しておきましょう！

2 問題が取り外せます！

本書では 2 回分の模試を掲載しています。各回の午前と午後の問題それぞれを取り外すことができますので、通学・通勤時の持ち運びに便利です。

3 制限時間どおりに解答してみよう！

各問題の右肩に、問題を解くまでの解答時間を掲載しました。解答時間は、午前科目の問題数 63 問を 100 分で、午後科目の 62 問を 120 分で解けるように設定しています。

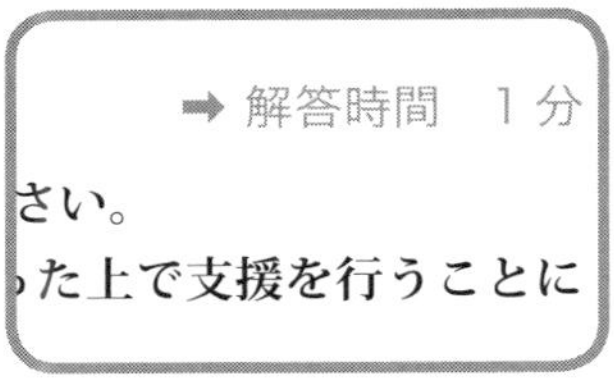

4 塗りつぶして使えるマークシート式解答用紙つき！

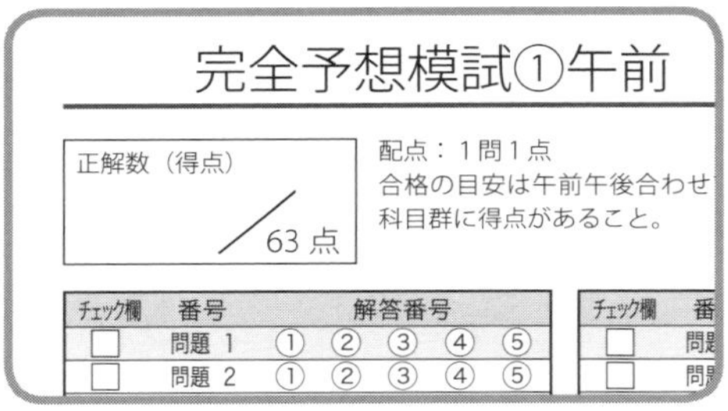

各回午前及び午後の問題編最後のページにマークシート式の解答用紙をつけました。何度か挑戦するためにはコピーしてご利用ください。

5 正解が早わかり！

解答・解説編の各回午前及び午後の 1 ページ目に正解一覧を掲載しました。問題を解く際に使用したマークシートの解答用紙の正解肢を塗りつぶしたものですから、一目で答え合わせができます。

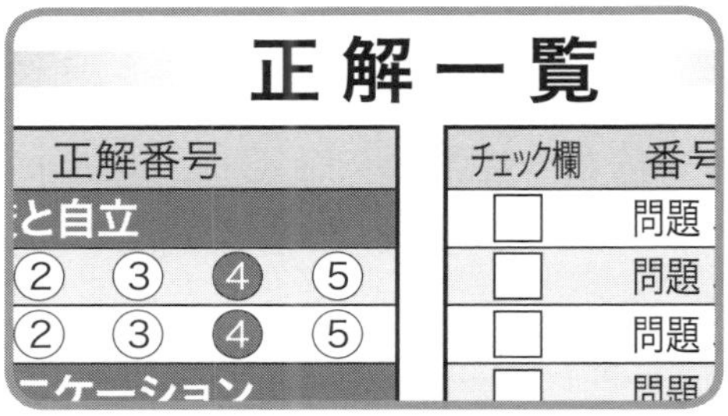

6 重要度・難易度で効率よく復習できます！

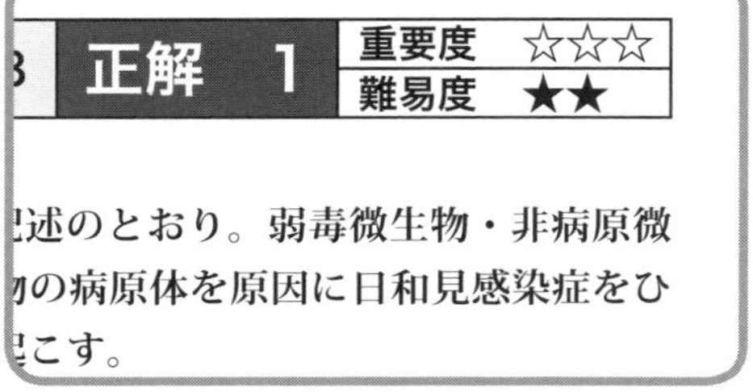

各問題の解答・解説に、重要度と難易度をつけました。解答に自信のないときは難易度をみて、さらに重要度が高ければ難しい上に大事な部分ということになりますので、「再学習の必要性あり！」ということになります。

'25 年版　介護福祉士　法改正と完全予想模試

C O N T E N T S

とても便利!!

1冊ずつ
取り外せます

合格に
よく効く!!

※現在、「障害」の表記を「障がい」あるいは「障碍」と改める動きがありますが、本書では法律上の表記に則り、「障害」を 用いています。

※本書は、原則として 2024 年 5 月現在の情報に基づいて作成しています。

介護福祉士 試験ガイダンス

試験に関する情報は、変更される場合がありますので、受験される方は、**必ずご自身で試験実施団体の発表する最新情報を確認してください**。

◆受験申込から筆記試験までの日程

（1）**受験申込手続詳細発表**：7 月上旬

（2）**受験申込書受付期間**：8 月上旬～ 9 月上旬

（3）**筆記試験**：1 月下旬

◆筆記試験内容

（1）**出題形式**：五肢択一を基本とする多肢選択形式

（2）**出題数**：125 問

（3）**総試験時間**：220 分

（4）**合格基準**：総得点の60％程度を基準として、問題の難易度で補正した点数以上の者で、11 科目群のすべてにおいて得点があった者

〔午前科目〕63 問

<table>
<tr><th>科　目</th><th>出題予定数</th></tr>
<tr><td>1. 人間の尊厳と自立</td><td rowspan="3">領域
人間と社会
18 問</td></tr>
<tr><td>2. 人間関係とコミュニケーション</td></tr>
<tr><td>3. 社会の理解</td></tr>
<tr><td>4. こころとからだのしくみ</td><td rowspan="4">領域
こころとから
だのしくみ
40 問</td></tr>
<tr><td>5. 発達と老化の理解</td></tr>
<tr><td>6. 認知症の理解</td></tr>
<tr><td>7. 障害の理解</td></tr>
<tr><td>8. 医療的ケア</td><td>領域
医療的ケア
5 問</td></tr>
</table>

〔午後科目〕62 問

<table>
<tr><th>科　目</th><th>出題予定数</th></tr>
<tr><td>9. 介護の基本</td><td rowspan="4">領域
介護
50 問</td></tr>
<tr><td>10. コミュニケーション技術</td></tr>
<tr><td>11. 生活支援技術</td></tr>
<tr><td>12. 介護過程</td></tr>
<tr><td>13. 総合問題</td><td>12 問</td></tr>
</table>

11 科目群　［1］人間の尊厳と自立、介護の基本［2］人間関係とコミュニケーション、コミュニケーション技術［3］社会の理解［4］生活支援技術［5］介護過程［6］こころとからだのしくみ［7］発達と老化の理解［8］認知症の理解［9］障害の理解［10］医療的ケア［11］総合問題

◆試験に関する問い合わせ先

公益財団法人　社会福祉振興・試験センター

〒 150-0002 東京都渋谷区渋谷 1-5-6 SEMPOS ビル

（試験情報専用電話案内）03-3486-7559（音声案内、24 時間対応）

（試験室電話）03-3486-7521（9 時～ 17 時、土曜・日曜・祝日を除く）

（ホームページ URL）　https://www.sssc.or.jp/

最新 法改正情報

改正「介護保険法」等

2023（令和5）年5月に「全世代対応型の持続可能な社会保障制度を構築するための健康保険法等の一部を改正する法律」が成立しました。関連する法律は健康保険法、高齢者の医療の確保に関する法律、介護保険法、医療法等ですが、ここでは介護保険関係の主な改正事項をまとめます。

改正内容	施行期日
1. **介護情報基盤の整備** ①介護保険者が利用者の介護情報を収集して電子的に閲覧できる介護情報基盤を整備し、利用者･介護事業者･医療機関等と共有･活用する事業を**市町村の地域支援事業**として位置付ける。 ②市町村は、当該事業について、医療保険者等と共同して国民健康保険団体連合会、社会保険診療報酬支払基金に**委託**することができる。	公布（2023〔令和5〕年5月19日）後4年以内の政令で定める日
2. **介護サービス事業者の財務状況等の見える化** ①介護サービス事業者の経営実態を正確に把握し、的確な支援策を行えるよう、各事業者に**詳細な財務状況等**（損益計算書等、任意項目として職種別の給与及びその人数）の**都道府県知事への報告**を義務付ける。 ②都道府県知事が介護サービス事業者の経営情報に関する調査・分析を行い、**厚生労働大臣**は、国民にわかりやすくなるよう属性等に応じてグルーピングした分析結果を**公表**する。	2024（令和6）年4月1日
3. **介護サービス事業所等における生産性の向上に資する取組に係る努力義務** ①都道府県を中心に一層の取組を推進するため、**都道府県**に対し、介護サービスを提供する事業所又は施設の生産性の向上に資する取組が促進されるよう努める旨の規定を新設する。 ②**都道府県介護保険事業支援計画**の任意記載事項に、介護サービス事業所等の生産性の向上に資する事業に関する事項を追加する。**市町村介護保険事業計画**についても都道府県と連携した取組に関する事項を追加する。	2024（令和6）年4月1日
4. **看護小規模多機能型居宅介護のサービス内容の明確化** 看護小規模多機能型居宅介護を、複合型サービスの一類型として**法律上明確に位置付け**、更なる普及を進める。そのサービス内容について、サービス拠点での「通い」「泊まり」においても**看護サービス**（療養上の世話又は必要な診療の補助）を提供可能であることを明確化する。	2024（令和6）年4月1日
5. **地域包括支援センターの体制整備等** ①地域包括支援センターの**介護予防支援**について、**居宅介護支援事業所**も**市町村からの指定**を受けて実施可能とする。委託を受けた居宅介護支援事業所は、市町村や地域包括支援センターと連携をはかりながら実施する。 ②地域包括支援センターが行う**総合相談支援業務**について、その一部を居宅介護支援事業所等に委託することができる。	2024（令和6）年4月1日

2022（令和 4）年 12 月成立　改正「障害者総合支援法」等

「障害者の日常生活及び社会生活を総合的に支援するための法律等の一部を改正する法律」（2022（令和 4 年）12 月成立）は、障害者等の地域生活や就労の支援を強化すること等により、本人の希望する生活を実現するための法律です。主な改正内容と関連する法律、施行期日は、以下のとおりです。

改正内容	施行期日
1. **障害者の地域生活の支援体制の充実**【障害者総合支援法、精神保健福祉法】 ①**グループホーム**（共同生活援助）の支援内容として、一人暮らし等を希望する利用者に対する支援や、退去後の定着に関する相談等が含まれることを**法律上明確化**する。 ②地域の相談支援の中核機関である**基幹相談支援センター**の設置及び**地域生活支援拠点等**の整備を**市町村の努力義務**とする。 ③市町村等が実施する精神保健に関する相談支援について、精神障害者のほか**精神保健に課題を抱える者**も対象とする。	2024（令和 6）年 4 月 1 日
2. **障害者の多様な就労ニーズに対する支援及び障害者雇用の質の向上の推進**【障害者総合支援法、障害者雇用促進法】 ①就労アセスメントの手法を活用して、障害者本人の希望や能力、適性に合った選択を支援する**就労選択支援**を創設。ハローワークによる**職業指導**等を実施。 ②週所定労働時間 **10 時間以上 20 時間未満**の重度身体障害者、重度知的障害者及び精神障害者について、事業主が雇用した場合は**実雇用率**において算定できる。 ③雇用の質の向上のため、障害者の雇用者数で評価する**雇用調整金**の支給方法を見直し、職場定着等の取組に対する**助成金**を新設。	①公布の日（2022〔令和 4〕年 12 月 16 日）から 3 年以内 ②③ 2024（令和 6）年 4 月 1 日
3. **精神障害者の希望やニーズに応じた支援体制の整備**【精神保健福祉法】 ①**医療保護入院**につき、家族等が同意・不同意の意思表示を行わない場合にも、**市町村長の同意**により行うことができる。 ②市町村長同意による医療保護入院患者に対し、本人の希望により訪問支援員を派遣する**入院者訪問支援事業**を創設。 ③精神科病院における**虐待防止**のため、従業者への**研修**、**相談体制**の整備、虐待を発見した場合の都道府県等への**通報**を義務付け。	2024（令和 6）年 4 月 1 日
4. **難病患者及び小児慢性特定疾病児童等に対する適切な医療の充実及び療養生活支援の強化**【難病法、児童福祉法】 ①医療費助成の開始時期を申請日から「**重症化したと診断された日**」とする。 ②指定難病患者に「**登録者証**」を発行する。市町村等は原則マイナンバー連携により照会を行う。 ③**難病対策地域協議会**（都道府県等）と**小児慢性特定疾病対策地域協議会**（都道府県等）の連携を努力義務化。	①③ 2023（令和 5）年 10 月 1 日 ② 2024（令和 6）年 4 月 1 日
5. **障害福祉サービス等、指定難病及び小児慢性特定疾病についてのデータベース（DB）に関する規定の整備**【障害者総合支援法、児童福祉法、難病法】 障害者 DB、障害児 DB、難病 DB、小児慢性特定疾病（小慢）DB を法制化し、国による情報収集や第三者提供等の規定を整備。	難病 DB、小慢 DB は 2024（令和 6）年 4 月 1 日、その他は公布の日から 3 年以内

6. **地域のニーズを踏まえた障害福祉サービス事業者指定のしくみの導入、居住地特例の見直し**【障害者総合支援法、児童福祉法】 ①**市町村**は、市町村障害福祉計画に整合した障害福祉サービス事業者の指定を行えるよう、都道府県の事業者指定について**意見を申し出る**ことができる。 ②居住地特例の対象に**介護保険施設**（特別養護老人ホーム、老人保健施設、有料老人ホーム等）を追加する。	① 2024（令和 6）年 4 月 1 日 ② 2023（令和 5）年 4 月 1 日

2024（令和 6）年度介護報酬改定のポイント

2024 年度の介護報酬改定は、改定率は全体で**＋ 1.59%**、そのうち介護職員の処遇改善分は**＋ 0.98%**とされました。今年度の介護報酬改定にあたっての基本的な視点は以下の通りであり、それぞれに係る事項の見直しや新設、推進等が図られました。

1. 地域包括ケアシステムの深化・推進 質の高いケアマネジメントや必要なサービスが切れ目なく提供されるよう、地域の実情に応じた柔軟かつ効率的な取組の推進。具体的には、在宅における医療ニーズへの対応強化のため、訪問看護と看護小規模多機能型居宅介護において専門性の高い看護師による訪問看護を評価する**専門管理加算の新設**や施設サービスにおける認知症への対応力向上を観点とした**認知症チームケア推進加算の新設、一部の福祉用具について貸与と販売の選択制の導入**などが行われた。 福祉用具は、これまで貸与対象であった**固定用スロープ、歩行器（歩行車を除く）単点杖（松葉杖を除く）、多点杖**が**選択制の対象**となった。利用にあたっては、介護支援専門員または福祉用具専門相談員は利用者が貸与か販売のいずれかを選択できることの説明や必要な情報の提供を行わなければならず、貸与後は少なくとも **6 か月以内**に一度モニタリングを行わなければならない。また、販売後は特定福祉用具販売計画の目標の達成状況を確認すること、利用者からの要請等により使用状況の確認等を行うよう努めることとされた。
2. 自立支援・重度化防止に向けた対応 高齢者の自立支援・重度化防止という制度の趣旨に沿い、多職種連携やデータの活用等を推進することであり、**リハビリテーションや機能訓練、口腔・栄養の一体的取組の推進**のための新たな加算・区分が設けられた。
3. 良質な介護サービスの効率的な提供に向けた働きやすい職場づくり 介護職員の処遇改善措置が多くの事業所に活用されるよう、現行の介護職員処遇改善加算、介護職員等特定処遇改善加算、介護職員等ベースアップ等支援加算が **4 段階の介護職員等処遇改善加算**に一本化された。
4. 制度の安定性・持続可能性の確保 介護保険制度の安定性・持続可能性を高め、全ての世代にとって安心できる制度を構築することを目的としている。そのため、訪問介護の同一建物減算見直しなどの**評価の適正化・重点化**や、定期巡回・随時対応型訪問介護看護に夜間のみ対応区分を設けるなど**報酬の整理・簡素化**が図られた。

＊これらの改定の施行時期は、訪問看護、訪問リハビリテーション、居宅療養管理指導、通所リハビリテーションに係るものは **2024（令和 6）年 6 月 1 日**、それ以外のサービスについては**同年 4 月 1 日**。

2024（令和6）年1月施行　認知症基本法

認知症の人が尊厳を保持しつつ希望をもって暮らすことができるよう、認知症施策を総合的かつ計画的に推進することを目的として、「**共生社会の実現を推進するための認知症基本法**」（認知症基本法）が2023（令和5）年6月に成立し、2024（令和6）年1月1日に施行されました。

認知症施策推進本部を**内閣**に置き、第3条に掲げられた基本理念のもと、認知症の人を含めた国民一人一人が相互に人格と個性を尊重しつつ支え合いながら共生する活力ある社会（共生社会）の実現に向けて、国と地方が一体となって施策を講じていくことになります。

認知症基本法の基本理念

1. 全ての**認知症の人**が、**基本的人権を享有する個人**として、**自らの意思**によって日常生活及び社会生活を営むことができる。
2. **国民**が、共生社会の実現を推進するために必要な認知症に関する**正しい知識**及び認知症の人に関する**正しい理解**を深めることができる。
3. 認知症の人にとって日常生活又は社会生活を営む上で**障壁**となるものを**除去**することにより、全ての認知症の人が、**社会の対等な構成員**として、**地域**において**安全**にかつ**安心**して**自立した日常生活**を営むことができるとともに、自己に直接関係する事項に関して**意見を表明する機会**及び社会のあらゆる分野における活動に**参画する機会**の確保を通じて**その個性と能力を十分に発揮**することができる。
4. 認知症の人の**意向を十分に尊重**しつつ、**良質かつ適切な保健医療サービス**及び**福祉サービス**が切れ目なく提供される。
5. 認知症の人のみならず**家族**等に対する支援により、認知症の人及び家族等が地域において安心して日常生活を営むことができる。
6. **共生社会**の実現に資する**研究等を推進**するとともに、認知症及び軽度の認知機能の障害に係る**予防**、**診断**及び**治療**並びに**リハビリテーション**及び**介護方法**、認知症の人が尊厳を保持しつつ希望を持って暮らすための**社会参加の在り方**及び認知症の人が他の人々と支え合いながら共生することができる**社会環境の整備**その他の事項に関する科学的知見に基づく**研究等の成果**を広く**国民が享受できる環境を整備**する。
7. 教育、地域づくり、雇用、保健、医療、福祉その他の**各関連分野**における**総合的な取組**として行われる。

基本的施策

1. 認知症の人に関する**国民の理解**の増進等
2. 認知症の人の生活における**バリアフリー化**の推進
3. 認知症の人の**社会参加の機会の確保**等
4. 認知症の人の**意思決定の支援**及び**権利利益の保護**
5. **保健医療サービス**及び**福祉サービス**の提供体制の整備等
6. **相談体制**の整備等
7. **研究**等の推進等
8. 認知症の**予防**等

特集
学習のコツ

介護福祉士の国家試験は、次のような科目と問題配分で行われます。出題は、五肢択一を中心とする多肢選択形式です。

	領域	科目	問題配分	
午前	人間と社会	人間の尊厳と自立	2問	計18問
		人間関係とコミュニケーション	4問	
		社会の理解	12問	
	こころとからだのしくみ	こころとからだのしくみ	12問	計40問
		発達と老化の理解	8問	
		認知症の理解	10問	
		障害の理解	10問	
	医療的ケア	医療的ケア	5問	計5問
午後	介護	介護の基本	10問	計50問
		コミュニケーション技術	6問	
		生活支援技術	26問	
		介護過程	8問	
	総合問題	総合問題	12問	計12問

※これは、第36回試験に準じて独自に設定した科目別問題配分予想の表です。本書の模試は、これをもとに作成しています。第37回試験問題とは異なる可能性があります。ご了承ください。

第37回介護福祉士試験に向けて

例年、**過去問題と類似・関連した内容**の出題が全体の**7割**程度を占めています。一方、第36回試験では、新たに**介護福祉職チームと集団凝集性《ぎょうしゅうせい》**、**モルヒネ使用時に留意すべき観察点**、**スキャモンの発達曲線**、**アパシー**、**バリデーション**といった内容が出題されました。このことからも**過去問題に取り組む**だけでなく、**新出題基準の中身も確認して予想模試を解く**等、バランスの良い学習を進めていくことが重要です。また、法改正や統計の問題も出題される可能性があるため、日頃から**介護福祉の動向や社会情勢に注意を向け**、自らの見識を高めておくとよいでしょう。

一方、ここ数年、**専門用語の単純な丸暗記だけでは正答を導き出せず、判断に迷う問題**が増えつつあります。全体の**約3割が事例問題**であることを踏まえ、座学による**知識や読解力の向上**に加え、演習や実践を通して**判断力・応用力を養う**ことも必要です。

領域　人間と社会

1 人間の尊厳と自立

重要テーマ

・尊厳の保持　・日本国憲法　・高齢者虐待
・障害者虐待　・身体拘束及び行動制限の禁止

科目の概要

この科目は、尊厳の保持と自立･自律した生活を支えるために、「尊厳」「自立」「権利擁護」をキーワードに、介護実践における介護福祉職の基本姿勢を中心に学習します。

出題される主な内容としては、尊厳・自立に関した用語の知識を問う問題や、人権や福祉の向上に尽力した実践家や学者、思想家などの人物と業績に関したものがみられます。

また、ここ数年、事例問題が出題されており、福祉サービスや日常生活自立支援事業、障害や疾病《しっぺい》などが盛り込まれた内容となっています。しかし、求められる解答は、尊厳の保持や自立支援、自己決定、本人主体に基づいた介護福祉職の対応や視点についてです。

主な出題範囲	主な学習内容
人間の尊厳と人権・福祉理念	・人権・福祉思想、理念 ・利用者主体の考え方、利用者主体の実現 ・QOL
自立の概念	・自立 ・自己決定、自己選択 ・意思決定 ・権利擁護（アドボカシー）

勉強のコツ！

- 権利擁護（アドボカシー）、エンパワメント、ノーマライゼーション、自己決定、QOL、自立、介護福祉士の倫理綱領《こうりょう》、パーソンセンタードケアといった用語から尊厳保持・自立支援の前提となる考え方を学習する。
- 人権や福祉の向上に尽力した実践家や学者、思想家などの人物と業績を学習する。

ここ数年、問題数２問のうち１問は事例問題が出題されています。事例問題のポイントは、尊厳保持・自立支援の前提となる考え方に基づいて解答を導くことです。「勉強のコツ」で示したものを含む尊厳保持・自立支援に関する用語を学習し、説明ができるようにしておけば容易に解答できるため、問題の難易度は高くないといえます。

最重要ポイント早わかり　１　人間の尊厳

人間の尊厳とは、人間が個人として尊重されることを意味し、基本的人権と同義で使用される場合もあります。国内外を問わず、様々な制度などに明記されています。

◎世界人権宣言（第１条）

「すべての人間は、生れながらにして自由であり、かつ、**尊厳と権利**とについて平等である。人間は、理性と良心とを授けられており、互いに同胞の精神をもって行動しなければならない」と規定しています。

◎日本国憲法

日本国憲法は、国民主権、基本的人権の尊重、平和主義の３大原則を基礎に、人間の尊厳を基本の原理としています。

日本国憲法第 13 条では、「すべて国民は、**個人**として尊重される。**生命、自由及び幸福追求**に対する国民の権利については、公共の福祉に反しない限り、立法その他の国政の上で、最大の尊重を必要とする」と個人の尊重、幸福追求権、公共の福祉について規定しています。

また、日本国憲法第 25 条では、「すべて国民は、**健康で文化的な最低限度の生活**を営む権利を有する」と生存権について規定しています。

◎障害者の権利に関する条約（障害者権利条約）

障害者権利条約は、**障害者の人権**及び**基本的自由の享有**を確保し、障害者の**固有の尊厳の尊重**を促進することを目的に、障害者の権利の実現のための措置等について定める条約であり、我が国は 2007（平成 19）年９月に署名しました。その後、障害者基本法の改正や障害者差別解消法の成立などにより、**2014（平成 26）年１月 20 日に批准**し、同年２月 19 日から効力を生じることになりました。

なお **2016（平成 28）年４月**に施行された**障害者差別解消法**では、障害のある人に対し、**行政機関**や**事業者**が障害を理由に不当な差別的取扱いをすることを禁じ、**合理的配慮**を提供するよう求めています。

最重要ポイント 早わかり　2 権利擁護に関する法制度

◎成年後見制度

成年後見制度は、認知症、知的障害、精神障害などによって判断能力の不十分な者の権利を守る制度であり、大きく**法定後見制度**と**任意後見制度**に分類できます。

1　法定後見制度

本人、配偶者、４親等内の親族などの申し立てによって、**家庭裁判所**が職権により、本人の判断能力に応じて「**後見**」「**保佐**」「**補助**」のいずれかを選任する制度です。

後　見	常に自分で判断して法律行為が行えない程の判断能力を欠く者に対して選任されるものであり、本人の財産に関するすべての法律行為について、本人に代わって行うことができる。
保　佐	判断能力が著しく不十分な者に対して選任されるものであり、特定の法律行為に関して代理権、同意権、取消権を有することができる。
補　助	判断能力が不十分な者に対して選任されるものであり、当事者が申し立てた特定の法律行為について代理権、同意権、取消権を有することができる。

2　任意後見制度

任意後見制度は、当事者が、加齢などに伴う判断能力の低下や喪失に備え、事前に、自身の身上監護・財産管理などを行ってもらう任意後見人を自ら選択し、**公正証書**に基づく**任意後見契約**により後見事務の内容を決めておく制度です。

この制度では、事前に本人と任意後見受任者との間で公正証書によって任意後見契約を締結し、その後、本人の判断能力が低下もしくは喪失した場合に、本人、配偶者、４親等内の親族、受任者などが、家庭裁判所に対して申し立て、家庭裁判所が**任意後見監督人**を選任すると、任意後見契約が発効し、任意後見受任者が任意後見人として認められます。

なお、任意後見監督人は、任意後見人の不正や権限の濫用を防ぐため、任意後見人を監督する役割を担っており、家庭裁判所に対して任意後見人に関して報告を行います。

任意後見開始までの大まかな流れ

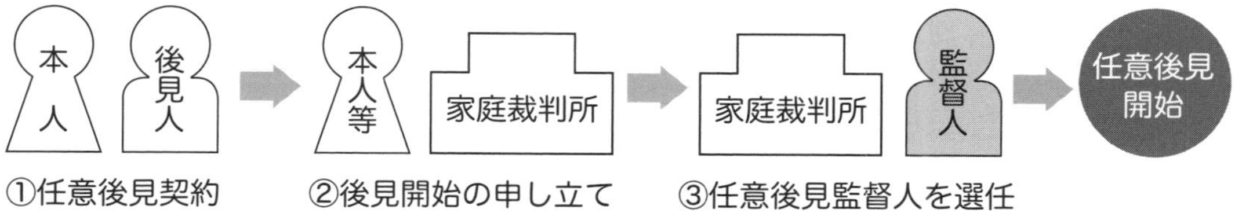

◎日常生活自立支援事業

日常生活自立支援事業とは、認知症高齢者などの判断能力が不十分な者に対して、福祉サービスの利用援助などを行う**社会福祉法**に基づく福祉サービス利用援助事業です。

日常生活自立支援事業の実施主体は、**都道府県社会福祉協議会**または**指定都市社会福祉協議会**であり、窓口業務は**市区町村社会福祉協議会**が行っています。

1　日常生活自立支援事業の対象

日常生活に不安のある、認知症がある高齢者、知的障害者、精神障害者などであって、十分な判断能力がなく、適切な福祉サービスを受けることができないものの、日常生活自立支援事業の契約内容が判断できる者を対象としています。

2　日常生活自立支援事業の専門職

日常生活自立支援事業を実施する専門職には、**専門員**と**生活支援員**がいます。

専門員	支援計画の作成や契約の締結に関する業務を担当
生活支援員	支援計画に基づいて実際の支援を行う業務を担当

3　日常生活自立支援事業の主なサービス内容

日常生活自立支援事業の主なサービスには、生活支援や日常的金銭管理などがあります。

生活支援	介護保険サービス事業者との契約締結の援助 要介護認定に関する申請手続きの援助　など
行政手続きの援助	行政手続きの代行　など
日常的金銭管理	通帳や印鑑等の預かり、預金の引き出し 公共料金・福祉サービス利用料・家賃の支払い　など
書類等の預かり	大切な書類の保管　など

4　日常生活自立支援事業開始までの過程

日常生活自立支援事業は、当該事業の対象者の利用申込み後、専門員との面接、契約締結審査会による審査、当該事業の契約の締結の過程を経て、支援員によって、実際の支援が行われます。

日常生活自立支援事業開始までの簡易フロー

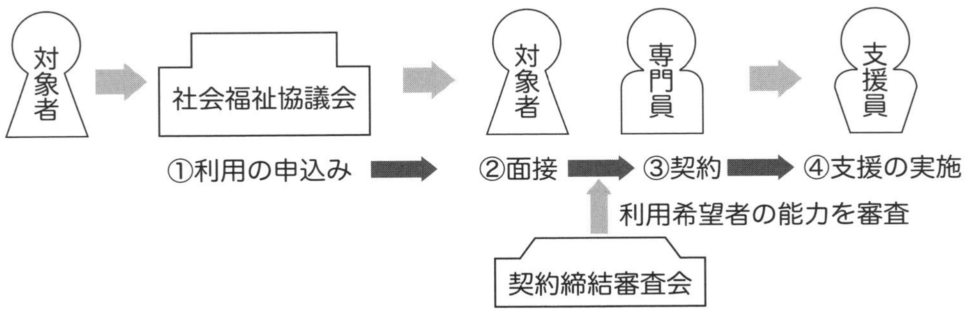

◎高齢者虐待防止法と障害者虐待防止法

高齢者虐待防止法は、高齢者虐待の防止、虐待を受けた高齢者の保護、養護者に対する支援を図ることを目的としており、**市町村**を第一義的責任主体と位置づけています。

障害者虐待防止法は、障害者虐待の防止、養護者に対する支援等に関する施策を促進し、もって障害者の権利利益の擁護に資することを目的としています。

	高齢者虐待	障害者虐待
虐待の類型	①養護者による虐待 ②養介護施設従事者等による虐待	①養護者による虐待 ②障害者福祉施設従事者等による虐待 ③使用者による虐待
虐待の種類	①身体的虐待　②性的虐待 ③心理的虐待　④経済的虐待 ⑤ネグレクト（介護等の放棄）	①身体的虐待　②性的虐待 ③心理的虐待　④経済的虐待 ⑤ネグレクト（介護等の放棄）
通報先	市町村	市町村 ※使用者による虐待は、都道府県も可

◎身体拘束・行動制限の禁止

介護サービスでは、利用者に対し、利用者本人や他の利用者の生命または身体を保護するため緊急やむを得ない場合を除き、身体拘束その他利用者の行動を制限する行為を行ってはならないと、身体拘束・行動制限の禁止を規定しています。

介護保険指定基準において禁止の対象となる具体的な行為として、以下の**11項目**があげられています。

なお、緊急やむを得ない理由により、身体拘束・行動制限を行う場合には、その態様、時間、その際の利用者の心身状況、緊急やむを得ない理由を**記録**しなければなりません。

①徘徊《はいかい》しないように、車いすや椅子、ベッドに体幹や四肢をひも等で縛ること
②転落しないように、ベッドに体幹や四肢をひも等で縛ること
③自分で降りられないように、ベッドを柵（サイドレール）で囲むこと
④点滴、経管栄養等のチューブを抜かないように、四肢をひも等で縛ること
⑤点滴、経管栄養等のチューブを抜かないように、または皮膚をかきむしらないように、手指の機能を制限するミトン型の手袋等をつけること
⑥車いすや椅子からずり落ちたり、立ち上がったりしないように、Y字型拘束帯や腰ベルト、車いすテーブルをつけること
⑦立ち上がる能力のある人の立ち上がりを妨げるような椅子を使用すること
⑧脱衣やおむつはずしを制限するために、介護衣（つなぎ服）を着せること
⑨他人への迷惑行為を防ぐために、ベッドなどに体幹や四肢をひも等で縛ること
⑩行動を落ち着かせるために、向精神薬を過剰に服用させること
⑪自分の意思で開けることのできない居室等に隔離すること

領域　人間と社会

2 人間関係とコミュニケーション

重要テーマ

・ラポール　・自己覚知　・受容　・共感的態度
・非言語的コミュニケーション　・リーダーシップ
・OJT と Off-JT　・スーパービジョン

科目の概要

この科目は、人間関係を形成するための方法やコミュニケーションの種類・方法の学習とチーム運営や人材育成などチームマネジメントに関する学習をします。

主な内容には、人間関係を形成するために必要な技術である「**自己覚知**」「**受容**」「**共感的態度**」、言語的・非言語的コミュニケーションの種類と特徴があります。また、チームマネジメントに関する「**リーダーシップ**」「**OJT・Off-JT**」「**スーパービジョン**」などがあります。

主な出題範囲	主な学習内容
人間関係の形成とコミュニケーションの基礎	・自己覚知　・受容 ・共感的態度 ・言語的コミュニケーション ・非言語的コミュニケーション ・ラポールの形成
チームマネジメント	・リーダーシップ　・コンプライアンス ・PDCA サイクル　・OJT、Off-JT ・スーパービジョン

勉強のコツ！

・「自己覚知」「受容」「共感的態度」などの用語の意味をしっかりと理解する！
・言語的コミュニケーションと非言語的コミュニケーションの種類とその特徴を把握する！
・「リーダーシップ」「OJT・Off–JT」「スーパービジョン」などの用語の意味をしっかりと理解する！

人間関係とコミュニケーション科目は、2023（令和 5）年の試験から出題範囲として、新たに「**人間関係の形成とコミュニケーションの基礎**」と「**チームマネジメント**」の項目が設けられました。ここでは、まず、「**自己覚知**」「**受容**」「**共感的態度**」「**ラポール**」などのコミュニケーションに関する用語の意味をしっかりと理解しておくことが重要となります。

また、組織の管理運営や人材育成に関する用語についても学習をしておきましょう。特に、代表的な**リーダーシップ理論**、人材育成の方法である **OJT・Off-JT**、**スーパービジョン**の種類と機能は確実に理解しておきましょう。

試験対策は、設問で問われている用語を理解し、根拠をもって正答を導き出せるようになるまで、予想問題や練習問題に取り組みましょう。

最重要ポイント早わかり　1 人間関係と心理

介護福祉士などの専門職は、介護の現場などの対人援助を実施するにあたって、まずは利用者と人間関係を築くことが前提となります。この人間関係を築く上で必要なものとして、自己覚知、ラポールの形成、受容、共感的態度などがあります。

自己覚知	援助者が**自分自身**の性格、行動傾向、価値観、感情などを客観的に認識することを意味する。対人援助において、援助者の自己覚知が不十分であった場合、利用者の発言を受けて感情的になる、援助者自身の価値観によって利用者の抱える課題について誤った判断をしてしまう、などの問題が生じる危険がある。そのため、援助者は、**自己覚知**に努め、自らの感情や行動を**コントロール**できるようになることが重要である。
ラポールの形成	ラポールは「**信頼関係**」と訳されるものであり、介護の現場などの対人援助において、ラポールの形成は、援助者と利用者の人間関係の土台として重要視されるものである。 援助者が利用者とラポールを形成するためには、**共感的態度**や**受容的態度**で接するとともに、適切なコミュニケーション技術を活用することが必要になる。
受容	相手の**あるがままの姿**を受け入れることを意味し、介護の現場においては、援助者が利用者の発言・性格・行動などを受け入れて接することをさす。
共感的態度	対人援助において、援助者が利用者の感情を把握する姿勢を示し、その感情に**寄り添う**ことを意味し、利用者にとっては、援助者が共感的態度を示すことによって、「自分の気持ちをわかってくれた」と感じ、援助者と利用者とのラポールが形成されていく。

最重要ポイント早わかり　2 コミュニケーションの種類

コミュニケーションには、言語的コミュニケーション、非言語的コミュニケーション、準言語があります。援助者は、言語的コミュニケーション、非言語的コミュニケーション、準言語の活用の仕方に配慮しながら、利用者とコミュニケーションを図っていくことが大切です。

言語的コミュニケーション	反復、要約、感情の反射などの技術がある。
非言語的コミュニケーション	表情、身ぶり、視線、対人距離などの種類がある。
準言語	声の高さ、声の大きさ、話す速さ、言葉遣いなどの語調をいう。

最重要ポイント早わかり　3 スーパービジョン

スーパービジョンには、一対一で行う個別スーパービジョン、複数のスーパーバイジーと行うグループスーパービジョン、指導者が存在せず、仲間で行うピアスーパービジョンがあります。

教育的機能	知識や技術についての指導を行う。
支持的機能	スーパーバイジーが抱える課題や悩みなどを共有し支えていく。
管理的機能	スーパーバイジーの業務や職責を調整していく。

最重要ポイント早わかり　4 人材育成の方法

人材育成の代表的な方法には、OJT（職務を通した訓練）とOff-JT（職務を離れた訓練）があります。

OJT（On-the-Job Training）職務を通した訓練	職務に関する知識や技術などについて上司や先輩から意図的・計画的な指導を受ける。
Off-JT（Off-the-Job Training）職務を離れた訓練	職場内で行われるものと職場外で行われるものがあり、どちらも集合研修という形で学習する。

3 社会の理解

重要テーマ

・年金制度　・医療保険制度　・介護保険制度
・障害者総合支援法　・生活保護制度　・社会福祉法

科目の概要

この科目は、社会保障制度や介護保険制度などの社会福祉に関連する法制度を中心とした内容を学習します。

主な学習内容は、社会福祉関連の法制度を中心に、家族や地域の概念などのように**社会学的な要素**も含まれています。社会福祉に関連する法制度は、年金制度、介護保険制度、障害者総合支援法等の障害福祉制度、生活保護制度など、数多くあるので**学習量は膨大**です。

主な出題範囲	主な学習内容
生活と福祉	・家族や地域の概念・機能　・社会や組織の概念・機能
社会保障制度	・社会保障の概念・範囲・しくみ ・日本の社会保障制度の歴史的変遷 ・社会保険の種類とその特徴　・社会福祉法
介護保険制度	・介護保険の保険者と被保険者 ・介護保険における国・都道府県・市町村の役割 ・介護保険の保険給付の種類とその内容 ・地域支援事業と地域包括支援センター
介護実践に関連する法制度	・障害者総合支援法を含む障害者福祉制度 ・生活保護制度　・医療保健制度

勉強のコツ！

・法制度が成立した変遷を簡単な年表でまとめよう！
・名称に「保険」が付く制度は、被保険者と給付内容を理解する！
・時間がないときは、「社会保障制度」「介護保険制度」「障害者総合支援法」の３点に集中しよう！

この科目は、学習量が多いだけでなく法制度中心の内容のため、難易度も高く、事例と組み合わせた問題もあるので、試験で得点を稼ぐには学習時間を多くかける必要があります。

まずは、各法制度の特徴を理解することが大切ですので、法制度の成立・改正の変遷を簡単な年表でまとめ、その特徴を簡単に記述しておきましょう。

また、介護保険制度のように名称に「保険」が付くものには、**被保険者**（保険の対象者）や**給付**に関する規定があるので、その点を中心に学習しましょう。

なお、学習時間にゆとりがない場合には、試験で必ず出題されると予想できる**社会保障制度**、**介護保険制度**、**障害者総合支援法**の３点に的を絞って学習しましょう。

最重要ポイント早わかり　1　社会保障制度

◎社会保障制度の範囲

我が国の社会保障の範囲は、狭義には**社会保険**、**公的扶助**、**社会福祉**、**公衆衛生及び医療**、**老人保健**が含まれており、広義には恩給と戦争犠牲者援護が加わるとされています。

社会保険には、**医療保険**、**年金保険**、**雇用保険**、**介護保険**、**労働者災害補償保険**があり、原則として被保険者資格を満たした場合に自動的に加入するしくみとなっています。

◎社会保険の分類

主な社会保険の種類とその特徴は下表のようになっています。

	地域保険	職域保険
医療保険	**国民健康保険**	**健康保険**
	会社などの**健康保険に加入していない自営業者や農業などに従事している人**が加入し、病気やけがなどをしたときに必要な給付を受けることができる。	**会社や工場、商店などで働く人**が加入し、病気やけがなどをしたときに必要な給付を受けることができる。
年金保険	**国民年金**	**厚生年金保険**
	日本国内に住所のある**20歳以上60歳未満のすべて**が加入する。要件に応じて老齢基礎年金、障害基礎年金、遺族基礎年金が支給される。	被保険者は**会社員**や**公務員**などで、国民年金に上乗せされて給付される年金である。支払う保険料は**労使で折半**される。
雇用保険	—	失業中の人が新しい仕事を探し、再就職できるよう**公共職業安定所**（ハローワーク）において職業相談・紹介を行うとともに、失業等給付を支給している。
労働者災害補償保険（労災保険）	—	**業務上または勤務中**における労働者の負傷・疾病・障害または死亡に対して必要な保険給付が行われる。
介護保険	被保険者の**要介護状態**または**要支援状態**に応じて、必要な給付を行う。	—

◎年金制度

我が国の年金制度は、すべての国民に共通する国民年金から**基礎年金**を支給し、基礎年金に上乗せする報酬比例の年金を厚生年金など**被用者年金**から支給する「**二階建て年金**」のしくみを採用しています。

◎国民年金

国民年金には第１号被保険者、第２号被保険者、第３号被保険者があり、国民年金では、これらの被保険者に対し、**老齢基礎年金**、**障害基礎年金**、**遺族基礎年金**を支給します。

第１号被保険者	日本国内に住所を有する 20 歳以上 60 歳未満の者である自営業者とその家族や学生など
第２号被保険者	原則として 65 歳未満の会社員や公務員など （被用者年金各法の被保険者など）
第３号被保険者	第２号被保険者の 20 歳以上 60 歳未満の被扶養配偶者

最重要ポイント早わかり　2 社会福祉法

◎社会福祉事業

社会福祉事業には、**第一種社会福祉事業**と**第二種社会福祉事業**があり、第一種社会福祉事業は、原則として、国、地方公共団体または社会福祉法人が経営することになっています。

なお、共同募金は、**都道府県**の区域を単位として、毎年１回、厚生労働大臣の定める期間内に行う寄附金の募集であり、**第一種社会福祉事業**に位置づけられています。

◎地域福祉計画

地域福祉計画には、市町村地域福祉計画と都道府県地域福祉支援計画があります。

地域福祉計画で定められる主な事項

市町村 地域福祉計画	①地域における福祉サービスの適切な利用の推進に関する事項 ②地域における社会福祉を目的とする事業の健全な発達に関する事項 ③地域福祉に関する活動への住民の参加の促進に関する事項
都道府県 地域福祉支援計画	①市町村の地域福祉の推進を支援するための基本的方針に関する事項 ②社会福祉を目的とする事業に従事する者の確保や資質の向上に関する事項 ③福祉サービスの適切な利用の推進及び社会福祉を目的とする事業の健全な発達のための基盤整備に関する事項

◎社会福祉法人

社会福祉法人は、事業を確実･効果的･適正に行うため、自主的に経営基盤の強化を図り、提供する福祉サービスの質の向上・事業経営の透明性の確保を図らなければなりません。

社会福祉法人のポイント

①経営する社会福祉事業に支障がない限り、**公益事業**または**収益事業**を行うことができる。
②所轄庁は、原則として**都道府県知事**である。
③役員として、理事**6人以上**、監事**2人以上**を置かなければならない。
④監事は、理事、評議員、社会福祉法人の職員を兼ねてはならない。
⑤ 2017（平成 29）年 4 月より、すべての社会福祉法人に評議員会の設置を義務づけ。

最重要ポイント早わかり　3 介護保険法

◎介護保険法改正の変遷

介護保険法は、３年ごとに実施される介護報酬の改定時に法改正が実施されています。

介護保険法の主な改正内容

2005（平成 17）年	・地域支援事業、地域密着型サービス、**地域包括支援センター**の創設 ・介護支援専門員資格に**更新制度**の導入 ・指定介護サービス事業者に**更新制度**の導入 ・介護サービスの情報公表制度の創設　・施設給付の見直し
2011（平成 23）年	・介護予防・日常生活支援総合事業の創設 ・**定期巡回・随時対応型訪問介護看護**や**複合型サービス**※の創設 ・介護サービスの情報公表制度の見直し
2014（平成 26）年	・地域支援事業の再編（従来の介護予防事業の見直しなど） ・介護予防訪問介護と介護予防通所介護を地域支援事業に移行 ・低所得者の保険料の軽減割合を拡大 ・一定以上の所得がある第１号被保険者の自己負担を**２割**に引き上げ ・補足給付の要件に「**資産の状況**」などを追加 ・介護支援専門員の義務規定に資質向上の責務を追加 ・**地域密着型通所介護**の創設
2017（平成 29）年	・利用者負担**３割**の導入　・**共生型サービス**を位置づけ ・**介護医療院**の創設　・第２号被保険者の保険料に**総報酬割**を導入 ・居宅介護支援の指定権限が**市町村**へ移行　・**福祉用具貸与**の見直し
2020（令和 2）年	・地域共生社会の実現に向けた**包括的な支援体制**の整備 ・地域特性に応じた**認知症対策**や介護サービス提供体制の整備 ・医療・介護の**データ基盤の整備**　・**介護人材確保**の強化
2023（令和 5）年	**⇒詳細は、最新法改正情報－１ページを参照**

※複合型サービスは、2015（平成 27）年度から看護小規模多機能型居宅介護に名称変更された。

◎要介護認定等の概要

要介護認定とは、介護給付を受けようとする被保険者に対して行われる要介護状態区分の認定をいいます。また、**要支援認定**とは、予防給付を受けようとする被保険者に対して行われる要支援状態区分の認定をいいます。

1　要介護認定の過程

要介護認定の基本的な過程は、下図で示すように認定申請→認定調査・主治医意見書→一次判定→二次判定→要介護・要支援状態区分の決定→保険給付と分類することができます。

要介護認定の過程

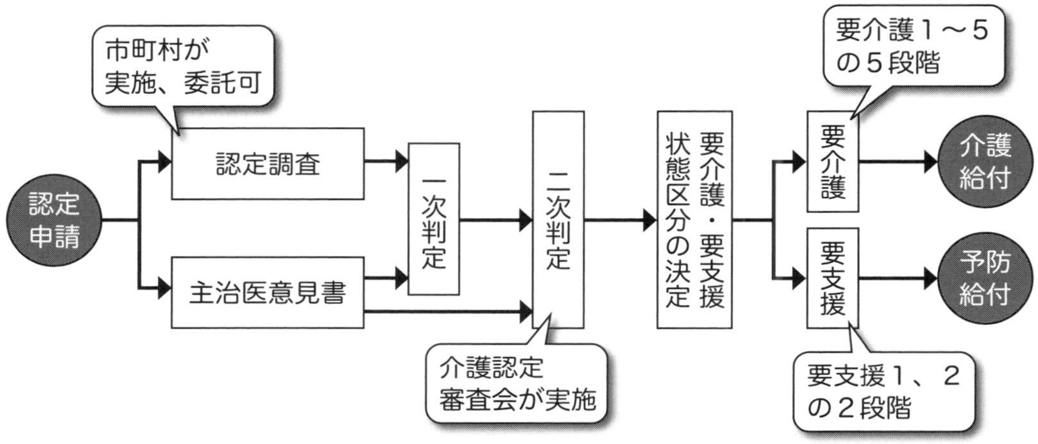

2　新規要介護認定

被保険者は、要介護認定を受ける際には、申請書に**被保険者証**を添付して**市町村**に申請をしなければなりません。

この際、被保険者は、被保険者の家族による代理申請や居宅介護支援事業者や地域包括支援センターなどに申請手続きの代行を依頼できます。

3　要介護更新認定

要介護認定を受けた被保険者は、有効期間満了後も要介護状態に該当すると見込まれる場合には、市町村に対し、要介護更新認定の申請を行うことができます。

また、要介護更新認定は、基本的に**新規要介護認定**と同様の過程で行われます。ただし、市町村は、認定調査に関して、厚生労働省令で定める指定居宅介護支援事業者、地域密着型介護老人福祉施設、介護保険施設、介護支援専門員などに委託することができます。

4　介護認定審査会の概要

介護認定審査会は、要介護認定の審査判定業務（二次判定）を行うため、**市町村**に設置されます。介護認定審査会の委員は、要介護者等の保健・医療・福祉に関する学識経験を有する者の中から、**市町村長**が任命するものであり、委員の任期は**２年**（２年を超え３年以下の期間で市町村が条例で定めることができる）であり、任期満了後、再任することができます。

◎地域支援事業

地域支援事業は、2014（平成26）年の介護保険法改正によって再編され、介護予防・日常生活支援総合事業（以下、総合事業）、包括的支援事業、任意事業に大別されることになりました。

地域支援事業の実施主体は市町村です。なお、総合事業、包括的支援事業は、市町村の必須の事業となっています。

地域支援事業

介護予防・日常生活支援総合事業（要支援１～２、それ以外の者）

○介護予防・生活支援サービス事業
- ・訪問型サービス
- ・通所型サービス
- ・生活支援サービス（配食等）
- ・介護予防支援事業（ケアマネジメント）

○一般介護予防事業

包括的支援事業

○地域包括支援センターの運営（介護予防ケアマネジメント、総合相談支援業務、権利擁護業務、ケアマネジメント支援業務、地域ケア会議の充実）

○在宅医療・介護連携の推進

○認知症施策の推進（認知症初期集中チーム、認知症地域支援推進員等）

○生活支援サービスの体制整備（コーディネーターの配置、協議体の設置等）

任意事業

○介護給付費適正化事業

○家族介護支援事業

○その他の事業

厚生労働省「介護予防・日常生活支援総合事業ガイドライン」を参考に作成

1　介護予防・生活支援サービス事業の種類とその特徴

訪問型サービス	要支援者等に対し、掃除、洗濯等の日常生活上の支援を提供
通所型サービス	要支援者等に対し、機能訓練や集いの場など日常生活上の支援を提供
生活支援サービス	要支援者等に対し、栄養改善を目的とした配食や一人暮らし高齢者等への見守りを提供
介護予防支援事業	要支援者等に対し、総合事業によるサービス等を包括的かつ効率的に提供できるようケアマネジメント

2　一般介護予防事業の種類とその特徴

介護予防把握事業	収集した情報などを活用して支援を要する者を把握し、介護予防活動につなげる。
介護予防普及啓発事業	介護予防活動の普及・啓発を行う。
地域介護予防活動支援事業	地域における住民主体の介護予防活動の育成・支援を行う。
一般介護予防事業評価事業	一般介護予防事業の評価を行う。
地域リハビリテーション活動支援事業	地域ケア会議などにリハビリテーション専門職等の関与を促進する。

◎地域包括支援センター

地域包括支援センターは、包括的支援事業等を実施し、地域住民の保健医療の向上や福祉の増進を包括的に支援する施設であり、**保健師**、**社会福祉士**、**主任介護支援専門員**が配置されています。地域包括支援センターでは、包括的支援事業のほか、地域支援事業の任意事業、介護予防支援などを実施することができます。

◎地域ケア会議

地域ケア会議は、高齢者個人に対する支援の充実と、それを支える社会基盤の整備とを同時に進めることによる、地域包括ケアシステムの実現に向けた手法であり、**5つの機能**を有し、取り扱う案件に応じて、果たす機能や会議の規模を柔軟に変えていくことが可能となっています。地域ケア会議は、**地域包括支援センター**や**市町村**が主催することになっており、自治体職員、地域包括支援センター職員、介護支援専門員など、議題に合わせて必要な専門職などが参加するものとなっています。

地域ケア会議の特徴

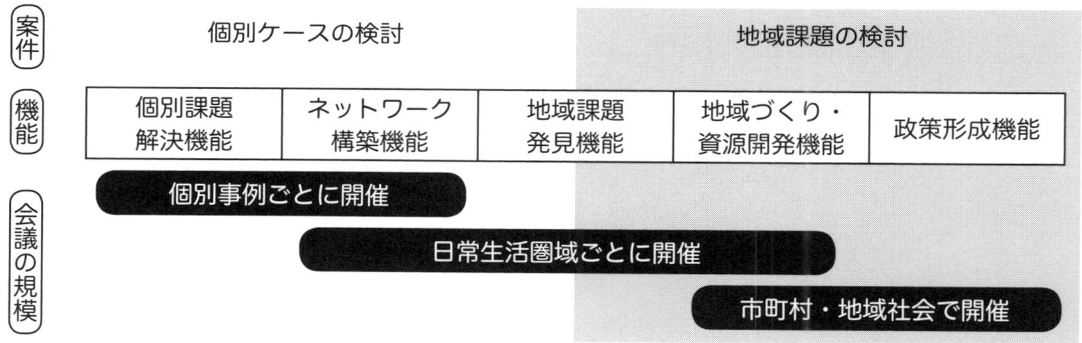

◎地域密着型通所介護の創設

2016（平成 28）年 4 月から、地域密着型サービスの 1 つとして、利用者定員が **18 人以下**の事業所で行われる地域密着型通所介護が創設されました。この創設に伴い、地域との連携や運営の透明性を確保するために**運営推進会議**を設置するなど、新たに基準を設けるとともに、基本報酬については小規模型通所介護の基本報酬を受け継いでいます。

最重要ポイント早わかり　4 障害者福祉関連制度

◎障害者総合支援法と制定までの経緯

障害者総合支援法（障害者の日常生活及び社会生活を総合的に支援するための法律）は、2012（平成24）年6月に成立し、**2013（平成25）年4月から施行**されました。第1条（目的）には「障害者（児）が**基本的人権**を享有する**個人としての尊厳**にふさわしい日常生活または社会生活を営む」こと、「障害の有無にかかわらず**国民が相互に人格と個性を尊重し安心して暮らすことのできる地域社会の実現**に寄与する」ことが明記されています。ただ、この障害者総合支援法の制定までには、いくつかの法制度の改正がありました。

2003（平成15）年4月施行「支援費制度」

社会福祉基礎構造改革の流れを受け、行政が入所先等を決める**措置制度**から障害者と事業者の**契約**に基づきサービスを利用する**利用契約制度**に転換した。ただ、家計に応じた負担で済む**応能負担**による自己負担制度を採用したこともあり、利用者が急増して市町村の**障害福祉財政を圧迫**した。また、支援費制度では**身体障害と知的障害は対象であったものの、精神障害は対象外**であった。

2006（平成18）年4月施行「障害者自立支援法」

支援費制度の問題を受け、障害者自立支援法では身体障害と知的障害に加え、**精神障害（発達障害を含む）も対象とし、サービスの一元化を推進**した。また財政の安定化を図るため、所得に関係なく**原則1割負担とする応益負担を採用**した。しかし、収入が少ない障害者への1割負担は、サービスを利用すればするほど障害者を**経済的に苦しめる**結果を招いた。

2013（平成25）年4月施行「障害者総合支援法」

障害者総合支援法の施行に先立ち、2012（平成24）年4月から利用者負担が**1割負担（応益負担）から家計に応じた負担（応能負担）に変更**された。また、身体障害・知的障害・精神障害（発達障害を含む）に**難病等が加わり、対象が拡大**した。

また、**2014（平成26）年4月**からは、従来の障害程度区分を**障害支援区分に変更**、共同生活介護を**共同生活援助（グループホーム）に一元化**、**重度訪問介護の対象や地域移行支援の対象を拡大**することも行われました。

2014（平成26）年４月からの主な変更内容とそのポイント

従来の障害程度区分を障害支援区分に変更	**障害支援区分**を「障害者等の障害の多様な特性その他の心身の状態に応じて必要とされる標準的な支援の度合を総合的に示すものとして厚生労働省令で定める区分」と定義している。調査項目などの見直しも行われた。
共同生活介護が共同生活援助に一元化	共同生活を行う住居でのケアが柔軟にできるよう、共同生活介護が**共同生活援助に一元化**された。これに伴い、共同生活援助は、「障害者に対し、主に夜間において、共同生活を営むべき住居において相談、介護、日常生活上の援助を行う」サービスとなった。
重度訪問介護の対象拡大	重度訪問介護は、これまで重度の肢体不自由者を対象としていたが、これに加え、**重度の知的障害者・精神障害者**もその対象に加わることになった。
地域移行支援の対象拡大	地域移行支援は、これまで障害者支援施設等に入所している障害者や精神科病院に入院している精神障害者を対象としていたが、これに加えて、保護施設や矯正施設を退所する障害者など、**地域における生活に移行するために重点的な支援を必要とする者**が対象に加わることになった。

※ 2022（令和 4）年 12 月に成立した改正法については、**法改正情報－2** を参照。

◎相談支援

相談支援には、**基本相談支援**、**地域相談支援**、**計画相談支援**の３種類があります。地域相談支援には**地域移行支援**と**地域定着支援**があり、計画相談支援には**サービス利用支援**と**継続サービス利用支援**があります。事業の種類としては、**一般相談支援事業**と**特定相談支援事業**に区分されており、一般相談支援事業では基本相談支援と地域相談支援を行い、特定相談支援事業では基本相談支援と計画相談支援を行うことになっています。

◎市町村障害者虐待防止センターと都道府県障害者権利擁護センター

障害者虐待防止法では、障害者虐待の防止などを図るため、市町村障害者虐待防止センターや都道府県障害者権利擁護センターが定められています。各センターの主な業務には、次のものがあります。これらの業務は、委託することも可能です。

市町村障害者虐待防止センター	・障害者虐待に係る通報や届出の受理 ・障害者や養護者に対する相談、指導、助言　など
都道府県障害者権利擁護センター	・使用者による障害者虐待に係る通報や届出の受理 ・市町村相互間の連絡調整、市町村への情報提供、助言、援助　など

最重要ポイント早わかり

5 生活保護制度

◎生活保護の原理・原則

生活保護法では、下表のように生活保護の基本原理と生活保護の４原則を定めています。

基本原理	①国家責任による最低限度の生活保障の原理　②無差別平等の原理 ③健康で文化的な最低限度の生活保障の原理　④保護の補足性の原理
４原則	①申請保護の原則　②基準及び程度の原則 ③必要即応の原則　④世帯単位の原則

◎保護の種類と主な範囲

保護の種類には、以下の８種類があります。

生活扶助	・衣食に伴って必要なもの　・移送　など
教育扶助	・義務教育に伴って必要な学用品　など
住宅扶助	・住居（家賃）　・補修　など
医療扶助	・診察　・薬剤　・医学的処置　・移送　など
介護扶助	・居宅介護　・施設介護　・住宅改修　・福祉用具　など
出産扶助	・分べんの介助　・脱脂綿等の衛生材料　など
生業扶助	・生業に必要な資金　・就労に必要なもの　・高等学校就学費　など
葬祭扶助	・検案　・死体の運搬　・火葬または埋葬　など

◎就労自立給付金の創設

生活保護制度では、就労による自立の促進として、**就労自立給付金**が創設され 2014（平成 26）年７月から実施されています。

支給方法	保護受給中の就労収入のうち、収入認定された金額の範囲内で別途一定額を仮想的に積み立て、安定就労の機会を得たことにより保護脱却に至ったときに一括支給
対象	安定した職業に就いたことにより保護を必要としなくなったと認めた者
支給額	上限額を単身世帯：10 万円、多人数世帯：15 万円
再受給までの期間	原則３年間

◎進学準備給付金の創設

2018（平成 30）年に、生活保護世帯の子どもが大学等へ進学した際の**進学準備給付金**が創設されました。

4 こころとからだのしくみ

重要テーマ

・基本的欲求　・記憶　・人体部位の名称　・入浴のしくみ
・食事のしくみ　・睡眠のしくみ　・死にゆく人の理解

科目の概要

この科目は、こころのしくみとからだのしくみを学習し、日常生活からみたこころとからだのしくみを理解するという内容になっています。

こころのしくみでは、欲求、記憶、動機づけなどを学び、からだのしくみでは、からだ全体の構造とその機能について学びます。そのため、**専門的な用語**が多く含まれているので、その意味をしっかりと理解する必要があります。

また、日常生活からみたこころとからだのしくみでは、食事・排泄《はいせつ》・入浴・睡眠などのしくみについて、具体的なメカニズムを理解していきましょう。

主な出題範囲	主な学習内容
こころのしくみ	・欲求の概念・しくみ ・記憶・思考・学習の概念・しくみ
からだのしくみ	・人体構造とその機能 ・ボディメカニクス
日常生活からみた こころとからだのしくみ	・身じたくのしくみ（口腔《こうくう》・爪・毛髪） ・食事のしくみ（食事摂取の過程、嚥下《えんげ》反射） ・排泄のしくみ（便秘、下痢、尿失禁） ・入浴のしくみ（入浴の効果とリスク、発汗作用） ・移動のしくみ（歩行、座位） ・睡眠のしくみ（レム睡眠、ノンレム睡眠） ・終末期（死のとらえ方、呼吸の変化）

勉強のコツ！

・用語の意味は、必ず調べて覚える！
・文章で覚えにくい内容は、絵を描いたり図式化したりすると覚えやすい！
・日常生活からみたこころとからだのしくみでは、実際の援助場面を思い出しながら学習するとわかりやすい！

この科目は、こころとからだのメカニズムを学ぶため、**医学用語**もたくさん出てきます。一つひとつゆっくり理解していきましょう。

人体構造に関しては、文章で書かれている内容を読んでも理解しにくいので、自分で**絵**を描いたり**図式化**したりして、目で見て覚えるとよいでしょう。

日常生活からみたこころとからだのしくみの項目では、例えば、**食事介助**や**入浴介助**、**移乗介助**の場面を思い出しながら、**実際の動き**と併せて学習すると、比較的理解しやすいでしょう。

最重要ポイント早わかり　1 こころのしくみ

◎欲求

人間の欲求を理解する上で、代表的な理論として**アブラハム・マズローの欲求段階説**があります。マズローは、人間の欲求を、①生理的欲求、②安全欲求、③所属・愛情欲求、④承認欲求、⑤自己実現欲求の**5段階のピラミッド型**に階層序列化し、このうち生理的欲求と安全欲求を**基本的欲求**、所属・愛情欲求、承認欲求、自己実現の欲求を**社会的欲求**と分類しました。

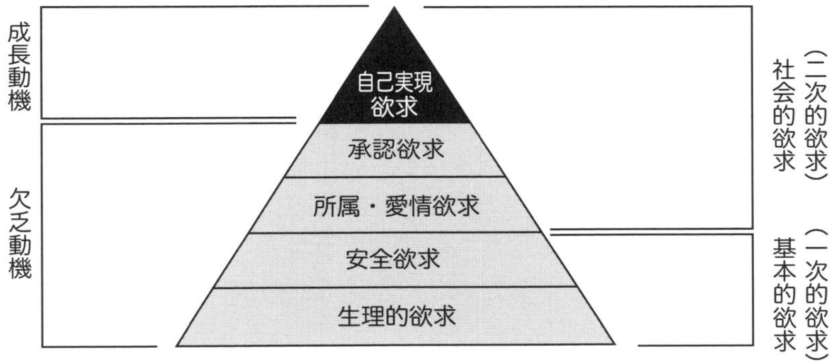

◎記憶

記憶の種類は、長期記憶と短期記憶に大別でき、さらにそれぞれ細分化できます。

手続き記憶	自転車の乗り方など、**身体**で覚えている情報・記憶
意味記憶	家族の名前や誕生日などの個人的な事実や、一般的な**知識**についての記憶
作業記憶	**ワーキングメモリー**とも呼ばれるものであり、短い時間、あることがらを記憶にとどめておき、それと同時に、認知的作業を頭の中で行う記憶
感覚記憶	視覚や聴覚などの感覚体験に関する記憶
エピソード記憶	ある特定の時間と場所での個人にまつわる**出来事**のように、過去の経験と時間とが連結された記憶
展望的記憶	来月の予定の日時や場所などの、将来や未来に関する記憶

最重要ポイント早わかり　2 からだのしくみ

◎大脳の機能局在

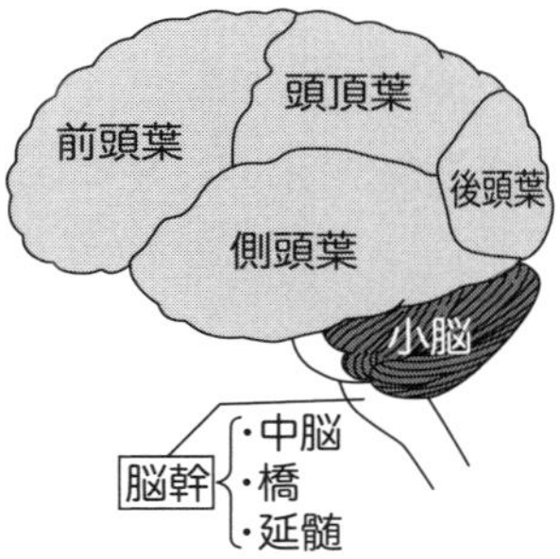

脳は、大脳・小脳・脳幹に大きく分けることができ、さらに、大脳は、**前頭葉**、**頭頂葉**、**後頭葉**、**側頭葉**などに、脳幹は**中脳**、**橋**、**延髄**に分けられます。なお、脳は、軟膜・くも膜・硬膜に覆われており、軟膜は脳の実質に密着し、くも膜は少し離れて位置し、その間に脳脊髄液で満たされたくも膜下腔という空間があります。

大脳	前頭葉	大脳皮質では、運動や言語、思考などを司る中枢が配置され、**視覚**中枢機能は後頭葉に位置し、**記憶**中枢機能は側頭葉に位置している。脳皮質の機能である運動中枢は中心溝の前壁に位置している。なお、自律神経やホルモン分泌の中枢を司る**間脳**には、視床、視床下部、脳下垂体がある。
	頭頂葉	
	後頭葉	
	側頭葉	
脳幹	中脳	命にかかわる**心臓**中枢や**呼吸**中枢などがある。なお、脳幹網様体は、意識をはっきりさせる働きがあり、脳幹中心部に位置している。
	橋	
	延髄	
小脳		体のバランスを保つ役割があり、橋・延髄の後ろに位置している。

◎自律神経（交感神経・副交感神経）

神経は、「中枢《ちゅうすう》神経」と「末梢《まっしょう》神経」に分かれ、末梢神経はさらに「運動神経（体性神経）」と「自律神経」に分かれます。運動神経は自分の意思で動かすことができ、自律神経は動かすことができません。自律神経は私たちの意思とは関係なく、呼吸、体温、血圧、心拍、消化、排泄《はいせつ》など、生命活動を維持する働きをしていて、自律神経は、**交感神経**（活動・興奮）と**副交感神経**（休息・リラックス）に分かれ、**バランス**をとっています。

	交感神経	副交感神経
血　管	収縮	拡張
血　圧	**上昇**	下降
心拍数	**増加**	減少
瞳　孔	拡大	収縮
気　道	弛緩《しかん》拡張	収縮
消　化	抑制	**促進**

◎ホメオスタシス

生命を維持するためにホメオスタシス（**恒常性**）によって身体の状態を**一定**に維持しています。たとえば、**体温**が高くなると、発汗や毛細血管の拡張などによって体温を下げようとしており、体温以外では、**血圧**、循環、**呼吸**、**免疫**機能などの調整をしています。

最重要ポイント早わかり　3 日常生活からみたこころとからだのしくみ

◎筋力と骨の強化

高齢者は加齢によって、**抗重力筋**（**大腿《だいたい》四頭筋**、脊柱《せきちゅう》起立筋、腹直筋、下腿《かたい》三頭筋）の筋力低下が起こります。また、1 週間の安静臥床《がしょう》によって筋力は **10 ～ 20%**程度**低下**します。筋力維持のためには、散歩、ウォーキングなどの有酸素運動や体操などの**筋力トレーニング**が効果的で、筋力アップにより基礎代謝や呼吸機能の向上、血流改善、転倒予防や ADL 向上が期待できます。

骨は常に**破骨《はこつ》**細胞が古くなった骨を溶かし、**骨芽《こつが》**細胞が新しい骨をつくっています。骨の主成分は**カルシウム**で、骨の成長には**たんぱく質**（コラーゲン）も重要です。骨の強化には、適度な**運動**、カルシウムや**ビタミン D**（カルシウムの吸収を促す）の摂取が必要で、**日光浴**（ビタミン D を活性化させる）も日課に取り入れていくとより効果が期待できます。

◎皮膚の構造と機能

皮膚の構造は、**表皮**、**真皮**、**皮下組織**に分けられます。皮膚には、バリア機能として、①細菌等の侵入を防ぐ、②体内の水分の蒸発を防ぐ、③外部からの衝撃から守る働きがあり、これ以外にも、④体温調節、⑤保湿、⑥感覚器としての機能があります。

◎食事摂取のしくみ

食物を摂取して体外に排出する過程は、下図のように **6 段階**に区分できます。

食欲 ➡ 摂食 ➡ 咀嚼《そしゃく》 ➡ 嚥下《えんげ》 ➡ 消化吸収 ➡ 排泄《はいせつ》

さらに、摂食から嚥下までを下図のように分類することができます。

先行期 ➡ 準備期 ➡ 口腔《こうくう》期 ➡ 咽頭期 ➡ 食道期

（咽頭期・食道期：不随意運動で行われる）

◎排尿のしくみ

排尿障害には、尿をためる（蓄尿）、尿を出す（排尿）、排泄行為の障害の 3 つがあります。

蓄尿障害	腹圧性尿失禁	**くしゃみ**や咳、しゃがむなど、おなかに力が入った時に尿が漏れる。女性、高齢者に多い。**骨盤底筋訓練**が効果的。
	切迫性尿失禁	膀胱が過敏になっていて、急に強い尿意を感じて**がまんできず**に、トイレに間に合わず漏れる。
排尿障害	溢流性尿失禁	**前立腺肥大**や膀胱が収縮しにくいため、常に残尿があり、あふれるように漏れる。
排泄行為障害	機能性尿失禁	**認知症**などの認知機能低下によりトイレの場所がわからなかったり、麻痺や筋力低下により間に合わずに漏れてしまう。

◎入浴のしくみ

入浴には、①**温熱作用**、②**静水圧作用**、③**浮力作用**の３つの作用があります。この作用によって、筋肉疲労やストレスの解消、爽快《そうかい》感の獲得、内臓の働きの活発化、心肺機能や**利尿**作用の促進などの効果が生まれます。

◎睡眠のしくみ

1　睡眠の種類

睡眠は、周期的にノンレム睡眠とレム睡眠を繰り返すしくみになっています。

ノンレム睡眠	大脳を休ませて回復させる**深い眠り**
レム睡眠	脳が覚醒している状態に近く、夢を見ることが多い**浅い眠り**

2　不眠の原因と睡眠障害

不眠の原因には、身体の冷え、空腹状態、ストレス、加齢などがあります。

入眠障害	就寝して 30 ～ 60 分程度、眠りにつけない状態が慢性的に続くこと
中途覚醒	睡眠中に数回にわたって目が覚めてしまい、再び眠りにつくことが困難なこと
早朝覚醒	早朝（3 ～ 4 時）に目が覚めてしまい、再び眠りにつくことが困難なこと
熟眠障害	睡眠時間は十分にとれているのに、熟睡したという満足感が得られないこと

◎死のとらえ方

1　「死」の受容プロセス

キュブラー・ロスは、死の受容を「**否認**」「**怒り**」「**取引**」「**抗うつ**」「**受容**」の５段階に分けています。

2　終末期の呼吸変化

終末期になると、呼吸の深さや間隔が乱れ、死の直前には、下記の呼吸がみられます。

チェーンストークス呼吸	30 秒弱程度呼吸が止まった後、浅めの呼吸から深く大きな呼吸になるという一連の周期を繰り返す呼吸
肩呼吸	息をするたびに肩も動く呼吸
下顎呼吸	下顎をガクガクと動かす呼吸であり､死の間近に多くみられる。
鼻翼呼吸	少しでも空気を吸おうと小鼻が開く呼吸

3　グリーフケア

死別への悲嘆反応には、**感情的反応**（苦悩、絶望など）、**認知的反応**（否認、無力感など）、**行動的反応**（過行動、探索行動など）、**生理的・身体的反応**（睡眠障害など）があります。大切な人との死別後の悲しみから立ち直れるように、グリーフケアを実践します。家族の悲嘆反応に**寄り添い**、思いを十分に表出できる環境を整えていきます。

領域　こころとからだのしくみ

5 発達と老化の理解

重要テーマ

・発達理論　・加齢に伴う心身状態の変化
・脳血管障害　・糖尿病　・誤嚥性肺炎
・パーキンソン病

科目の概要

この科目は、乳幼児期からの発達のポイントを学び、高齢者の加齢に伴う心身状態の変化や高齢者に多くみられる病気などについても学習していきます。

発達の項目では、乳幼児期の心身の発達や社会的発達の特徴と、老年期の特徴を押さえ、高齢者の喪失感だけでなくサクセスフルエイジングの考え方も理解しましょう。

加齢に伴う心身状態の変化の項目では、感覚器、循環器、呼吸器、口腔・消化器、排泄《はいせつ》、運動といった**身体機能の変化や心理的変化**について学習していきましょう。

高齢者に多くみられる病気の項目では、**各疾患の原因と症状**をしっかりと理解する必要があります。適切な対応や配慮についても押さえておきましょう。

主な出題範囲	主な学習内容
人間の成長と発達	・発達理論（発達段階、発達課題） ・生理的老化の学説 ・人間の成長と発達（乳幼児期～高齢期）
加齢に伴う心身状態の変化	・加齢に伴う心理的な影響 ・加齢に伴う身体的な機能の低下 ・加齢に伴う知的・認知機能の変化
高齢者に多くみられる病気	・高齢者の病気の特徴 ・様々な病気の種類と特徴、生活上の留意点

勉強のコツ！

・乳幼児の発達は、年齢ごとに表にまとめるとわかりやすい！
・高齢者に多くみられる病気は、予想問題や練習問題で出題されている疾患をピックアップする！

最重要ポイント早わかり　1　発達理論

◎エリクソンの発達段階説

エリクソンの発達段階説（心理社会的発達理論）は、ライフサイクルという観点から個人の一生を**8段階**に分類し、それぞれにおける発達課題を示しました。

段階		年齢の目安	発達課題	課題の達成	課題の失敗
①	乳児期	0～1歳頃	**信頼感**の獲得	信頼	不信
②	幼児期前期	1～3歳頃	自律感の獲得	**自律性**	恥や疑惑
③	幼児期後期	3～6歳頃	自発性の獲得	積極性	罪悪感
④	児童期	6～12歳頃	勤勉性の獲得	勤勉性	劣等感
⑤	青年期	12～20歳頃	同一性の獲得	**同一性**	同一性拡散
⑥	成年期初期	20～30歳頃	親密性の獲得	親密性	孤立
⑦	成年期中期	30～65歳頃	生殖性の獲得	生殖性	停滞
⑧	成年期後期	65歳頃以上	**統合感**の獲得	自我統合	絶望

◎乳幼児期の発育発達の原則

第1原則	発育発達は**連続**した現象である。
第2原則	発育発達は秩序正しく、一定の**順序**で進む。
第3原則	発育は身体各部で均一に起こるのではなく、その速度も一定ではない。
第4原則	発育にとっては決定的に大切な時期（臨界期）がある。
第5原則	発育発達には**方向性**がある。
第6原則	発育発達は相互作用によって行われる。

◎運動発達の順序

3か月	首がすわる。
5か月	寝返りをする。
8か月	「**はいはい**」をする。
10か月	つかまり立ち上がる。
13か月	一人で歩く。

◎言葉の発達

3か月	**喃語**：「あぶー」「んまんま」といった言葉にならない声。
1歳	一語文：「ワンワン」「ブーブー」といった意味をもつ言葉。
2歳	二語文：「ママ　ネンネ」「ワンワン　イタ」と二つの単語をつなげて話す。

最重要ポイント早わかり 2 老年期の発達

◎生理的老化（シュトレーラーの４原則）

生理的老化とは病気によるものではなく、加齢により誰でも起きる変化です。

内在性	**遺伝的にプログラム**されていて、必然的に起こる。
普遍性	すべての生命体に**共通**して起こり、避けることはできない。
進行性	**不可逆的**なものであり、元には戻らない。
有害性	機能低下を起こすため、生命活動にとっては**有害**である。

最重要ポイント早わかり 3 加齢に伴う心身の変化

◎加齢に伴う身体的な変化

高齢者は、加齢に伴って、様々な身体機能が低下します。

味覚	味覚の低下、塩分や糖分の多い味の**濃い**食事を好むようになる。
視覚	視力低下、視野が狭くなる、明暗に**順応**するのに時間がかかる。
聴覚	**高音域**が聞こえにくくなる。
循環器	**収縮期血圧**の上昇、不整脈の出現、血管の弾力性が低下する。
呼吸器	肺活量や換気量が低下し、息苦しくなりやすい。
口腔	咀嚼・嚥下機能が低下し、むせこみが多くなる。 **唾液分泌量**が減少し、口腔内の細菌が繁殖しやすくなる。
排泄	排泄機能が低下し、失禁などを起こしやすい。
運動	筋力低下、関節可動域の縮小、**骨折**を起こしやすい。
代謝機能	代謝機能が低下し、服用した薬が効きやすく**副作用**が出現しやすい。
知能	結晶性知能は比較的維持されるが、**流動性知能**は低下する傾向にある。

◎加齢に伴う心理的影響

老年期には、体力の低下や、家族や友人との死別、社会的役割の喪失などによって、心理的に様々な影響を受けます。同じ出来事が喪失体験になるかどうかは高齢者によって異なります。喪失体験とは**心理的な喪失**のことで、生きがいの喪失ともいえます。

喪失体験に結びつきやすいライフイベント

人間関係	家族・友人との**死別**、関係性の悪化、退職、地位や**役割**の変更
健　康	病気の**悪化**、障害、事故、物忘れによる失敗やトラブル
生活環境	住み慣れた自宅からの引っ越し、**施設**への入所、入院生活

最重要ポイント早わかり　4 高齢者に多い病気

◎生活習慣病

1　脳血管障害

脳血管障害は、脳出血、脳梗塞《こうそく》、くも膜下出血などに分類され、寝たきりの原因として全体の約３割以上を占めて最も多くなっています。

脳出血	**高血圧症**、動脈硬化症、糖尿病、喫煙などが危険因子となり、脳の血管が破れ､脳実質内に出血した状態をいう。主な症状として､頭痛､嘔気《おうき》、意識障害などを生じる。
脳梗塞	**アテローム血栓性脳梗塞**、脳塞栓《そくせん》症、**ラクナ梗塞**などの種類があり、動脈の閉塞･狭窄《きょうさく》した状態をいう。主な症状として､片麻痺《かたまひ》､意識障害､失語症などを生じる。
くも膜下出血	**脳動脈瘤《りゅう》**の破裂によって、くも膜下腔内に出血した状態をいう。主な症状として、激しい頭痛、嘔気、意識障害などを生じる。

2　糖尿病

糖尿病は、インスリンの減少や作用低下などが原因となって生じ、高血糖が続く疾患であり、１型糖尿病と２型糖尿病に分類されます。また、症状の進行に伴って、①**糖尿病性神経障害**、②**糖尿病性網膜症**、③**糖尿病性腎症**の**三大合併症**を生じる可能性が高いです。

１型糖尿病	インスリン供給異常の**インスリン依存**型の糖尿病。
２型糖尿病	インスリン消費異常の**非インスリン依存**型の糖尿病。糖尿病全体の約９割を占めている。

3　骨粗鬆症《こつそしょうしょう》

骨粗鬆症は、**女性**に多くみられる特徴があり、骨吸収速度が骨形成速度よりも速くなり、骨に小さな穴が多発する疾患です。主な症状としては、骨の痛みや変形、**骨折**（脊椎の圧迫骨折、大腿骨頸部《だいたいこつけいぶ》骨折）などがみられます。なお、予防法には、①**カルシウム・ビタミンＤ・ビタミンＫ**などの摂取による栄養管理、②適度の**運動**、③**日光浴**があります。

4　便秘

高齢になると、大腸の蠕動運動やいきむための腹筋が低下したり、食事量や水分量が減少したりすることによって、便秘を起こしやすくなります。

弛緩性便秘	腸の**蠕動運動**の低下、食物繊維の摂取不足で起こる。高齢者に多い。
直腸性便秘	便意を**我慢**する習慣があると起こる。高齢者に多い。
痙攣性便秘	**精神的ストレス**や過敏性腸症候群などで起こる。
器質性便秘	**大腸がん**やイレウスなどの大腸の病気によって起こる。

◎廃用症候群《はいようしょうこうぐん》（生活不活発病）

廃用症候群とは、活動量の減少・活動の質の低下・参加の制約などが原因となって生じる身体的・精神的機能の全般的低下であり、症状によって、**局所性**、**全身性**、**精神・神経性**に分類することができます。廃用症候群の具体的な原因としては、寝たきり、不規則な生活習慣、運動不足、交流の機会の減少などがあげられます。

また、廃用症候群の予防方法としては、寝たきりの防止を図る、正しい生活習慣の習得、リハビリテーションなどがあります。

局所性	関節拘縮《こうしゅく》、筋萎縮、静脈血栓症、褥瘡《じょくそう》 など
全身性	心肺機能低下、起立性低血圧、消化器機能低下 など
精神・神経性	うつ病様症状、知的活動の低下 など

◎その他の疾患

心筋梗塞	心臓の冠動脈の**閉塞《へいそく》**によって、激しい**胸痛**、放散痛《ほうさんつう》などの症状が出現する。30分以上軽快せず、ニトログリセリンを服用しても効果がない場合、すぐに**救急車**を呼ぶ必要がある。
肺炎	呼吸器感染症の１つである肺炎は、肺に実質的な炎症を生じる疾患であり、ウイルス感染・細菌感染による感染性肺炎、**誤嚥《ごえん》性肺炎**などの種類がある。治療として、抗生物質の投与などが行われる。 誤嚥性肺炎は、**嚥下《えんげ》障害**が起こり、食物摂取障害による栄養低下や食べ物が気道に流入することなどが原因となって発症する肺炎である。
白内障	白内障は、水晶体を構成するたんぱく質が変化することで、**水晶体**が**混濁**する疾患である。主な症状には、視力低下、視界のかすみなどを生じる。なお、白内障の多くは、加齢による老人性白内障である。
パーキンソン病	中脳でつくられる**ドーパミンの減少**により、運動機能が低下する疾患である。四大症状として、**①筋固縮、②安静時振戦、③無動・寡動、④姿勢反射障害**（バランスがとれなくなり、突進現象、すくみ足、小刻み歩行などが出現する）がある。
関節リウマチ	**免疫**異常に伴う疾患であり、遺伝的・環境的要因が発症にかかわる関節滑膜の炎症を主徴とした疾患である。よく出現する症状には、**朝のこわばり**がある。なお、関節がある角度で固まり動きの悪くなった状態の硬直《こうちょく》を伴う骨性強直《きょうちょく》が末期にみられる。
変形性膝関節症《へんけいせいしつかんせつしょう》	関節の**軟骨**がすり減り、炎症と変形が起こり、**痛み**と運動制限が生じる。生活上の留意点として、膝に負担をかけないようにする、膝を**冷やさない**、適度な運動をする。
脊柱管狭窄症《せきちゅうかんきょうさくしょう》	背骨の中にある神経の通り道が狭くなり**神経が圧迫**されて、腰痛や下肢の痛み、**しびれ**が生じる。しばらく歩くと痛みが出現するも、しばらく休むと歩けるようになる**間欠性跛行《はこう》**の症状が起きる。

領域　こころとからだのしくみ

6 認知症の理解

重要テーマ

- 認知症の中核症状と BPSD（行動・心理症状）
- アルツハイマー型認知症
- 認知症ケア技法
- 認知症高齢者のサポート体制

科目の概要

この科目は、「認知症」に関連する医学的なメカニズムや症状、認知症ケアの技法、地域におけるサポート体制などについて学習します。

この科目の学習で重要なポイントは、認知症の行動・心理症状（**BPSD**）の特徴、**認知症原因疾患**の種類や症状の学習です。さらには、認知症と間違えられやすい症状や若年性認知症、軽度認知障害（MCI）の特徴などについても幅広く学んでいきます。

認知症高齢者の支援では、地域でのさまざまな支援の方法や**多職種協働**でのサポートの仕方、**家族への対応**について、しっかり理解していきましょう。

主な出題範囲	主な学習内容
認知症ケア	・認知症ケアの理念や技法 ・認知症高齢者とのかかわり方
認知症原因疾患の種類・特徴	・アルツハイマー型認知症の特徴 ・血管性認知症の特徴 ・レビー小体型認知症の特徴 ・前頭側頭型認知症の特徴 ・認知症に間違われやすい疾患（せん妄、うつ病） ・若年性認知症
認知症高齢者の支援	・地域における多職種連携の支援 ・家族介護者への支援

勉強のコツ！

- 認知症原因疾患の種類とその特徴は、簡易表を作成して理解を深める！
- 認知症高齢者の支援は、予想問題や練習問題を繰り返し解いて、理解を深める！
- 認知症ケアの特徴については、それぞれの違いを押さえる！

この科目における最近の傾向として、認知症のある人への具体的なかかわり方や、**認知症のケア**のさまざまな技法、**抗認知症薬**についても出題されています。実際に関わる場面を思い出しながら学習することは、得点力を上げるのに効果的です。

最重要ポイント早わかり　1　認知症の概要

◎認知症の分類

認知症は、脳血管障害や脳変性疾患などの原因疾患によって分類することができます。脳血管障害には、血管性認知症があり、脳変性疾患には、アルツハイマー型認知症、前頭側頭型認知症、レビー小体型認知症などがあります。

◎認知症の症状

認知症の症状は、**中核症状**と**BPSD（認知症の行動・心理症状）**に大別できます。

中核症状	**記憶**障害、判断力の障害、問題解決能力の障害、実行機能障害、失行・失認・失語など
BPSD	妄想、徘徊《はいかい》、抑うつ、暴言・暴力、不穏、拒否、アパシーなど

◎若年性認知症

若年性認知症とは**65歳未満**で発症した認知症をいいます。進行は比較的早く、**男性**にやや多く、原因としては血管性認知症、アルツハイマー型認知症が多くみられます。

◎認知症ケアの基本

介護従事者は、認知症がある利用者に対し、**寄り添うケア**を基本として、認知症がある利用者と共生するという姿勢が必要です。個別ケアを提供していくという尊厳あるケアを実施することが求められています。

また、トム・キットウッドが提唱した**パーソン・センタード・ケア**の目標は、認知症の人が周囲の人と相互関係を築きながら、受け入れられることを実感し、パーソンフッド（**その人らしさ**）を維持することです。

ユマニチュード	介護の4つの柱（見る、話す、触れる、立つ）を行い、その人の能力を奪わず、**人間らしさ**を尊重したケア。
回想法	過去の記憶を振り返り、自分の人生の意味や、自分という存在を確認するアプローチ。
バリデーション	その人の**感情**に焦点をあて、**共感**や傾聴をすることで、感情表出を促し、信頼関係を築いていく。**カリブレーション**などの技法がある。
環境づくり	**家庭的**で親しみやすい環境、**五感**に訴えかける環境、自立心・自尊心・**個性**を高める環境、生活のための環境づくりが重要。

◎認知症施策

2014（平成 26）年の介護保険法改正で、地域における包括的支援事業の 1 つとして認知症総合支援事業が創設されました。認知症の早期における症状悪化を防止するために、認知症**初期集中支援チーム**と認知症**地域支援推進員**が設定されました。なお 2015（平成27）年には認知症の人の意思が尊重され、自分らしく暮らし続けられる社会を目指す**認知症施策推進総合戦略（新オレンジプラン）**が発表され、さらに 2019（令和元）年に**認知症施策推進大綱**が決定されました。認知症施策推進大綱は、**共生**と**予防**を車の両輪と位置づけ、認知症バリアフリーの推進や若年性認知症の人への支援を含んだ内容になっています。

認知症初期集中支援チーム	**地域包括支援センター**などに配置され、自立生活のサポートとして、複数の専門職が認知症の疑いがある者、認知症がある者及びその家族を訪問し、アセスメントや家族支援などの初期支援を包括的かつ集中的に行う。
認知症地域支援推進員	**地域包括支援センター**や**市町村**に配置される専門職であり、認知症がある者ができる限り住み慣れた良い環境で暮らし続けることができるよう、地域の実情に応じて医療機関、介護サービス事業所、地域の支援機関をつなぐ**連携支援**や家族を含めた相談業務などを行う。

最重要ポイント早わかり　2 認知症原因疾患の種類とその特徴

◎アルツハイマー型認知症

アルツハイマー型認知症は、認知症の原因疾患として最も大きな割合を占めており、我が国において血管性認知症やレビー小体型認知症と並ぶ代表的な認知症疾患です。

症状	・主症状は、認知機能低下や人格変化である。 ・初期症状の代表的なものとして、記銘力の低下を伴う記憶障害があり、長期記憶や手続き記憶は比較的よく保たれるが、**短期記憶の低下**が顕著である。そのほか、軽度の人格変化、不安、抑うつなどがある。 ・行動・心理症状として、不眠、易怒性《いどせい》、幻覚、妄想などがみられる。
診断	・CT スキャン、MRI、脳血管撮影などによって、**脳の萎縮**や**脳溝の拡大**が認められる。 ・脳に神経原線維変化や老人斑がみられる。
治療	・薬物治療のほか、**回想法**や**リアリティ・オリエンテーション（RO）**などの心理療法も実施されている。
特徴	・男性に比べて**女性**に多くみられる傾向がある。 ・症状の発症・進行が**緩徐**《かんじょ》である。 ・症状が重度になると摂食や着替え、意思疎通などもできなくなり最終的には寝たきりになる。

◎血管性認知症

血管性認知症は、多発性脳梗塞などの脳血管障害が原因となって起こる認知症であり、その大部分は、虚血性血管性認知症です。

原因	・脳血管障害（脳出血、脳梗塞など）を原因としており、特に多発性脳梗塞が原因であることが多い。
症状	・**記憶障害**を伴うことが多く、片麻痺《かたまひ》、尿失禁、情動失禁などを生じる場合がある。**情動失禁**とは、感情のコントロールがきかず、激しい感情が些細《ささい》なことでも湧き起こる状態をいう。 ・症状の進行は、病状増悪期を繰り返し、階段的に重度になる特徴がある。
診断	・CT スキャン、MRI、脳血管撮影などによって、梗塞巣が認められる。
合併症	・片麻痺や仮性球麻痺による**嚥下《えんげ》障害**を合併する場合が多い。
特徴	・女性に比べて男性に多く発症する傾向にある。 ・記憶力・判断力・理解力などの知能の障害の程度にむらがあるため、「**まだら認知症**」とも呼ばれる。 ・危険因子には、高血圧、糖尿病、心電図異常、肥満、脂質異常症、喫煙・飲酒の習慣などがある。

◎レビー小体型認知症

レビー小体型認知症は、主に大脳皮質の多数の神経細胞内にレビー小体という異常物質が現れる病態の、原因が不明の疾患です。

症状	・見当識障害、記憶障害、筋肉収縮、嚥下困難、具体的で**鮮明な幻視**、無反応、せん妄などがみられる。 ・**パーキンソン病様症状**として、すくみ足歩行や小刻み歩行などの**歩行障害**がみられる。
特徴	・レビー小体型認知症の症状の程度には、**日内変動**がみられる。 ・認知症の原因疾患の**約１割**を占めている。

◎前頭側頭型認知症

前頭側頭型認知症は、初老期認知症の代表的疾患の 1 つであり、特有な**人格変化**、言語の減少、自発性低下などがみられる原因不明の大脳萎縮性疾患です。

症状	・人格変化や行動異常などがみられるが、見当識障害はみられない特徴がある。 ・初発症状として、**自制力低下**、**感情鈍麻**、**異常行動**などがみられる。 ・症状の進行に伴って、記憶障害や言語障害などがみられる。
診断	・CT スキャンや MRI などによって、**前頭葉や側頭葉**に**局所性の脳萎縮**が認められる。
特徴	・初期段階において、知的機能は比較的維持される傾向にある。

領域　こころとからだのしくみ

7 障害の理解

重要テーマ

・ICF（国際生活機能分類）　・ノーマライゼーション
・身体障害　・発達障害　・精神障害
・難病　・障害者総合支援法　・家族への支援

科目の概要

この科目を学習するには、障害者福祉の基礎理念や、障害に関する医学的側面からの理解が必要となってきます。それぞれの疾患の原因や特徴的な症状を学んだ後、その障害が生活に与える影響やサポート体制について知ることも大切です。

この科目では、障害の種類・特徴の項目が中心的な内容となっています。身体障害では、四肢麻痺や内部障害のように細分化されます。さらに、精神障害、発達障害、難病の種類と特徴についても覚えておきましょう。なお、障害者の支援では、**障害受容の過程**の理解と、**障害者総合支援法**におけるサポート体制は頻出問題なのでしっかりと学習しましょう。

主な出題範囲	主な学習内容
障害の基礎知識	・障害の種類とその定義　・障害者福祉の基礎理念
障害の種類・特徴	・身体障害の種類とその特徴　・精神障害の種類とその特徴 ・知的障害・発達障害の種類とその特徴　・難病の種類とその特徴
障害者への支援	・障害受容の過程　・適応と適応機制 ・チームアプローチによる支援　・家族への支援

勉強のコツ！

・障害の種類・特徴を中心とした学習配分にする！
・障害者福祉関係法制度も確認する！
・障害者への支援は、予想問題や練習問題を繰り返し解いて、理解を深める！

この科目では、出題されることの多い障害の種類と特徴に重点を置いて学習していきましょう。特に、**頸髄《けいずい》損傷**の症状や具体的な支援の方法を理解し、発達障害、精神障害、**難病**の人へのかかわり方なども頻出問題なのでしっかりと押さえておきましょう。

さらに、**合理的配慮**、自立支援の考え方や障害者総合支援法の特徴についても問われることが増えてきているので、**家族への支援**も含めて確認しておきましょう。

最重要ポイント早わかり　1　障害者福祉の理念

◎ ICF（国際生活機能分類）

ICF の各構成要素は、それぞれ双方向性の**相互作用**関係にあります。

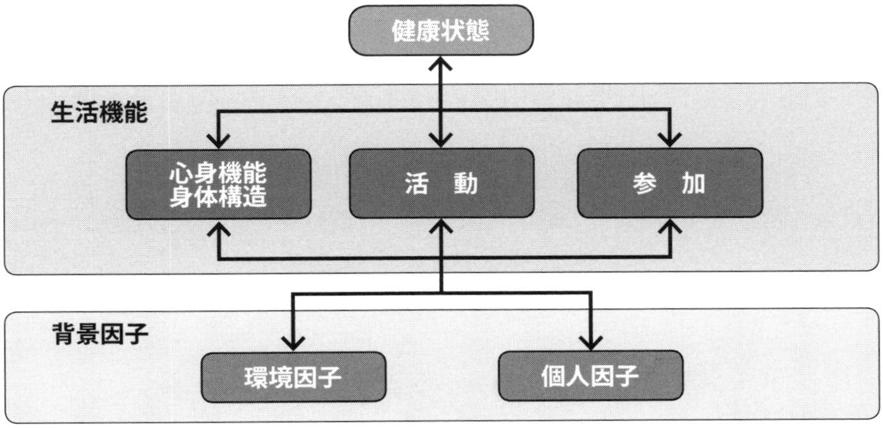

◎ノーマライゼーション

ノーマライゼーションとは、「障害のある人が障害のない人と同等に生活し、ともにいきいきと活動できる社会を目指す」（厚生労働省の定義）ことです。わが国では障害者基本計画を支える理念の 1 つとなっています。

バンク・ミケルセン	デンマーク	ノーマライゼーションの**提唱者**。ノーマライゼーションの理念を「1959 年法」に盛り込む。
ニィリエ	スウェーデン	ノーマライゼーションの理念を**8 つの原理**で提示。障害があっても可能なかぎりノーマルに近い生活を可能にすることを重視。
ヴォルフェンスベルガー	アメリカ、カナダ	ノーマライゼーション原理を**文化 - 特定的**と再構築。
エド・ロバーツ	アメリカ	IL（自立生活）運動で自己決定できる生活を目指す。

◎リハビリテーション

リハビリテーションとは、障害をもつ人間を全体としてとらえ、その人が再び「人間らしく生きられる」ようになること、すなわち「**全人間的復権**」のことです。

リハビリテーションの 4 つの領域

医学的リハビリテーション	病気の治療や機能回復訓練などを行う。
社会的リハビリテーション	社会の中で生活する力を身につける。
教育的リハビリテーション	日常生活動作の獲得や学校教育、進路指導などを行う。
職業的リハビリテーション	適切な職業につき、継続できるよう総合的な援助を行う。

◎ソーシャルインクルージョン

インクルージョンとは、「包括」「包含」「一体性」を意味し、ソーシャルインクルージョンは「**社会的包摂**」と訳されます。たとえば、あらゆる人々が社会的排除を受けずに、社会の構成員として包み支え合うという考え方です。全ての人々が孤独になったり孤立したりすることのないよう、健康で文化的な生活が実現するように支え合うことをいいます。

◎障害受容の過程

障害受容の過程は、図で示すように5段階に区分されます。この障害受容の過程は、一方向に進むものではなく、つまずきや失敗をすることによって、前の段階に後退する場合もあります。

障害受容の過程

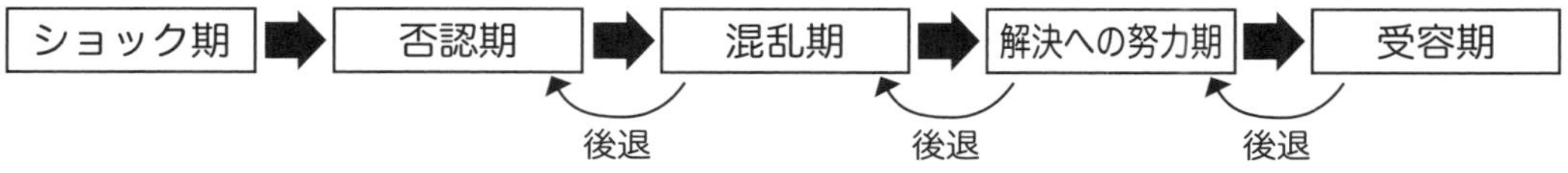

最重要ポイント早わかり　2 障害の種類とその特徴

◎身体障害

身体障害は、肢体不自由、視覚障害、聴覚障害、言語障害、内部障害に分類されます。

1　肢体不自由

肢体不自由には、**体幹**、**上肢**、**下肢**などの種類があります。肢体不自由となる原因には、脳性麻痺《まひ》、関節リウマチ、脳血管障害、脊髄損傷などがあります。そのため、肢体不自由の者に対しては、障害の程度などに合わせた支援を実施する必要があります。

2　内部障害

内部障害には、心臓機能障害、腎臓機能障害、呼吸器機能障害、膀胱《ぼうこう》または直腸の機能障害、小腸機能障害、ヒト免疫不全ウイルス（HIV）による免疫機能障害、肝臓機能障害の7種類があります。内部障害は、**医学的な管理**が必要となります。

内部障害（一部）の支援のポイント

心臓機能障害	・塩分や水分などの摂取制限を行い、浮腫や血圧上昇の防止を図る。 ・排泄《はいせつ》では、無理な怒責《どせき》を禁止するだけでなく、**便秘**の予防を図る。 ・入浴では、40℃以下のお湯で**半身浴**を5～10分程度行う。
腎臓機能障害	・1日1回定時に血圧、体重、24時間の尿量を測定する。 ・高カロリー、低たんぱく、低塩分を基本とした食事を提供する。 ・尿量に応じて、**水分摂取**を制限する。
呼吸器機能障害	・1回の食事量を減らして食事回数を増やし、ゆっくり食べる。 ・衣服では、胸腹部を締め付けない軽い素材のものを選ぶ。 ・入浴では、5分以内を目途に**半身浴**を行う。

◎精神障害

精神障害には、統合失調症、うつ病、アルコール依存症などがあります。

統合失調症	陽性症状として、**幻覚**・幻聴、**妄想**、思考障害などがみられ、陰性症状として、感情の平板化（感情鈍麻）、意欲低下、引きこもりなどがある。
うつ病	強い不安や焦燥を示す場合があり、**自責念慮**や罪責念慮などから、自殺に結びつきやすい。
アルコール依存症	人格変化などの症状がみられる。支援の基本は、断酒の徹底を図ることである。

◎高次脳機能障害

高次脳機能障害の場合には、以下のような症状がみられます。

遂行機能障害	自分で日常生活や仕事について計画を立てても**実行できない**。
社会的行動障害	依存傾向や固執性などがある。
注意障害	同時に**2つ以上**のことをしようとすると混乱する。
半側空間無視	患側の空間に注意を欠き、ぶつかったり転倒しやすい。

◎発達障害

発達障害者支援法において、発達障害とは、**自閉症**、**アスペルガー症候群**、その他の**広汎性発達障害**、**学習障害**、**注意欠陥多動性障害**などが定められています。

なお、自閉症などの広汎性発達障害を連続的にとらえた概念として、**自閉症スペクトラム障害**という用語が用いられています。

最重要ポイント早わかり　3 代表的な難病の種類とその特徴

◎脊髄小脳変性症

脊髄小脳変性症は、**運動失調**を主症状とする神経の疾患です。

主症状	主症状として、歩行時のふらつき、言語機能障害（ろれつが回らない）があり、自律神経障害として起立性低血圧、排尿障害がある。

◎筋萎縮性側索硬化症

筋萎縮性側索硬化症（ALS）は、症状が進行性で、末期には**寝たきり**になる疾患です。

主症状	主症状として、筋力低下、筋萎縮、筋弛緩《きんしかん》、構音障害、嚥下《えんげ》障害などがみられる。ただし、感覚や知能などは比較的維持される特徴がある。

8 医療的ケア

重要テーマ

・医行為としての知識　・喀痰《かくたん》吸引（口腔《こうくう》、鼻腔《びくう》、気管カニューレ）
・経管栄養（胃ろう、経鼻）　・緊急時の対応

科目の概要

この科目では、医療的ケアに関連する法制度や利用者・家族の気持ち等について理解した上で、医療的ケアを安全かつ適切に実施するための知識を学習します。

2011（平成23）年に「社会福祉士及び介護福祉士法」が改正され、介護福祉士の業務に**喀痰吸引**と**経管栄養**が追加されました。その結果、介護福祉士養成教育の中でも「**医療的ケア**」を新たに行うことになり、この科目が加わりました。

主な出題範囲	主な学習内容
医療的ケア実施の基礎	・医行為に関する法律 ・チーム医療と介護福祉職との連携 ・感染予防とスタンダードプリコーション ・健康状態の把握 ・ヒヤリハット・アクシデント報告
喀痰吸引	・呼吸のしくみ　・喀痰吸引時のトラブルと対処法 ・人工呼吸器と吸引　・喀痰吸引に必要なケア ・喀痰吸引の手順と留意点
経管栄養	・消化器系のしくみ ・経管栄養の意味と内容 ・経管栄養剤の種類と取り扱い ・経管栄養時のトラブルと対処法 ・経管栄養の手順と留意点

勉強のコツ！

・喀痰吸引と経管栄養に関する内容を重点的に理解する！
・安全に実施するためのポイントや具体的な手順をしっかり覚える！
・トラブル時の対応は事例問題で出やすいので、状況をイメージしながら学ぶ！

最重要ポイント早わかり　1 喀痰《かくたん》吸引

◎喀痰吸引の種類とカテーテル挿入の範囲

もし痰がたまって（貯留して）、それを迅速に取り除くこと（喀痰）ができなければ、口から酸素を取り込むことが困難になり、場合によっては死に至る場合もあります。そうした危険を回避するためにも、**喀痰吸引**が重要になってきます。喀痰吸引は、**吸引器**につないだ**吸引チューブ**を用いて、痰等を吸い取る行為です。具体的には、吸引チューブを口の中に挿入する**口腔《こうくう》内吸引**、鼻の穴から挿入する**鼻腔《びくう》内吸引**、気管カニューレ内部に挿入する**気管カニューレ内部吸引**に分けられます。実施前後の**手洗い**、**医師の指示書**の確認、準備、毎回の**説明**、終了時の留意点や**後片づけ**の方法など一連の手順が重要です。

◎喀痰吸引の種類とカテーテル挿入の範囲

口腔内吸引	鼻腔内吸引	気管カニューレ内部吸引
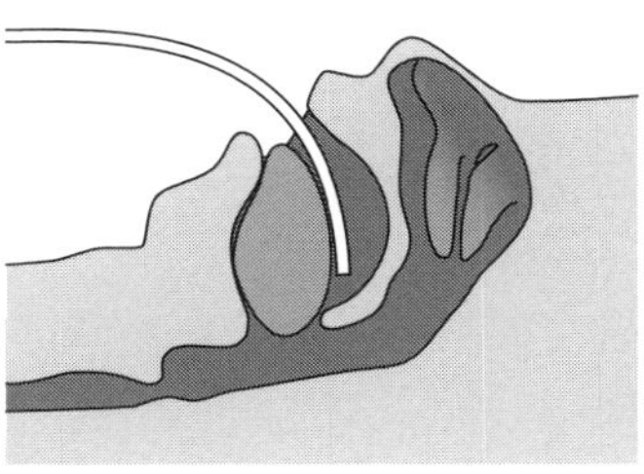	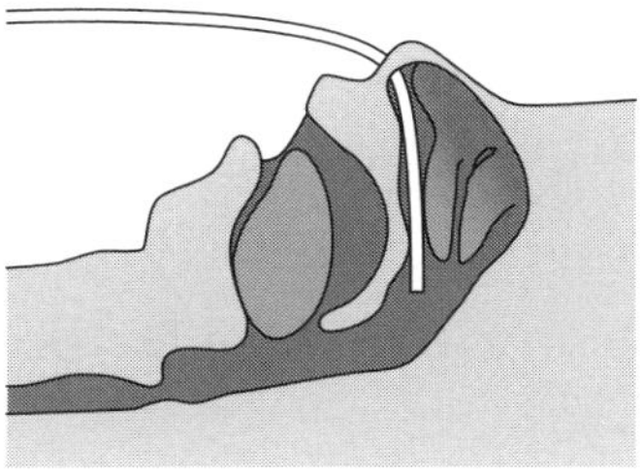	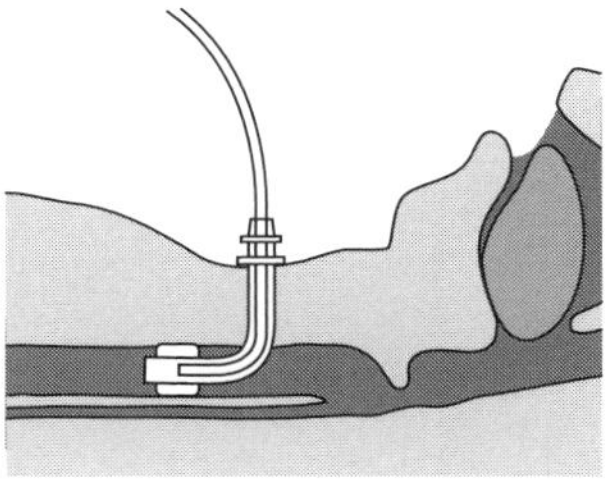
咽頭の手前まで	咽頭の手前まで	カニューレ先端を越えない

◎喀痰吸引時の確認・観察ポイント

① **医師**の指示書の確認
② 口腔・鼻腔内の出血の有無
③ 痰のからむ音の有無
④ 顔色（青白さ、紅潮、表情など）
⑤ 呼吸状態の確認
⑥ 吸引した痰の性状（色、量、粘性など）

◎トラブルと対処法

トラブル	介護福祉士の対応
呼吸状態が悪い 顔色が悪い	・ただちに吸引を中止し、看護師に報告する。 ・呼吸状態と酸素飽和度をチェックする。
一度の吸引で 痰が取りきれない	・無理をせず、いったん休み、呼吸状態が整ったら、再度行う。
出血する	・ただちに吸引を中止し、顔を横に向け、看護師に報告する。 ・呼吸状態の確認を行う。

最重要ポイント早わかり　2 経管栄養

◎経管栄養の種類

経管栄養は、口から食事ができなくなった時に、**経管栄養チューブ**を挿入し必要な栄養を摂取する方法で、最近は**半固形化栄養剤**を注入するケースも増えています。

◎経管栄養時の確認・観察ポイント

①**医師**の指示書の確認
② チューブが胃内に挿入されている（看護師確認）
③ 上半身を 30 ～ 45 度挙上している
④ 胃部から栄養剤の液面まで 50cm ある
⑤ 滴下数の確認
⑥ 嘔気・嘔吐の有無
⑦ 呼吸状態、むせこみの有無
⑧ 腸の動きの活発さの程度
⑨ 腹部膨満感の有無
⑩ 瘻孔《ろうこう》周囲のただれ

◎トラブルと対応法

トラブル	介護福祉士の対応
嘔吐する	・ただちに注入を中止し、誤嚥を防ぐために顔を横に向け、 看護師に報告する。 ・全身状態や嘔吐物を観察する。
呼吸状態が悪い 顔色が悪い	・ただちに注入を中止し、看護師に報告する。 ・呼吸状態と酸素飽和度をチェックする。
腹部膨満感 気分不快	・注入速度を確認する。 ・全身状態や腹部の圧迫の有無を観察する。 ・改善しないようであれば、看護師に報告する。
しゃっくり	・注入開始後にしゃっくりが出たら、ただちに注入を中止し、看護師に報告する。 ・上半身を挙上し、口腔内を観察する。
下痢をしている	・注入速度を確認し、少し遅く注入する。 ・不潔な操作が原因である可能性があるため、実施前・実施後には必ず、**石けん**と**流水**で手洗いを丁寧に行う。 ・低温の経管栄養剤を注入すると腸管刺激により下痢になるので、体温より極端に低い温度にならないよう気をつける。
チューブが少し抜けている	・ただちに注入を中止し、看護師に報告しチューブ挿入状況を確認してもらう。

領域　介護

9 介護の基本

重要テーマ

・介護福祉士の義務等　・国際生活機能分類（ICF）
・介護保険サービス　・リハビリテーション
・ケアマネジメント

科目の概要

この科目では、まず介護福祉士としての義務・倫理、介護福祉の基礎理念であるノーマライゼーション、QOLの向上、国際生活機能分類（ICF）などを学びます。その上で、介護保険サービス、多職種連携、介護福祉職の安全・健康管理、感染・災害対策など、介護福祉の現場で必要な知識についても学習していきます。

この科目も、学習範囲が比較的広くなっています。特に介護保険サービスは種類が多いため、「社会の理解」と関連させながら覚えるとよいでしょう。

試験では、**短文事例形式の問題**も２～３問程度出題されています。

主な出題範囲	主な学習内容
介護福祉士の義務・倫理	・社会福祉士及び介護福祉士法 ・日本介護福祉士会倫理綱領《こうりょう》
尊厳・自立を踏まえた介護	・ノーマライゼーション、QOL、自立支援、利用者主体などの意味 ・国際生活機能分類（ICF） ・リハビリテーションの概念と実際
介護保険サービスの種類・特徴	・介護保険サービスの種類（居宅サービス、施設サービス等） ・ケアマネジメント
介護を必要とする人への理解	・人間の多様性・複雑性の理解 ・高齢者の暮らしの実際 ・障害のある人の暮らしの理解 ・介護を必要とする人の生活環境
多職種連携・他職種の役割	・リハビリテーション専門職の種類・役割 ・保健医療系の専門職の種類・役割 ・チームアプローチの意義と目的
介護福祉職の安全・健康管理	・介護における安全の確保とリスクマネジメント ・事故防止　・災害対策 ・介護福祉職の心身の健康管理

勉強のコツ！

・介護福祉士の義務・倫理は、とりあえず丸暗記！
・介護保険サービスは、介護福祉職が配置されるサービスを中心に学習する！
・多職種連携や介護福祉職の安全・健康管理、感染・災害対策については、予想問題や過去問題で理解を深める！

この科目は、学習範囲が広く、学習量も多いことから、項目ごとに少し学習方法を変えて、少しでも学習時間をかけないでポイントをつかむ必要があります。

介護福祉士の義務・倫理は、学習量が限られていますので**丸暗記**しましょう。介護保険サービスは、その種類が多いため、訪問介護、認知症対応型共同生活介護、定期巡回・随時対応型訪問介護看護、介護老人福祉施設、介護老人保健施設、小規模多機能型居宅介護など出題されやすいサービスを中心に学習し、あとは予想問題や過去問題を解いて理解を深めましょう。多職種連携や介護福祉職の安全・健康管理、感染・災害対策は、予想問題や過去問題で理解を深めておけば、試験対策として十分でしょう。

最重要ポイント早わかり　1 介護福祉士の義務等

介護福祉士の義務や責務、禁止事項などは、社会福祉士及び介護福祉士法に規定されています。

◎誠実義務（第 44 条の 2）	介護福祉士は、その担当する者が**個人の尊厳**を保持し、自立した日常生活を営むことができるよう、常にその者の立場に立って、**誠実**にその業務を行わなければならない。
◎信用失墜《しっつい》行為の禁止（第 45 条）	介護福祉士は、介護福祉士の信用を傷つけるような行為をしてはならない。
◎秘密保持義務（第 46 条）	介護福祉士は、正当な理由がなく、その業務に関して知り得た人の秘密を漏らしてはならない。**介護福祉士でなくなった後**においても、同様とする。
◎連携（第 47 条）	介護福祉士は、業務を行うに当たっては、その担当する者に、認知症であること等の心身の状況その他の状況に応じて、福祉サービス等が総合的かつ適切に提供されるよう、**福祉サービス関係者等との連携**を保たなければならない。
◎資質向上の責務（第 47 条の 2）	介護福祉士は、社会福祉及び介護を取り巻く環境の変化による業務の内容の変化に適応するため、相談援助または介護等に関する**知識及び技能の向上**に努めなければならない。
◎名称の使用制限（第 48 条）	介護福祉士でない者は、介護福祉士という名称を使用してはならない。

最重要ポイント早わかり　2 求められる介護福祉士像

2017（平成 29）年 10 月に「介護人材に求められる機能の明確化とキャリアパス実現に向けて」（社会保障審議会福祉部会福祉人材確保専門委員会）がまとめられ、その中で以下の「求められる介護福祉士像」が示されました。

1. **尊厳と自立を支えるケア**を実践する。
2. 専門職として自律的に**介護過程の展開**ができる。
3. 身体的な支援だけでなく、**心理的・社会的支援**も展開できる。
4. 介護ニーズの複雑化・多様化・高度化に対応し、本人や家族等の**エンパワメント**を重視した支援ができる。
5. **QOL**（生活の質）の維持・向上の視点を持って、**介護予防**からリハビリテーション、看取りまで、対象者の状態の変化に対応できる。
6. **地域**の中で、施設・在宅にかかわらず、**本人が望む生活**を支えることができる。
7. 関連領域の基本的なことを理解し、**多職種協働**による**チームケア**を実践する。
8. 本人や家族、チームに対する**コミュニケーション**や、**的確な記録・記述**ができる。
9. **制度**を理解しつつ、地域や社会のニーズに対応できる。
10. 介護職の中で**中核的な役割**を担う。

＋ **高い倫理性の保持**

最重要ポイント早わかり　3 日本介護福祉士会倫理綱領《こうりょう》

日本介護福祉士会倫理綱領では、介護福祉士の職業倫理として前文と、以下の７項目を示しています。

◎前文	私たち介護福祉士は、介護福祉ニーズを有するすべての人々が、住み慣れた地域において安心して老いることができ、そして暮らし続けていくことのできる社会の実現を願っています。 そのため、私たち、日本介護福祉士会は、一人ひとりの心豊かな暮らしを支える介護福祉の専門職として、ここに倫理綱領を定め、自らの**専門的知識・技術**及び**倫理的自覚**をもって最善の介護福祉サービスの提供に努めます。
1. 利用者本位、自立支援	介護福祉士はすべての人々の基本的人権を擁護し、一人ひとりの住民が心豊かな暮らしと老後が送れるよう**利用者本位**の立場から**自己決定**を最大限尊重し、自立に向けた介護福祉サービスを提供していきます。

2. 専門的サービスの提供	介護福祉士は、常に**専門的知識・技術の研鑽《けんさん》**に励むとともに、豊かな感性と的確な判断力を培い、深い洞察力をもって専門的サービスの提供に努めます。 また、介護福祉士は、介護福祉サービスの質的向上に努め、自己の実施した介護福祉サービスについては、常に**専門職**としての責任を負います。
3. プライバシーの保護	介護福祉士は、プライバシーを保護するため、職務上知り得た**個人の情報**を守ります。
4. 総合的サービスの提供と積極的な連携、協力	介護福祉士は、利用者に最適なサービスを総合的に提供していくため、福祉、医療、保健その他関連する業務に従事する者と**積極的な連携**を図り、協力して行動します。
5. 利用者ニーズの代弁	介護福祉士は、暮らしを支える視点から利用者の**真のニーズ**を受けとめ、それを**代弁**していくことも重要な役割であると確認したうえで、考え、行動します。
6. 地域福祉の推進	介護福祉士は、地域において生じる介護問題を解決していくために、専門職として常に積極的な態度で住民と接し、介護問題に対する深い理解が得られるよう努めるとともに、その**介護力の強化**に協力していきます。
7. 後継者の育成	介護福祉士は、すべての人々が将来にわたり安心して質の高い介護を受ける権利を享受できるよう、介護福祉士に関する**教育水準の向上**と**後継者の育成**に力を注ぎます。

最重要ポイント早わかり　4 国際生活機能分類（ICF）

◎国際生活機能分類の誕生までの変遷

1980（昭和 55）年に WHO（世界保健機関）は「国際障害分類試案」を発表し、障害を３レベルに区分しました（国際障害分類（ICIDH））。その後、国際障害分類の障害のマイナス的側面に焦点をあてた考え方に対する批判をうけて、障害当事者の参加を得て検討され、2001（平成 13）年の WHO 総会で改正され、**国際生活機能分類（ICF）**が誕生しました。この国際生活機能分類の枠組みは、**人間**と**環境**との**相互作用モデル**となっています。

◎国際障害分類（ICIDH）のしくみ

国際障害分類は、障害のマイナス的側面に焦点をあてた考え方となっており、次の表で示すように障害を機能障害、能力障害、社会的不利の３つのレベルでとらえています。

病気・変調 ➡ 機能障害 ➡ 能力障害 ➡ 社会的不利

機能障害	病気・けがによる心身の機能の低下
能力障害	生活における活動能力の低下
社会的不利	通常の社会的役割を果たせなくなること

◎国際生活機能分類（ICF）のしくみ

国際生活機能分類は、大きく①**健康状態**、②**生活機能**、③**背景因子**の３レベルで構成されており、さらに生活機能は「**心身機能・身体構造**」「**活動**」「**参加**」の３要素で、背景因子は「**環境因子**」「**個人因子**」の２要素で構成され、各構成要素が相互に作用しているという考え方です。生活機能の構成要素は、ICIDH の構成要素である機能障害を「心身機能・身体構造」に、能力障害を「活動」に、社会的不利を「参加」に置き換えたものとなっています。

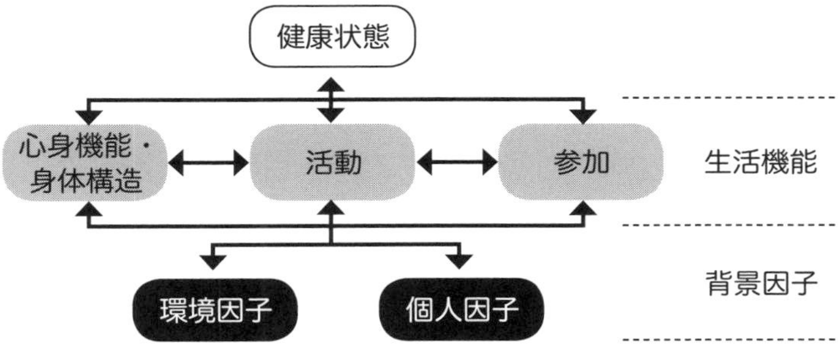

6 つの要素		主な内容
①健康状態		**疾病《しっぺい》**、変調、傷害（ケガ）、妊娠、**ストレス**等 例：アルツハイマー型認知症、パーキンソン病、糖尿病、ストレスがたまる
生活機能	②心身機能・身体構造	**心理**的・生理的（**身体**的）な働きの程度やそれらの構造 例：物忘れ、幻覚、妄想《もうそう》、見当識《けんとうしき》障害、活力の低下、身体のバランスを崩す、手足の麻痺や切断、関節拘縮《こうしゅく》、下肢の運動機能障害
	③活動	**ADL**（日常生活動作）や **IADL**（手段的**日常生活動作**）等 例：移動・移乗、食事、排泄《はいせつ》、入浴、着替え、コミュニケーション、調理、掃除、洗濯、買物、金銭管理、服薬管理　等
	④参加	社会的な出来事への**関与**、生活上の**役割**等 例：月に 1 回ほど他の利用者と外食に出かける、家族や地域住民との交流、ボランティア活動、レクリエーションで歌の伴奏を担当する
背景因子	⑤個人因子	年齢、生活歴、習慣、思い、希望、嗜好《しこう》、困難への対処方法等、利用者本人に関わる生活や人生の**特性**・背景 例：65 歳、女性、町内会長を務めた経験がある、「孫とふれあいたい」、手芸が好き、趣味は園芸
	⑥環境因子	利用者**以外**の人、物、建物、制度、サービス等 例：家族、近隣住民、ボランティア、民生委員、福祉用具、住環境、自宅周辺の環境、介護保険制度、訪問介護

最重要ポイント早わかり　5 リハビリテーションの種類

WHO において、リハビリテーションの領域には、医学的リハビリテーション、社会的リハビリテーション、教育的リハビリテーション、職業的リハビリテーションがあるとしています。医学的リハビリテーションは、患者の病状に応じて**急性期・回復期・維持期（生活期）**の過程に区分されます。

◎医学的リハビリテーションの種類

医学的リハビリテーションには、**理学療法**や**作業療法**などの種類があります。

1　代表的な理学療法

関節可動域（ROM）訓練	関節可動域（ROM）訓練は、関節の可動域を広げて日常生活動作の維持・改善を図ることを目的に、寝たきりの高齢者などに対して実施される理学療法
筋力強化訓練	筋力強化訓練は、四肢や首などの筋力の維持・向上を図るリハビリテーションであり、寝たきりの高齢者などに対して実施される理学療法
歩行訓練	歩行能力の維持・改善を図り、自立歩行もしくは介助してもらいながら歩行できるようにする理学療法

2　代表的な作業療法

日常生活動作（ADL）訓練	日常生活動作（ADL）訓練は、食事や排泄《はいせつ》などを自立して行えるように、高齢者などの身体的特徴に応じて実施される作業療法
家事動作訓練	炊事、洗濯、掃除などを自立して行えるよう、その動作の維持・改善を図る作業療法

◎代表的なリハビリテーション専門職の種類

代表的なリハビリテーション専門職には、理学療法士、作業療法士、言語聴覚士があります。

理学療法士	厚生労働大臣の免許を受けて、理学療法士の名称を用いて、医師の指示の下、身体に障害のある者に対し、主に**基本的動作能力**の回復を図るため、治療体操などの運動、電気刺激、マッサージ、温熱などの理学療法を行うリハビリテーション専門職である。
作業療法士	厚生労働大臣の免許を受けて、作業療法士の名称を用いて、医師の指示の下、身体または精神に障害のある者に対し、主に**応用的動作能力**や**社会的適応能力**の回復を図るため、手芸や工作などの作業療法を行うリハビリテーション専門職である。
言語聴覚士	厚生労働大臣の免許を受けて、言語聴覚士の名称を用いて、音声機能、言語機能または聴覚に障害のある者に対し、機能の維持向上を図るため、言語訓練その他の訓練、これに必要な検査及び助言、指導その他の援助を行う専門職である。また、医師または歯科医師の指示の下、診療の補助として、**摂食・嚥下《えんげ》訓練**や**人工内耳の調整**なども行う。

最重要ポイント早わかり　6 介護保険サービス

介護保険制度によるサービス（介護保険サービス）には、居宅サービス、介護予防サービス、施設サービス、地域密着型サービスなどがあります。

◎主な居宅サービスの種類とサービスのポイント

居宅サービスには、以下の種類があります。なお、介護予防サービスについては、従来の介護予防訪問介護と介護予防通所介護が地域支援事業に移行されました。

訪問介護	介護福祉士などの訪問介護員が、要介護者の居宅に訪問し、介護などを提供するサービスである。 ・訪問介護計画は、**サービス提供責任者**が作成する。 ・サービス内容として、**生活援助**と**身体介護**がある。
訪問入浴介護	要介護者の居宅を訪問し、持ち込んだ浴槽を用いて入浴の介護を提供するサービスである。 ・サービスの提供体制は、原則、１回の訪問につき、**看護職員１人＋介護職員２人**であるが、**介護職員３人**で行う場合もある。
訪問看護	看護師などが要介護者の居宅を訪問し、療養上の世話や必要な診療の補助を提供するサービスである。 ・訪問看護ステーションの管理者は、原則、**保健師**または**看護師**でなければならない。 ・訪問看護事業者は、サービス提供の開始に際し、**主治医の指示**を**文書**で受けなければならない。
訪問 リハビリテーション	理学療法士などが要介護者の居宅を訪問し、理学療法などを提供するサービスである。 ・訪問リハビリテーションを提供できるのは、**病院・診療所・介護老人保健施設・介護医療院**に限られる。
居宅療養管理指導	病院の医師などが要介護者の居宅を訪問し、療養上の管理・指導を提供するサービスである。 ・訪問看護ステーションの**訪問看護師**も提供することができる。
通所介護	要介護者が老人デイサービスセンターなどに通い、介護や機能訓練などを受けるサービスである。 ・通所介護計画は、通所介護事業所の管理者が作成する。
通所 リハビリテーション	要介護者が介護老人保健施設や病院などに通い、理学療法や作業療法などを受けるサービスである。 ・通所リハビリテーションを提供できるのは、**病院・診療所・介護老人保健施設・介護医療院**に限られる。
短期入所生活介護	老人短期入所施設などに短期間入所する要介護者に対し、介護などを提供するサービスである。 ・短期入所生活介護計画は、相当期間（**おおむね４日間**）以上にわたり継続して入所することが予定される利用者に対して作成する。
短期入所療養介護	介護老人保健施設などに短期間入所する要介護者に対し、看護や医学的管理下での介護などを提供するサービスである。 ・短期入所療養介護計画は、相当期間（**おおむね４日間**）以上にわたり継続して入所することが予定される利用者に対して作成する。

特定施設 入居者生活介護	有料老人ホームなどの特定施設に入居している要介護者に対し、介護や機能訓練などを提供するサービスである。 ・特定施設には、**有料老人ホーム**、**軽費老人ホーム**、**養護老人ホーム**、**サービス付き高齢者向け住宅**がある。 ・養護老人ホームが特定施設入居者生活介護を行う場合には、外部サービス利用型特定施設入居者生活介護を行う。
福祉用具貸与《たいよ》※	要介護者に福祉用具を貸与するサービスである。 ・福祉用具貸与対象の福祉用具には、**13 種類**がある。
特定福祉用具販売※	要介護者に特定福祉用具を販売するサービスである。 ・特定福祉用具販売対象の福祉用具には、**6 種類**がある。 ・特定福祉用具は、主に**入浴**または**排泄**に使用する福祉用具が含まれる。

※介護報酬の改定に伴い、2024（令和６）年４月から利用者の状況を考慮したうえで、①固定用スロープ、②歩行器（歩行車を除く）、③単点杖（松葉づえを除く）、④多点杖について**貸与と販売の選択制が導入**された。

◎主な地域密着型サービスの種類とサービスのポイント

地域密着型サービスには、以下の種類があります。なお、地域密着型介護予防サービスには、**介護予防認知症対応型通所介護**、**介護予防小規模多機能型居宅介護**、**介護予防認知症対応型共同生活介護**があります。

定期巡回・随時対応型訪問介護看護	**定期巡回サービス**、**随時対応サービス**、**随時訪問サービス**、**訪問看護サービス**を提供し、介護や日常生活上の緊急時の対応などの援助を行うサービスである。事業所の形態には、**介護・看護一体型**と**介護・看護連携型**の２種類がある。 ・事業者は、利用者、利用者の家族、地域住民の代表者などで構成する**介護・医療連携推進会議**を設置し、この会議をおおむね３か月に１回以上開催する。
夜間対応型訪問介護	居宅で生活する要介護者に対し、**夜間定期巡回サービス**、**オペレーションセンターサービス**、**随時訪問サービス**を提供するサービスである。 ・オペレーターの要件として、**看護師**、**介護福祉士**、**介護支援専門員**などの資格を有している必要がある。
地域密着型通所介護	要介護者が**利用定員 18 人以下**の老人デイサービスセンターなどに通い、介護等を受けるサービスである。
認知症対応型 通所介護	認知症のある要介護者が老人デイサービスセンターなどに通い、介護や機能訓練などを受けるサービスである。
認知症対応型 共同生活介護	認知症のある要介護者の共同生活住居で、介護や機能訓練などを実施するサービスである。 ・一居室の定員は、原則として**１人**であるが、利用者の処遇上必要と認められる場合は、**２人**とすることができる。 ・共同生活住居の入居定員は、**５人以上９人以下**とする。

小規模多機能型居宅介護 ※利用定員については、介護保険法改正により、2021年8月26日から市町村が、合理的な理由があれば、地域の実情に合わせた定員に定めることが可能になった。	居宅で生活する要介護者に対し、訪問サービス、通いサービス、短期宿泊サービスを適切に組み合わせて提供するサービスである。 ・事業所の登録定員は、**29人以下**とする。 ・通いサービスの利用定員は、**登録定員の2分の1から最多で18人**までとする。 ・宿泊サービスの利用定員は、**通いサービスの利用定員の3分の1から9人**までとする。 ・小規模多機能型居宅介護事業所の**介護支援専門員**は、居宅サービス計画や小規模多機能型居宅介護計画を作成する。
地域密着型特定施設入居者生活介護	有料老人ホームなどの地域密着型特定施設に入居している要介護者に対して、介護、機能訓練、療養上の世話などを提供するサービスである。 ・地域密着型特定施設は、**介護専用型特定施設**のうち、入居定員が**29人以下**であることを要件としている。
地域密着型介護老人福祉施設入所者生活介護	地域密着型介護老人福祉施設に入所する要介護者に対し、介護、機能訓練、健康管理、療養上の世話を提供するサービスである。 ・地域密着型介護老人福祉施設は、入所定員が**29人以下**の**特別養護老人ホーム**であることを要件としている。 ・原則として要介護**3～5**の認定を受けた者が入所の対象となる。
看護小規模多機能型居宅介護	**訪問看護**と**小規模多機能型居宅介護**を組み合わせて提供するサービスである。

◎主な施設サービスの種類とサービスのポイント

介護保険施設には、**介護老人福祉施設**、**介護老人保健施設**、2018（平成30）年4月に創設された**介護医療院**の3つがあり、それぞれの施設において施設サービスが実施されています。施設サービス計画は、**計画担当介護支援専門員**が作成します。

介護福祉施設サービス	**介護老人福祉施設**に入所する要介護者に対し、施設サービス計画に基づき、介護、機能訓練、健康管理、療養上の世話などを提供するサービスである。新規入所者は、原則として**要介護3以上**の者に限定されている。
介護保健施設サービス	**介護老人保健施設**に入所する要介護者に対し、主に自宅等の**居宅（在宅）復帰**を目指し、看護や医学的管理下での介護、リハビリテーションなどを提供するサービスである。
介護医療院サービス	**介護医療院**に入所する要介護者に対し、療養上の管理、看護、医学的管理の下における介護・機能訓練その他必要な医療や日常生活上の世話を行う。

最重要ポイント早わかり　7 ケアマネジメント

ケアマネジメントとは、利用者のニーズとそれに適した社会資源を結び付け、利用者の生活を支援する方法を指します。

◎ケアマネジメントの焦点

ケアマネジメントを実施する上では、以下の**4つの焦点**をもつことが重要となります。

生活の全体性	健康状況、介護状況、住宅状況などが複雑に生活全体に波及しているという認識の下でニーズをとらえ、ケアプランを考える。
個別性	個々人の生活はそれぞれ異なるニーズがあることを前提に、ケアプランを考える。
継続性	過去の状況がどのような影響を与え、将来的にどのように影響していくかを見通し、ケアプランを考える。
地域性	地域によってニーズや社会資源が異なることを理解し、ケアプランを考える。

◎介護支援専門員の役割・機能

ケアマネジメントを行う上での介護支援専門員に求められる主な役割・機能には、①**利用者本位の徹底**、②**チームアプローチの徹底**、③居宅サービス計画等に基づくサービス実施状況のモニタリングと計画の修正、④サービス実施体制におけるマネジメントの情報提供と秘密保持、⑤社会資源の開発などがあります。

◎居宅サービス計画の作成過程

居宅サービス計画は、介護支援専門員が作成するものであり、主に以下の過程で作成されます。

①介護支援専門員は、居宅サービス計画作成の開始に当たって、**アセスメント**を実施し、利用者が現に抱える問題点を明らかにし、利用者が自立した日常生活を営むことができるように支援する上で解決すべき課題を把握します。このアセスメントは、**利用者の居宅を訪問**し、利用者及び利用者の家族との面接によって行わなければなりません。

②アセスメントの結果に基づき、居宅サービス計画原案を作成しなければなりません。

③サービス担当者会議を開催することによって、利用者の状況等に関する情報を担当者と共有するとともに、居宅サービス計画原案の内容について、担当者に対して専門的な見地からの意見を求めます。

④居宅サービス計画原案の内容について、利用者または利用者の家族に対して説明し、**文書により利用者の同意**を得なければなりません。

⑤作成した居宅サービス計画は、利用者及び担当者に交付しなければなりません。

⑥居宅サービス計画の作成後、居宅サービス計画の実施状況を把握するため、**モニタリング**を実施します。このモニタリングにおいては、少なくとも月１回、利用者の居宅を訪問して利用者と面接し、結果を記録する必要があります。

領域　介護

10 コミュニケーション技術

重要テーマ

- コミュニケーション技術の種類
- 質問技法
- 介護記録

科目の概要

この科目は、人間関係とコミュニケーションの科目の応用的・実践的な内容が含まれています。

コミュニケーション技法である反復や要約などの種類・特徴を学習して、**どのような場面で活用**するかを理解しておくことが必要です。また、質問技法についても、コミュニケーション技法と同様、何かを知りたい・確認したい場合には、**どの質問技法を選択**することが適切であるかを理解する必要があります。

介護記録に関しては、記録の書き方・修正方法・保管の方法を中心に学習していきます。

主な出題範囲	主な学習内容
コミュニケーション技法	・コミュニケーション技法の種類と活用方法 ・質問技法の種類と活用方法 ・コミュニケーション技法の実際
介護記録	・介護記録の記述方法 ・介護記録などの記録の管理方法 ・介護記録などの情報の共有
報告・会議	・報告・会議の意義 ・会議の種類と実施方法

勉強のコツ！

- コミュニケーション技法と質問技法の種類・特徴を一覧にしてまとめる！
- 時間がない場合には、予想問題と過去問題を繰り返し解いて、理解を深める！

この科目は、コミュニケーションに関する実践的な内容が多く含まれています。あまり難しい内容は含まれていませんので、学習時間にゆとりがない場合でも、予想問題と過去問題を繰り返し解くという**問題中心の学習方法**をとれば、試験で得点することは十分可能でしょう。ただし、問題を解いて、間違えた箇所や○×の判断に悩んだ箇所については、必ず**参考書**で確認しておく必要があります。

最重要ポイント早わかり　1　利用者への関心を表す態度

利用者への関心を表す態度として、イーガンは、5つの基本動作「**SOLER**《ソーラー》」を提唱しました。

①**S**（Squarely）……………………利用者とまっすぐ向かいあう姿勢
②**O**（Open）…………………………利用者に対して開いた姿勢
③**L**（Lean）…………………………利用者の方へ少し身体を傾ける姿勢
④**E**（Eye contact）…………………適度に利用者と目を合わせる姿勢
⑤**R**（Relaxed）………………………リラックスして話を聴く姿勢

最重要ポイント早わかり　2　コミュニケーション技術の種類

代表的なコミュニケーション技術には、傾聴や自己開示、明確化などの種類があります。

傾聴	利用者の言葉だけでなく、その**感情**や行動等も含めて**積極的・意識的に聴く**。関心を持ってじっくりと聴くためには、うなずき、相槌《あいづち》、言葉の繰り返し、話の要約、適切な質問、沈黙等の活用が重要である。
自己開示	良好な人間関係を構築するため、自分の意思に基づき**自らの情報**を言葉や感情等によって相手に伝える。**初対面**での自己開示の仕方が重要となる。
明確化	利用者が伝えたい内容をうまく表現できない場合に、**質問**等を行い、相手が伝えたい内容を**明らか**にする。相手の表情等からその人の考え等を先読みし、代わりにその伝えたい内容を言葉で表現する場合もある。
要約	利用者が話した内容やその意味、利用者の思い等について整理して伝える。その際は、相手が理解できるよう、端的に**まとめる**。
言い換え	利用者が話した内容を**別の言葉**を使って簡潔に返す。
直面化	利用者の感情と行動の**矛盾点**を指摘したり、心の葛藤をうかがわせる態度について話題にしたりする中で、利用者が自分自身と**向き合う**機会を提供する。
焦点化	利用者自身の気づき等を促すため、援助者は利用者の話す内容を受け止めた上で、重要な部分に**焦点を絞って**質問等を行う。
繰り返し	利用者の話を聞き、それを**繰り返す**。
反射	利用者の言葉や表情等から相手の**感情**を受け取り、それを相手に伝える。繰り返しの技法のように利用者の言葉を単にオウム返しするのではないため、注意が必要である。
沈黙	利用者が話したくない時や考えている時等、援助者は黙ったまま、寄り添って**待つ姿勢**が求められる。
アサーション（アサーティブ・コミュニケーション）	より良い人間関係を築くため、**相手を尊重**して配慮しながら、**自分自身の意思や意見**を相手に適切かつ**率直**に伝えるコミュニケーション技法である。

最重要ポイント早わかり　3 質問技法の種類

代表的な質問技法には、開かれた質問と閉じられた質問があります。

開かれた質問（オープンクエスチョン）	利用者が**自由に発言・表現**できるようにする質問技法。利用者の主訴や意見を聴く際に活用される。
閉じられた質問（クローズドクエスチョン）	「**はい**」または「**いいえ**」、あるいは簡単な**単語で短く**回答できる質問技法。利用者の基本情報を確認する等、事実を確かめる際に活用されることが多い。

最重要ポイント早わかり　4 バイステックの７原則

援助者は、利用者に対し、バイステックの７原則に基づいた考え方、態度、発言によって支援を行っていく必要があります。

①個別化の原則	利用者を個別的にとらえて問題解決を図ること
②受容の原則	利用者の性格や行動傾向などをあるがまま受けいれること
③意図的な感情表出の原則	利用者が、自分の考えや感情を表現できるように支援すること
④統制された情緒《じょうちょ》的関与の原則	援助者は、利用者が表出した感情に対して感情的にならずに情緒的関与を行うこと
⑤非審判的態度の原則	利用者の言動に対し、社会的基準や援助者の価値観によって、批判的な意見や評価をしないこと
⑥自己決定の原則	利用者が、自分の意思によって決定できるように支援すること
⑦秘密保持の原則	利用者の個人情報や相談内容などの秘密を守ること

最重要ポイント早わかり　5 利用者の状態に応じたコミュニケーション方法

介護福祉職は、利用者の疾病《しっぺい》・障害等の状態に応じて、適切なコミュニケーション方法を選択・活用する必要があります。

視覚障害	・介護福祉職のほうから**名乗って**声かけする。 ・**具体的に**わかりやすく説明し、「これ」「それ」「あれ」「どれ」等の**「こそあど言葉」の使用は避ける**。

聴覚障害	・伝音性難聴の場合は、**耳元**で、その利用者が聞き取れる大きさの声で**ゆっくり**話す。 ・感音性難聴の場合は、**ジャスチャー（身振り・手振り）**を用いる等、非言語的コミュニケーションも活用する。 ・加齢性（老人性）難聴は**感音性難聴**に分類され、耳元で大きな声で話されると音が**歪《ひず》んで**余計に言葉が認識できなくなる。**正面**で口の形や表情を見せながら、**ゆっくり**話す。**筆談**や絵、写真等を併用するとよい。 ・中途失聴者の場合、**手話を習得していない人もいる**ため、**筆談**を用いることが多い。ただし、筆談では微妙なニュアンスを伝えることが難しい。
認知症	・後ろや横から急に話しかけられると恐怖感や不安感を与えてしまうため、**正面から徐々に近づき**、声をかける。 ・理解力・判断力が低下しているため、できるだけ**短い文章**で、**ゆっくり**伝える。 ・計画を立てて物事を順序よく実施していくことが難しくなる**実行（遂行）機能障害**がある場合は、**手順**を示したメモを利用者と**一緒に見ながら順を追って説明**したり、利用者と**一緒に行ったりする**とよい。
うつ病	・「がんばってください」等、**安易に励《はげ》まさない**。 ・話の内容を**否定せず、受容的な態度で接する**。
統合失調症	・利用者が話す内容が理解できなくても、**否定も肯定もしない**。 ・**安易に話の内容を詳しく聞こうとしたり、解決策を提示したりしない**。

最重要ポイント早わかり　6 介護記録と報告の仕方

◎介護記録の記入方法

介護記録には、利用者の心身状態を把握するための書類、専門職等の**情報を共有**するためのツール、適切な介護を実施したという証拠書類などの役割があります。そのため、介護記録に用いる筆記用具は、紙の摩《ま》擦《さつ》によって記入した内容が読み取れなくなったり、故意に内容を消して書き換えたりすることができないよう、通常、**ボールペン**を用いています。

なお、文書作成の負担軽減や手続きの効率化のため、介護福祉の現場においてもICT（情報通信技術）の導入が進められており、介護記録も電子化されていく傾向にあります。

◎介護記録の管理方法

介護記録は、情報が漏《ろう》えいしないよう、所定の保管場所で**厳重に管理**しなければなりません。また、家族が情報開示を求めた場合であっても、その家族に**必要な情報**だけを開示する必要があります。さらに、介護記録や利用者情報をパソコンで管理する場合、特定されやすいパスワードを避けることなどによって、**情報漏えい防止**を徹底します。

◎記録の種類

フェイスシート	利用者の氏名、年齢、性別、要介護度、生活歴、家族構成等、その利用者がどのような人物かを把握することができるように**基本的な情報**をまとめる。
アセスメントシート	アセスメントの内容を記録する。具体的には情報収集から得られた利用者の健康状態、心身機能･身体構造、活動、参加、個人因子、環境因子といった**ICFに基づく情報**を記載した上で、それらの情報を整理・統合・解釈する中で利用者の**生活課題**を見出すためのツールとして活用する。
経過記録	個々の利用者の経過について記録する。具体的には、その利用者に対して実施した**日々の支援内容・方法**や、それに対する利用者の反応等を5W1Hに基づき記載する。
業務日誌	利用者に実施した直接的な支援内容に加え、家族等への対応、ケアカンファレンスや各種委員会への参加等、その日に実際に行った**業務内容**を記載する。
ケアカンファレンス記録	利用者を支援するチームとして実施した**ケアカンファレンスの結果**について記載する。その日の会議の内容によっても異なるが、一般的にはケアカンファレンスを通して共有された利用者の意向や生活課題、検討された介護計画の内容・方法、今後の支援の方向性や課題等が記載される。

◎介護サービスの記録の種類とその取扱い

介護サービスを提供する事業者は、利用者にサービスを提供した際、サービスの提供日・内容・費用など提供した**具体的なサービス内容**を**書面**に記載し、記録しなければなりません。この記録は、利用者から申し出があった場合、**文書の交付**などの適切な方法によって、情報を当該利用者に提供します。

介護サービスにおける記録の種類には、介護計画、提供した具体的なサービスの内容等の記録、苦情・事故などの記録があります。

◎報告の仕方

報告は、**結論**から先に述べるとともに、相手がその状況などをしっかりと理解できるように、「誰が、いつ、どこで、何があった」という**客観的な事実**を**正確かつ簡潔**に伝える必要があります。報告する際に、自分の考えや推測などの主観を交えてしまうと、報告する相手がその状況などについて十分に理解できなくなってしまうため、自分の考えや推測などの主観を伝える必要がある場合には、報告内容と区別しなければなりません。

領域　介護

11 生活支援技術

重要テーマ

・住宅改修　・福祉用具　・食事の介護　・排泄《はいせつ》の介護
・入浴の介護　・人生の最終段階（終末期）の介護
・福祉用具の活用

科目の概要

この科目は、生活支援技術である食事・排泄・入浴の介護の方法を中心に学習する内容となっています。学校での演習や実習、介護福祉の現場での知識としても重要です。また、介護保険制度と関連する住宅改修と福祉用具もこの科目で学習します。

この科目は、学習量は多いですが、学習範囲はそれほど広くはなく、学習内容の難易度も他の科目に比べると易《やさ》しいといえるので、比較的時間をかけずに学習できるでしょう。

また、試験問題もさほど難しくないものが多く出題されることが予想できることから、この科目で**多く得点**することが合格の最低条件といっても過言ではありません。

試験においては、出題される問題数が26問と他の科目に比べて多く配分されており、問題に事例が含まれている**短文事例形式の問題**が4問程度出題されることから、その対策をしっかりしておく必要があります。さらに、図表などを活用した**ビジュアル問題**も出題されていますので、注意しましょう。

主な出題範囲	主な学習内容
住環境整備	・住宅改修 ・住宅のバリアフリー化 ・ユニバーサルデザイン
各種介護の特徴	・身じたくの介護（衣服の着脱支援、口腔《こうくう》ケア） ・移動の介護（移動・移乗の介護、外出支援） ・食事の介護（誤嚥《ごえん》予防、栄養管理） ・清潔の介護（入浴介護、清拭《せいしき》） ・排泄の介護（排泄の自立を図るための支援） ・家事の介護（洗濯、掃除、買い物） ・睡眠の介護（安眠に向けた支援、寝室の環境整備） ・人生の最終段階（終末期）の介護（死の教育、医療職との連携） ・福祉用具の活用（障害特性に適した福祉用具、福祉用具の使用方法）

勉強のコツ！

・介護の方法で、わからない内容は実際に試してみる！
・時間がない場合には、予想問題と過去問題を繰り返し解いて、理解を深める！

この科目は、介護福祉職が活用する生活支援の技術に関する実践的な内容が多く含まれています。そのため、あまり難しい内容は含まれていませんので、学習時間にゆとりがない場合には、予想問題と過去問題を繰り返し解くという**問題中心の学習方法**をとれば、試験で得点することは十分可能でしょう。ただし、問題を解いて、間違えた箇所や○×の判断に悩んだ箇所については、必ず**参考書**で確認しておく必要があります。

なお、四肢麻痺や片麻痺、頸髄損傷、認知症など、それぞれの**利用者の状況や疾患**によって、必要とする介護の内容・方法が異なる場合があります。利用者の状況や疾患ごとに、介護福祉職にはどういった生活支援技術が求められるのかを整理しておくとよいでしょう。

最重要ポイント早わかり　1　介護保険制度の住宅改修

◎住宅改修の過程

介護保険制度における住宅改修は、居宅で生活する要介護者などの日常生活の安全の確保、居宅内の移動の円滑化、日中活動の活性化、外出の機会の増加などを目的として実施されます。

住宅改修は、下図で示すように住宅改修を行うにあたっての相談から居宅介護住宅改修費支給までの過程で行われます。

住宅改修では、事前に市町村に対して申請する**事前申請制**を採用しており、支給申請では、住宅改修申請書、住宅改修が必要な理由書、住宅改修に要する費用の見積書、住宅改修後の完成予定の状態が確認できるものなどの必要書類を添えて申請します。また、事後申請では、住宅改修に要した費用の領収書や工事費内訳書などを添えて申請します。

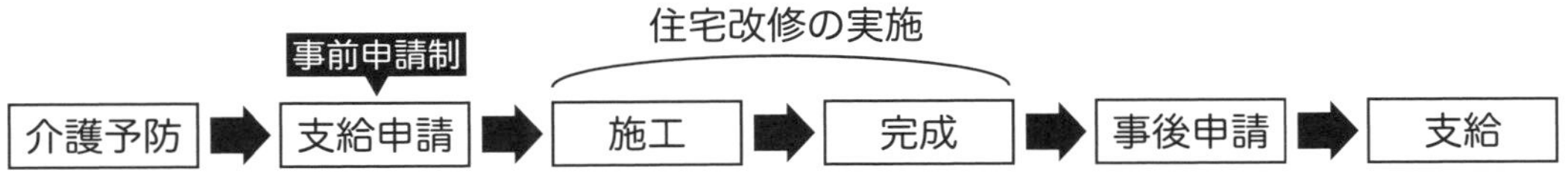

◎住宅改修費の支給対象工事

住宅改修費の支給対象工事は、次ページの表で示すように、大きく①手すりの取り付け、②段差解消、③床材の変更、④扉の取替え、⑤便器の取替えに分類されます。

手すりの取り付け	廊下・トイレ・浴室・玄関などの必要な箇所への手すりの設置
段差解消	廊下・トイレ・浴室・玄関などへのスロープ設置や床段差の解消工事などの実施
床材の変更	畳からフローリングなどへの変更、浴室の床材の滑りにくい材質への変更　　など
扉の取替え	開き戸から引き戸・折り戸・アコーディオンカーテンなどへの変更、ドアノブの変更、戸車の設置、引き戸等の新設　　など
便器の取替え	和式便器から洋式便器への取替え、便器の向き・位置の変更　　など

※その他付帯する工事も支給対象に含まれる。

◎居宅介護住宅改修費

居宅で生活する要介護者が介護保険制度の住宅改修を利用した場合、介護給付の居宅介護住宅改修費が支給されます。この居宅介護住宅改修費の支給限度基準額は、**20万円**であり、そのうち**自己負担分を除いた金額**が**償還《しょうかん》払い**で支給されます。

また、居宅介護住宅改修費の特例として、すでに支給限度基準額を満たした住宅改修を行った場合においても、対象となる居宅要介護者が心身状態の著しい悪化により、**要介護度が３段階以上重く**なったときや、住宅改修を行った要介護者が**転居**したときなどには、再度、居宅介護住宅改修費の支給を受けることができます。

最重要ポイント早わかり　2 介護保険制度の福祉用具サービス

介護保険制度の福祉用具サービスには、**福祉用具貸与**と**特定福祉用具販売**があります。福祉用具貸与と特定福祉用具販売は、それぞれ定められた種目の福祉用具を取り扱っています。

◎福祉用具貸与の種目（13種目）

①車いす　②車いす付属品　③特殊寝台　④特殊寝台付属品　⑤手すり
⑥床ずれ防止用具　⑦体位変換器　⑧歩行器　⑨スロープ　⑩歩行補助杖《ほじょづえ》
⑪認知症老人徘徊感知機器《にんちしょうろうじんはいかいかんちきき》　⑫移動用リフト（つり具部分除く）
⑬自動排泄処理装置《じどうはいせつしょりそうち》

◎特定福祉用具販売の種目（6種目）

①腰掛《こしかけ》便座　②自動排泄処理装置の交換可能部品　③排泄予測支援機器
④入浴補助用具　⑤簡易浴槽　⑥移動用リフトのつり具部分

最重要ポイント早わかり　3 着脱の介護のポイント

衣服は、生活場面に応じて適宜《てきぎ》着替えるように支援することが大切です。衣服の着脱支援を実施する際には、着替えの前後に利用者の体調を確認し、利用者の**尊厳の保持**を徹底する必要があります。衣服の選択については、できる限り利用者自身で選択・決定できるように支援する必要があります。また、片麻痺《かたまひ》のある者への着脱介助の基本は、**脱健着患**《だっけんちゃっかん》です。

片麻痺のある者への着脱介助方法（例）

かぶり上衣を着る場合	患側上肢→健側上肢（頭）→頭（健側上肢）の順に着る。
かぶり上衣を脱ぐ場合	健側上肢→患側上肢（頭）→頭（患側上肢）の順に脱ぐ。

最重要ポイント早わかり　4 食事介護のポイント

食事介護では、利用者が適切に**栄養を確保**することを目的としているほか、**楽しく**食事ができるように支援することが求められます。

高齢者は、嚥下《えんげ》反射が低下している場合があるので、**誤嚥**《ごえん》**の防止**を図りながら、食事介助を行う必要があります。主な誤嚥予防の方法には、以下のものがあります。

- 意識がはっきりしているときに食事をする。
- 食事をゼリー状にしたり、とろみを加えたりするなどの工夫をする。
- 食べ物を少量ずつ口に入れる。
- 顎《あご》を**下げ気味**にして、食べ物を飲み込む。
- 誤嚥の危険性を感じたら、食事を中断する。

最重要ポイント早わかり　5 入浴介護のポイント

入浴は、利用者の清潔保持だけでなく、利用者にとって気分転換を図ることなどの効果があります。

入浴前	・利用者の体温、脈拍、呼吸などの**バイタルチェック**を行う。 ・入浴前に排泄《はいせつ》を済ませておくように利用者を促す。 ・利用者の**プライバシー**に配慮する。 ・脱衣所や浴室の安全の確認を行う。 ・脱衣所や浴室の室温を **24℃程度**の適温に設定する。

入浴中	・湯温の目安は**40℃程度**とし、入浴時間の目安は15分程度とする。 ・湯温は、まず**介護福祉職の手や前腕内側**で確認する。 ・利用者に湯をかける場合には、**手足の末端部**からかける。 ・頭髪→顔→上肢→腹部→下肢→陰部の順序で洗う。
入浴後	・速《すみ》やかに身体を拭き、**保温**を図る。 ・体内の水分量が低下していることから、**水分を補給**する。 ・体力が消耗していることを踏まえ、**安静**を図る。 ・体温、脈拍、呼吸などの**バイタルチェック**を行う。

最重要ポイント早わかり　6 口腔《こうくう》ケアのポイント

口腔機能には、**咀嚼《そしゃく》・嚥下《えんげ》・発音・口呼吸**があり、口腔ケアを実施することによって、唾液分泌量の改善、味覚の回復、歯周病などの口腔疾患《しっかん》の予防、嚥下反射・咳《がい》反射の改善などの効果を得ることができます。

主な口腔ケアの方法

洗口《せんこう》	・水や洗口剤による**ブクブクうがい**のことを指す。 ・口腔《こうくう》内の**食物残渣《ざんさ》を除去**するため、ブラッシング前に実施する。
ブラッシング	・歯ブラシや歯間ブラシを使用し、**軽い力で小刻みに動かす**。 ・硬い歯ブラシは歯肉《しにく》（歯茎《はぐき》）を傷つけるおそれがあるため、高齢者の場合は**柔らかめ**の歯ブラシを使用する。 ・**歯垢《しこう》除去**に効果がある。
舌・口腔粘膜のケア	・舌《ぜつ》ブラシやスポンジブラシ等を使用し、**奥から手前に向けて**行う。 ・誤嚥《ごえん》予防のため、スポンジブラシ等の**水分はよく絞《しぼ》って**から使用する。 ・**舌苔《ぜったい》**がある場合は、一気に除去しようとせず、**軽い力**で舌の表面（味蕾《みらい》細胞）を傷つけないように**少しずつ**行う。 ・口腔内の乾燥を防ぐため、仕上げに**保湿剤**を塗布《とふ》するのも有効である。

最重要ポイント早わかり　7 排泄《はいせつ》介護のポイント

排泄介護では、羞恥心《しゅうちしん》に配慮しつつ、自立支援の観点から、**利用者の排泄の自立を図る**ように対応しなければなりません。排泄の自立を図るための支援方法には、ポータブルトイレの設置、定期的なトイレ誘導、トイレに近い居室への移動などがあります。なお、おむつの着用は、排泄の自立の妨《さまた》げとなるため、できる限り使用しないように対応する必要があります。

ポータブルトイレの設置	ベッドサイドにポータブルトイレを設置し、トイレまでの移動が間に合わない場合や夜間に排泄する場合などに活用する。
定期的なトイレ誘導	利用者の排泄間隔や排泄習慣を把握し、その間隔に合わせて、定期的にトイレ誘導を実施し、適切な排泄習慣を習得できるようにする。
トイレに近い居室への移動	トイレまでの移動が間に合わない場合には、トイレに近い居室に移す。

最重要ポイント早わかり　8 片《かた》麻《ま》痺《ひ》のある利用者への移乗介護の方法

片麻痺のある利用者には、生活の様々な場面で移動や移乗などの介護が必要となります。

ベッド→車いす	車いすを利用者の**健側**に、ベッドに対し **20 ～ 45 度**程度の位置に置き、**ストッパー**がかけてあるかを確認する。
車いす→トイレ	健側に斜め **20 ～ 45 度**程度の位置に車いすをつけ、介護福祉職は**患側**に立って、利用者は手すりを**健側**でつかんで立ち上がる。そしてズボンや下着を下ろして便座に腰掛けるように支援する。
シャワーチェア→浴槽	シャワーチェアは健側と浴槽とが**平行**になるように置き、浴槽内に入る際は、**健側の足→患側の足**の順に、手すりをつかんで浴槽に入る。

最重要ポイント早わかり　9 人生の最終段階（終末期）の介護

人生の最終段階（終末期）では、その利用者や家族の気持ちを尊重しながら、医療関係者、リハビリテーション専門職、介護福祉職などの様々な専門職によるチームアプローチで、医療面、介護面、精神面などについて総合的なケアを実施します。

利用者に対しては、身体的な痛みだけでなく、精神的な痛み、社会的な痛み、霊的な痛みの**全人的な痛み（トータルペイン）**について緩和を図ることが重要です。

人生の最終段階（終末期）における利用者への支援は、下図で示すような過程で実施され、その利用者が死に至る前に、本人や家族に対して死の教育を行い、死への受容を図るとともに、臨終期には、家族に死のプロセスや看《み》取《と》りの心得についても説明します。また、利用者の死後も、家族に対し、死の克服を図るための支援（**グリーフケア**等）が実施されます。

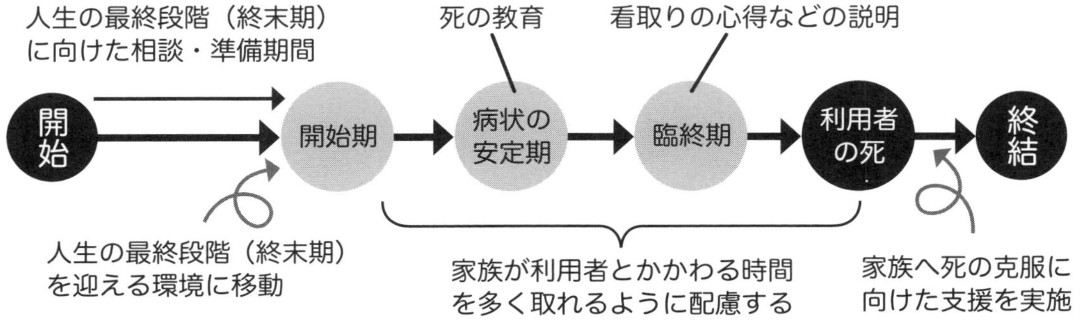

12 介護過程

重要テーマ

・介護過程の展開方法　・介護計画の種類と作成上の留意点
・アセスメントの方法

科目の概要

この科目は、他の科目と比べると、学習範囲も広くなく、学習量も少ない特徴があり、難しい内容や用語も少ないため学習しやすい内容です。

介護過程の展開を中心に学習する内容であり、試験で得点を稼《かせ》ぎやすい科目といえます。出題範囲をみると、特に介護過程の１つである**介護計画**は、最も中心的な内容として位置づけられていると判断できます。

介護計画では、介護計画の記述の方法、作成上の留意点などの基礎を学ぶほか、実際の介護サービスの計画（例：訪問介護計画）についても学習するとよいでしょう。その際、「計画を**誰が**作成するのか」「計画の内容を**誰に**説明し、**誰の**同意を得るのか」「作成した計画を**誰に**交付するのか」のように「**誰**」の部分をしっかり理解する必要があります。

主な出題範囲	主な学習内容
介護過程の展開	・介護過程の意義、目的・目標 ・アセスメント（情報収集を含む） ・介護計画
介護計画の作成	・目標（長期目標と短期目標）の設定 ・介護計画の種類（居宅サービス計画など） ・介護計画の評価
チームアプローチ	・ケアカンファレンス ・サービス担当者会議 ・ケアプランと介護過程

勉強のコツ！

・介護過程の各段階のポイントをつかむ！
・時間がない場合には、介護計画を中心に学習する！
・予想問題と練習問題を繰り返し解くだけでも、試験対策として十分！

この科目の難易度は、それほど高くないので、介護過程の各段階のポイントを把握した上で、予想問題と過去問題を繰り返し解き、理解を深めるだけでも、試験には十分通用するといえます。苦手科目が多い受験生にとっては、この科目で点を稼いで、苦手科目分を補うことを考えてもよいでしょう。

なお、試験で出される問題は、回を重ねるごとにより具体的な内容になってきており、さらに第 26 回試験からは、1事例：2問を1セットにした事例問題が出題されています。今後もこの傾向が継続されると想定できますので、予想問題や過去問題などを活用して、**様々な形式の問題に慣れる**ことが大切です。これは他の科目についても同様です。

最重要ポイント早わかり　1 介護過程の展開

◎介護過程の概要

介護過程は、下図で示すように大きく**4段階**に区分できます。ただし、**アセスメント**の段階では、**情報収集→情報の整理・統合・解釈→生活課題の抽出**と細分化することもできます。

また、介護過程は、評価の段階で必ず終了するわけではなく、評価の段階において、新たな課題・問題を発見した場合には、アセスメントの段階などに戻って（再アセスメント）、適切な介護を実施していきます。

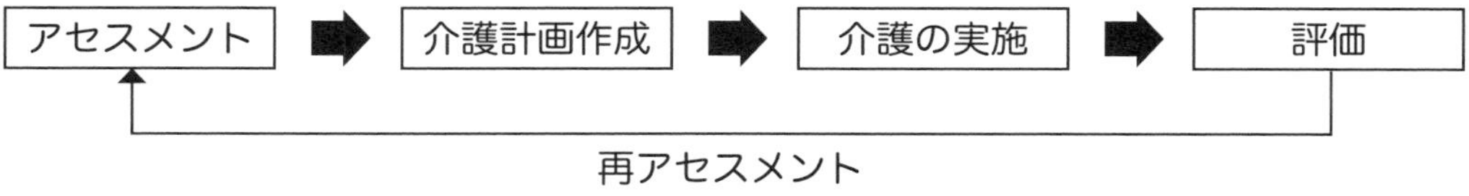

◎アセスメント

情報収集では、利用者の心身状態や生活環境などの情報を収集します。情報収集を行う際は、利用者の**身体的**、**心理的**、**社会的**な側面から観察し、全体像をとらえることが重要であり、利用者の状況は**主観的情報**と**客観的情報**からとらえる必要があります。

また、介護方針の検討や生活環境の改善に向けて、利用者の希望や思いなども併せて聴いて把握することが大切です。

アセスメントでは、情報収集により得た利用者の心身状態や生活環境などの情報について一つひとつ理解した上で、それらを整理・統合・解釈して生活課題を抽出していきます。

ここで抽出された利用者の生活課題の解決に向けて、介護計画の立案の段階に移行します。

◎介護計画の作成

介護計画では、利用者やその家族の希望等を取り入れ、計画を作成します。計画作成後には、利用者やその家族に対して、計画内容について説明し、利用者やその家族がその計画内容を理解し、納得するという「**説明と同意**」が必要です。

また、計画の作成にあたっては、**5W 1H** を踏まえて具体的に立案する必要があります。

この**5W 1H**とは、Who（誰が）、When（いつ）、Where（どこで）、What（何を）、Why（なぜ）、How（どのように）のことをいいます。

◎目標

介護計画に設定する目標には、**長期目標**や**短期目標**があります。長期目標や短期目標は、利用者にとって実現可能な内容を設定する必要があります。さらに、それらの目標は、**利用者の視点からとらえた内容で記述**します。例えば、排泄《はいせつ》に関する目標の場合、「トイレで排泄できるようになってもらう」ではなく、「トイレで排泄できる」という表現を用います。

◎評価

評価は、設定した**目標**に対し、利用者がどの程度到達できたかを見直す段階です。この評価では、判断材料として実施した介護の記録等が用いられます。

また、介護計画に沿った介護の実施によって、利用者にどのような効果があったか、利用者の生活課題は解決できたか、利用者に新たな生活課題が生じていないか等も評価の段階で熟慮していきます。

最重要ポイント早わかり　2 サービス担当者会議

サービス担当者会議とは、介護サービスを利用する際に作成されるケアプラン（居宅サービス計画や施設サービス計画等）の原案の内容について、利用者、家族、サービス担当者などが集まって、話し合いをする場をいい、**チームアプローチ**の方法の１つです。サービス担当者会議の招集は、介護支援専門員（ケアマネジャー）が担います。

居宅サービス計画は、図で示すように**介護支援専門員**（ケアマネジャー）が原案を作成して、サービス担当者会議を開催し、その後、作成した居宅サービス計画を利用者とサービス担当者に交付します。施設サービス計画は、**計画担当介護支援専門員**が作成し、計画作成者がサービス担当者会議を開催します。

①居宅サービス計画原案の作成　②サービス担当者会議の開催　③居宅サービス計画の完成と交付

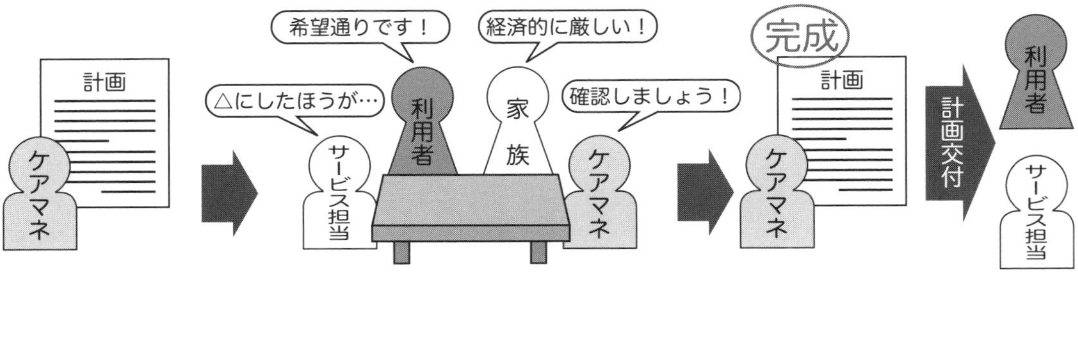

介護福祉士

完全予想模試①午前

次の注意事項をよく読んでから、始めてください。

（注　意）

1　これは試験予想問題です。問題は 63 問です。

2　制限時間は 100 分です。
＊科目別問題数については、第 36 回本試験を参考に設定しています。

3　答えは、①午前－ 27 ページの解答用紙に記入してください。

4　答えは、各問題とも 1 つだけです。2 つ以上の解答をしたもの、判読が困難なものは、正解としません。
解答は、解答用紙の解答番号を黒くぬりつぶして記入してください。

5　問題中、法令に関する部分は、2024 年 4 月 1 日現在施行中の規定に基づいて出題されています。

6　解答・解説は本冊解答・解説編の 3 ページから、正解一覧は本冊解答・解説編の 2 ページです。

矢印の方向に引くと問題が取り外せます。

＜領域：人間と社会＞

人間の尊厳と自立

➡ 解答時間　2 分

問題　1　Aさん（50 歳，男性）は，若年性アルツハイマー型認知症（dementia of the Alzheimer's type with early onset）と診断を受けて 1 年が過ぎた。A さんは，自宅のある市内の公民館を会場にして，月一回開催している当事者の会（以下，会という。）に積極的に参加している。A さんは，自宅から会場までは，バスを利用して 20 分の距離を一人で行っている。前回，A さんは，会に 1 時間近く遅れてきた。その理由を A さんは，「バスを降りて歩いていたら，どちらの方向に行けばよいかわからなくなった。次回から来るのが不安だ」と会に参加している介護福祉職に話した。また，A さんは「不安ではあるが，次回も一人で来たい」とも話している。

この時の介護福祉職の対応として，**最も適切なものを 1 つ**選びなさい。

1　次回から家族に付き添ってもらい来るように勧める。
2　アルツハイマーが原因だと説明する。
3　会場にたどり着くまでに何が困難だったのか確認する。
4　活動を自粛するように伝える。
5　誰にでも間違いはあると励ます。

➡ 解答時間　1 分

問題　2　アドボカシー（advocacy）に関する次の記述のうち，**最も適切なものを 1 つ**選びなさい。

1　自己の権利やニーズを表明することが困難な人に代わって，援助者が代弁していくことをいう。
2　権利侵害や抑圧された人々が，状況を克服する力を獲得していくことをいう。
3　すべての人々を孤独や孤立，排除などから援護し，社会の構成員として包み支え合うことをいう。
4　病気の状況や治療方法，それに伴うリスクなどについて，医師から事前に説明を受けたうえで治療を受けることに同意することをいう。
5　障害者も，共に一般社会の中で普通の生活を送ることのできる社会を目指す。

人間関係とコミュニケーション

➡ 解答時間　2 分

問題　3 次の記述のうち，介護施設における介護福祉職のコンプライアンスに沿った行動に**該当するものを 1 つ**選びなさい。

1　取得した個人情報の目的外利用の禁止
2　家族の要望に沿った介護
3　職員間で決めた非公式のルールに従う
4　自身の信条に従った行動
5　施設の慣習に沿った行動

➡ 解答時間　2 分

問題　4 U 特別養護老人ホーム（ユニット型）の V ユニットで会議が開催された。参加したのは V ユニットで勤務する 10 人の介護福祉職である。会議の中で，ユニットリーダーがユニット内での新たな取り組みについて提案した。これに，参加した介護福祉職の中には賛成する者の他に，反対ではないが不安を訴えるもの，提案に反対する者がいたが，それらの者は，改善案や代替案を積極的に出して意見を述べている。

上記の参加者の行動について，次のうち，**該当するものを 1 つ**選びなさい。

1　シティズンシップ
2　インターンシップ
3　パートナーシップ
4　フォロワーシップ
5　リーダーシップ

➡ 解答時間　1分

問題　5　非言語コミュニケーションの準言語に関する次の記述のうち，**該当するものを１つ選**びなさい。

1　言語
2　顔の表情
3　声の大きさ
4　背中をさする
5　手話

➡ 解答時間　2分

問題　6　Bさん（55歳，男性）は，1年前に事故で脊髄損傷《せきずいそんしょう》（spinal cord injury）となり，四《し》肢《し》麻《ま》痺《ひ》の障害を抱えている。現在，Bさんは，介護保険サービスのショートステイを月に1週間ほど利用している。しかし，他の利用者は高齢者が多いため，話題も合わず日中のほとんどを居室で過ごしている。ある日，Bさんは，C介護福祉職に「俺がなんで障害を持つ体になってしまったんだ。悔しくて，情けない」と語気強く話してきた。また，「いつも，こうやって話しても，誰も真剣に聴いてくれない」とも話した。C介護福祉職は，Bさんの話を傾聴していることを自身の聴き方を通して伝えることが必要だと考えた。

C介護福祉職の傾聴していることを相手に伝えるための方法として次の記述のうち，**最も適切なものを１つ**選びなさい。

1　腕組みをして聴く
2　ネガティブな内容は否定する
3　沈黙を回避する
4　話の結論を述べる
5　相手の言葉を繰り返す

社会の理解

➡ 解答時間　２分

問題　7　災害時の避難行動要支援者の支援に関する次の記述のうち，**最も適切なものを１つ選びなさい。**

1　避難行動要支援者とは，高齢者及び障害者のことをいう。
2　避難行動要支援者名簿情報は，避難支援に携わる関係者に提供できる。
3　福祉避難所は，全ての人を対象とした避難所である。
4　避難行動要支援者名簿は，地域の自治会長が作成する。
5　市町村長は，避難行動要支援者の個別計画作成の義務がある。

➡ 解答時間　２分

問題　8　地域共生社会推進検討会において示された「伴走型支援」に関する記述のうち，**最も適切なものを１つ選びなさい。**

1　本人と支援者が継続的につながることを目指す。
2　本人の抱える課題が明らかな場合に有効である。
3　本人が有する特定の課題を解決することを目指す。
4　属性に対応するための支援を重視する。
5　支援者と本人は「支える」「支えられる」という関係性である。

（注）地域共生社会推進検討会とは，「地域共生社会に向けた包括的支援と多様な参加・協働の推進に関する検討会」のことである。

➡ 解答時間　１分

問題　9　介護保険制度における小規模多機能型居宅介護に関する次の記述のうち，**正しいものを１つ選びなさい。**

1　運営推進会議は，おおむね１年に１回開催する。
2　訪問看護サービスを提供する。
3　夜間帯に定期的に訪問し，排泄《はいせつ》介助を行う。
4　地域密着型サービスに位置づけられる。
5　居住地域の制限はない。

➡ 解答時間　2 分

問題　10　障害者総合支援法のサービス利用に伴う苦情受付及び解決を行う第三者機関について，**正しいものを 1 つ**選びなさい。

1　運営適正化委員会
2　市町村審査会
3　基幹相談支援センター
4　介護保険審査会
5　福祉事務所

（注）「障害者総合支援法」とは，「障害者の日常生活及び社会生活を総合的に支援するための法律」のことである。

➡ 解答時間　2 分

問題　11　認知症基本法にある基本理念に関する次の記述のうち，**正しいものを 1 つ**選びなさい。

1　認知症（dementia）の人の家族の意向を十分に尊重する。
2　認知症（dementia）の人の意見を表明する機会を確保する。
3　認知症（dementia）の人が，支援者の意思によって日常生活及び社会生活を営むことができる。
4　認知症（dementia）の人の家族が，認知症に関する正しい知識を深めることができる。
5　各関連分野，縦割りでの取り組みをおこなう。

（注）「認知症基本法」とは，「共生社会の実現を推進するための認知症基本法」のことである。

➡ 解答時間　2 分

問題　12　D さん（20 歳，女性）は，現在，実家を離れて他県で一人暮らしをしながら大学で学んでいる。20 歳をむかえ，国民年金の被保険者となったが，国民年金の保険料を支払うだけの経済的余裕がないため，学生納付特例制度を利用することとした。

学生納付特例制度に関する次の記述のうち，**最も適切なものを 1 つ**選びなさい。

1　老齢基礎年金の受給資格期間に含まれない。
2　学生納付特例の承認後，5 年以内であれば追納できる。
3　対象者は，大学及び短期大学の学生のみである。
4　保険料免除・猶予も併せて受けられる。
5　学生納付特例期間は，障害基礎年金の受給要件期間に含まれる。

➡ 解答時間　1分

問題　13　生活保護における「保護の原則」に関する次の記述のうち，**最も適切なものを1つ選**びなさい。

1　アウトリーチの原則
2　必要最低以下の原則
3　一律基準の原則
4　世帯単位の原則
5　金銭給付の原則

➡ 解答時間　2分

問題　14　知的障害があるEさん（63歳，男性）は，長年，母親と2人で自宅で生活をしてきた。Eさんは，判断能力を有さず金銭管理・財産管理が困難なため，それらをすべて母親が担ってきた。しかし，先日，母親が死亡し，第三者による金銭管理・財産管理の必要性が生じた。

Eさんが利用する制度のうち，**最も適切なものを1つ**選びなさい。

1　緊急小口資金
2　日常生活自立支援事業
3　生活扶助
4　成年後見制度
5　生活支援費

➡ 解答時間　2分

問題　15　2021（令和3）年以降における日本の高齢者の動向に関する次の記述のうち，**最も適切なものを1つ**選びなさい。

1　単独世帯で最も多いのは，高齢者の世帯である。
2　高齢化率は28.0%である。
3　75歳以上の者の就業率は増加傾向にある。
4　持家に居住している65歳以上の者は半数以下である。
5　孤独感を感じている割合が最も高いのは，80代である。

➡ 解答時間　2分

問題　16　後期高齢者制度の医療給付費の財源構成として，**最も適切なものを1つ**選びなさい。

1　公費，保険料，現役世代からの支援金

2　保険料

3　公費

4　公費，保険料

5　公費，現役世代からの支援金

➡ 解答時間　2分

問題　17　**F**さん（18歳，男性）は，筋ジストロフィー（muscular dystrophy）を中学時代に発症し，現在手足が不自由で電動車いすを利用している。電動車いすの操作は自身一人で行えており，物をつかんだり，箸を持って食事をすることも可能である。来週，**F**さんは一人で中華料理店（店主1名で調理・対応している）で外食をしたいと思っている。

その際，店が**F**さんに行う合理的配慮に該当する，**最も適切なものを1つ**選びなさい。

1　飲食の介助

2　車いすで食事ができる席の準備

3　食事形態への配慮

4　閉店時間の延長

5　注文のデジタル化

➡ 解答時間　2分

問題　18　日常生活自立支援事業に関する次の記述のうち，**最も適切なものを1つ**選びなさい。

1　支援計画書の作成は生活支援員が行う。

2　地域包括支援センターが実施主体である。

3　利用は65歳以上の高齢者に限られる。

4　財産管理を行う。

5　利用には，料金が発生する。

＜領域：こころとからだのしくみ＞

こころとからだのしくみ

➡ 解答時間　1分

問題　19　マズロー（Maslow, A.H.）の欲求階層説の自己実現欲求に関する次の記述のうち，**最も適切なものを１つ**選びなさい。

1　欠乏欲求に該当する。
2　所属・愛情欲求の次の階層に該当する。
3　基本的欲求に該当する。
4　成長欲求に該当する。
5　他者からの承認欲求に該当する。

➡ 解答時間　1分

問題　20　心的外傷後ストレス障害（posttraumatic stress disorder：PTSD）に関する次の記述のうち，**最も適切なものを１つ**選びなさい。

1　できごとの直後から出現し，多くは１か月程度で軽快する。
2　心理的な動揺や不安感が生じ，身体的な症状は出現しない。
3　自分が体験したことでなければ症状は生じない。
4　原因となった体験が繰り返し思い起こされる。
5　特定の性格をもった人に起こる。

➡ 解答時間　1分

問題　21　自律神経に関する次の記述のうち，**最も適切なものを１つ**選びなさい。

1　血管が収縮するのは交感神経のはたらきによる。
2　気道が弛《し》緩《かん》するのは副交感神経のはたらきによる。
3　消化の働きを促進するのは交感神経のはたらきによる。
4　瞳孔が散大するのは副交感神経のはたらきによる。
5　心拍数が減少するのは交感神経のはたらきによる。

➡ 解答時間　2 分

問題　22　骨《こつ》粗《そ》鬆《しょう》症《しょう》（osteoporosis）の進行を予防する内容に関する次の記述のうち，**最も適切なものを 1 つ**選びなさい。

1　男性ホルモンバランスを崩さないようにする。
2　日光浴は骨を弱くするので控える。
3　骨《こつ》粗《そ》鬆《しょう》症《しょう》（osteoporosis）の人は納豆を食べてはいけない。
4　骨折しやすいため，歩行量を減らす。
5　予防のために乳製品の摂取を勧める。

➡ 解答時間　1 分

問題　23　音を増幅させて内耳へ伝えている部位として，**正しいものを 1 つ**選びなさい。

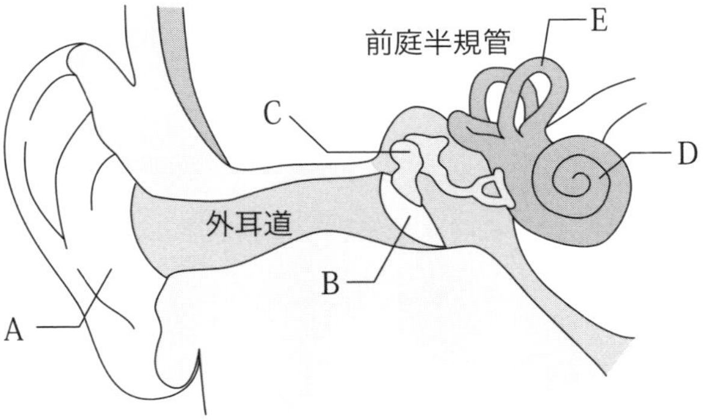

1　A
2　B
3　C
4　D
5　E

➡ 解答時間　2 分

問題　24　G さん（86 歳，女性）は，介護老人保健施設に入所していて，とてもおしゃれで爪のお手入れを続けている。最近，爪が割れてきたと悲しそうな表情をしていることが多い。**G** さんに対する声かけで**正しいものを 1 つ**選びなさい。

1　爪半月はデリケートな部分ですので，クリームを塗らないようにしましょう。
2　爪の主成分はたんぱく質ですので，食事もバランスよく食べましょう。
3　爪や指先を守るために，爪は若い時より長くしておきましょう。
4　1 日に 1mm 程度伸び，すぐに新しい爪になるので安心してください。
5　正常な爪は全体が白色になるんですよ。

➡ 解答時間　1分

問題　25　摂食・嚥下《えんげ》のプロセスに関する次の記述のうち，**最も適切なものを 1 つ**選びなさい。

1　先行期には，誤嚥《ごえん》防止のため頸部後屈《けいぶこうくつ》の姿勢に調整する。

2　準備期には，食べ物を認識するために眼鏡を準備する。

3　口腔期《こうくうき》には，義歯の調整が必要である。

4　咽頭期《いんとうき》には，食塊《しょっかい》が咽頭を通過し嚥下《えんげ》性無呼吸となる。

5　食道期には，窒息が起こりやすい。

➡ 解答時間　1分

問題　26　入浴による作用と，入浴時の訴えの組み合わせで，**最も適切なものを 1 つ**選びなさい。

1　浮力作用 ――――――「肌がすべすべになりました」

2　温熱作用 ――――――「からだが軽く感じます」

3　ヒートショック ―――「めまいがしてふらふらします」

4　静水圧作用 ―――――「からだがぽかぽかしてきました」

5　清浄作用 ――――――「少し呼吸が苦しい気がします」

➡ 解答時間　2分

問題　27　尿路感染症（urinary tract infection）に関する次の記述のうち，**最も適切なものを 1 つ**選びなさい。

1　男性の高齢者が罹《かか》りやすい。

2　寝たきりの人は罹《かか》りにくい。

3　服用している薬の影響はない。

4　脱水の場合に罹《かか》りやすい。

5　骨盤底筋群の筋力低下によって罹《かか》りやすい。

➡ 解答時間　2分

問題　28　Hさん（72歳，男性）は，最近，熟睡できなくて苦しいと話すことが多くなった。それに対する対応として，**最も適切なものを1つ**選びなさい。

1　寝る直前にお酒を飲むと熟睡できますよ。
2　睡眠薬の服用によって熟睡し，朝もすっきりと起きられますよ。
3　睡眠時間の確保のために昼寝や寝だめをするといいですね。
4　就寝前に夜食を摂るようにすると熟睡できますよ。
5　寝る前に好きな音楽を聴くといいですね。

➡ 解答時間　2分

問題　29　Jさん（76歳，女性）は夫（80歳）と二人暮らしである。去年，余命1年の大腸がんであると宣告され自宅療養を続けている。現在の状態はキューブラー・ロスの心理過程の「抑うつ」の段階である。

Jさんの状態で，**最も適切なものを1つ**選びなさい。

1　夫に対してありがとうと言ったり，心が穏やかな状態になってきた。
2　何かの間違いであったり，検査機器や医師の誤診ではないかと感じている。
3　何とかしたら，この病気から逃れられるかもしれないとインターネットで調べ続ける。
4　ふさぎ込んでばかりで，食事も食べず会話もできない日が続いている。
5　夫や見舞いに来た人に対して，怒りを爆発させて怒鳴っていることが多い。

➡ 解答時間　1分

問題　30　終末期の多職種連携に関する次の記述のうち，**最も適切なものを1つ**選びなさい。

1　デスカンファレンス（death conference）は，終末期に治療方針を決める医師のカンファレンス（conference）のこと。
2　モルヒネを使用している場合の観察ポイントは医療職と情報共有しておく。
3　終末期には身体的な苦痛を取り除くことに留意していく。
4　臨終期のケアは利用者のケアに集中させていく。
5　役割や専門性が異なるので，カンファレンス（conference）は各専門職ごとに行う。

発達と老化の理解

➡ 解答時間　1分

問題　31　人間の成長と発達に関する次の記述のうち，**最も適切なものを 1 つ**選びなさい。

1　スキャモン（Scammon, R.E.）の発育曲線によると，生殖器系は 20 歳頃から急激に発達する。
2　スキャモン（Scammon, R.E.）の発育曲線によると，神経系は 4 歳までにほぼ 80%以上発達する。
3　キャッチアップ現象とは，人間の成長・発達にとって決定的に重要な時期である。
4　ブリッジスの情緒分化によると，人間は生まれてすぐに感情をもっている。
5　人間の成長・発達の 4 原則によると，身体の末梢《まっしょう》から中心に発達は進む。

➡ 解答時間　2分

問題　32　シュトレーラーによる生理的老化の 4 原則に関する次の記述のうち，**正しいものを 1 つ**選びなさい。

1　生理的老化の特徴の中には内在性がある。
2　生理的老化が進んでも回復の可能性はある。
3　生理的老化は環境によって生じている。
4　生理的老化は人間にとって有害とはいいきれない。
5　生理的老化は普遍的な現象ではない。

➡ 解答時間　1分

問題　33　K さん（90 歳，男性）は介護老人福祉施設に入所している。少し忘れっぽくはなってきているが，ほとんどの ADL は自立していて，K さん自身もそのことにプライドを持っていた。ある日，施設の行事の企画を立てる役割を決める際に，K さんは「やってみたいです」と伝えたが，職員から「90 歳の K さんには無理でしょう」と言われた。

K さんが受けたことについて，**最も適切なものを 1 つ**選びなさい。

1　老性自覚
2　プロダクティブ・エイジング
3　社会情動的選択理論
4　サクセスフル・エイジング
5　エイジズム（ageism）

➡ 解答時間　2 分

問題　34　心疾患（heart disease）に関する次の記述のうち，**最も適切なものを 1 つ**選びなさい。

1　高齢者の場合，心筋梗塞を発症しても痛みを訴えないことがある。
2　心不全（heart failure）の症状にチアノーゼ（cyanosis）は出現しない。
3　狭心症の胸痛発作は 30 分以上続くことが多い。
4　呼吸苦は，座位よりも仰《ぎょう》臥《が》位《い》の方が楽である。
5　心筋梗塞（myocardial infarction）は安静にしていると症状が落ち着く。

➡ 解答時間　2 分

問題　35　高齢者における心身の健康に関する次の記述のうち，**最も適切なものを 1 つ**選びなさい。

1　ロコモティブシンドロームとは，加齢に伴う筋量・筋力の低下を指す。
2　WHO（世界保健機関）は，健康とは病気や障害がないことであると定義している。
3　フレイル（frailty）の段階には，適切な介入によって健全な状態に戻る可能性が含まれている。
4　2023（令和 5）年の平均寿命も健康寿命も，女性より男性の方が長い。
5　健康寿命から平均寿命までの期間は健康上の問題なく日常生活ができる期間である。

➡ 解答時間　1 分

問題　36　**L** さん（76 歳，男性）は，デイサービスを利用しながら一人暮らしを続けている。半年前あたりから，トイレに行っても尿はなかなか出てこず，さらに少しずつしか出ないようになり，何度もトイレに行く（頻尿）ようになった。最近，残尿感も激しくなり血が混じるようになったため，病院に行ったところ前立腺肥大症（prostatic hypertrophy）と診断を受けた。**L** さんへの日常生活上の留意点に関して，**最も適切なものを 1 つ**選びなさい。

1　尿意があっても 1 回量は少ないので，トイレに行くのを少し我慢しましょう。
2　便秘にならないように心がけましょう。
3　炎症を起こしているので，身体を冷やすといいですね。
4　なるべく座ったままで，立ち上がり動作は控えていきましょう。
5　トイレまで我慢できないこともあるので，水はあまり飲まないほうがよいですね。

➡ 解答時間　1分

問題　37 パーキンソン病（Parkinson disease）の症状や支援に関する次の記述のうち，**最も適切なものを 1 つ**選びなさい。

1　歩行時，方向転換をする時はすくみ足は出にくい。
2　便秘といった消化器系の症状は出にくい。
3　小刻み歩行になりやすいので，リハビリテーションが必要である。
4　手すりの設置など福祉用具での環境整備は必要ない。
5　歩行時の支援だけで，食事や更衣時の支援は必要ない。

➡ 解答時間　1分

問題　38 糖尿病（diabetes mellitus）に関する次の記述のうち，**最も適切なものを 1 つ**選びなさい。

1　低血糖症状には口渇，多飲，多尿がある。
2　運動は朝食前が効果的である。
3　朝食の薬を飲み忘れたら，昼食の時に一緒に服用する。
4　糖尿病（diabetes mellitus）とはインスリン過剰による疾患である。
5　合併症予防のためにフットケアが必要である。

認知症の理解

➡ 解答時間　1 分

問題　39　高齢者の自動車運転免許に関する次の記述のうち，**正しいものを 1 つ**選びなさい。

1　65 歳から，高齢者講習を受講しないと免許証の更新はできない。
2　改正道路交通法では，高齢者を 70 歳以上と規定している。
3　70 歳から，運転技能検査に合格しないと免許証の更新はできない。
4　75 歳から，高齢者講習を受講後，認知機能検査を受けないと免許証の更新はできない。
5　75 歳から，サポートカー限定免許に変更しなければ運転免許証の更新はできない。

➡ 解答時間　2 分

問題　40　認知症（dementia）の症状と関連の深い「うつ」や「アパシー（apathy）」に関する次の記述のうち，**最も適切なものを 1 つ**選びなさい。

1　うつ病（depression）によって記憶機能が低下する状態を仮性（偽性）認知症（pseudodementia）という。
2　アパシー（apathy）は無気力の自覚があり，うつは無気力の自覚が乏しい。
3　うつ病（depression）の症状には，もの盗られ妄想が多い。
4　アパシー（apathy）は気持ちが落ち込んだりイライラし，感情の起伏が激しくなる。
5　抗うつ薬によって認知症の進行が抑えられる。

➡ 解答時間　1 分

問題　41　M さん（85 歳，男性）は過去に脳梗塞（cerebral infarction）を発症しているが，現在は回復し自宅で妻と二人暮らしをしている。1 週間前に風邪を引き，それから食欲が次第になくなってしまい，最近では水分もあまり飲もうとしなくなっている。昨夜，突然，急に興奮し出し，妻に対して「お前は誰だ。俺を殺しに来たのだろう」と大声を出したり，そわそわして視線が定まらない状態で，なかなか落ち着かなかった。しかし，数時間後には普段通りに戻り，妻に対しても「いつもありがとう」と穏やかな表情で話しかけたりした。

M さんの状態について，**最も適切なものを 1 つ**選びなさい。

1　前頭側頭型《ぜんとうそくとうがた》認知症（frontotemporal dementia）
2　うつ病（depression）
3　正常圧水頭症（normal pressure hydrocephalus）
4　せん妄（delirium）
5　軽度認知症

➡ 解答時間　1分

問題　42 前頭側頭型《ぜんとうそくとうがた》認知症（frontotemporal dementia）の症状のある人に対する対応として，**最も適切なものを１つ**選びなさい。

1　パーキンソン症状が出現し小刻み歩行となるため，転倒予防の環境整備を行う。
2　初期の頃に急激に記憶障害が出現するので，精神的支援が必要である。
3　脱抑制による反社会的行動をとった際には，安心できる家族だけで対応した方がよい。
4　具体的に見える幻視の症状が生じた際には，まずは受け止め安心するよう心がける。
5　同じ時刻に同じ行動を繰り返す場合には，ルーティン化療法を行う。

➡ 解答時間　2分

問題　43 右片《みぎかた》麻《ま》痺《ひ》の症状がある血管性認知症（vascular dementia）のＡさん（80歳，女性）は，グループホームに入所し生活をしている。リハビリテーションには積極的に取り組み，施設での役割も意欲的に行っており，Ａさんの希望もあり，毎日午後にはテーブル拭きなどを介護福祉職と一緒に行っている。いつものようにテーブルを拭いていたら，突然「なぜ，私にこんなことをさせるのか」と泣き出した。

Ａさんの介護を検討するカンファレンス（conference）の中で最も重視していくこととして，**最も適切なものを１つ**選びなさい。

1　医療職による認知症の重症度の確認
2　一緒にテーブルを拭いていた介護職の対応の悪さ
3　レクリエーションの種類の検討
4　Ａさんの気持ちやその気持ちになった理由
5　Ａさんの役割を他のことに変えていく

➡ 解答時間　1分

問題　44 認知機能障害とそれに対する生活への影響との組み合わせとして，**最も適切なものを１つ**選びなさい。

1　遂行《すいこう》機能障害 ―――――― 午前中のレクリエーションに参加したことを思い出せない。
2　視空間認知障害 ―――――― 自分の部屋やトイレの場所がわからなくなる。
3　相貌失認 ―――――― 目の前にいる妻を見ても誰なのかがわからない。
4　見当識障害《けんとうしきしょうがい》 ―――――― 歯を磨く一連の動作ができなくなる。
5　記憶障害 ―――――― 階段を下りる時，すごく遠くに感じて降りられない。

➡ 解答時間　1 分

問題　45　アルツハイマー型認知症(dementia of the Alzheimer's type)のＢさん(92 歳, 女性)は，現在，特別養護老人ホームに入所している。日中，一人でいることが多く，他の人と会話をすることはほとんどない。ある日の昼食時，食事を勧めても強く嫌がり，悲しそうな表情をして職員の手を払いのけたり，まわりをきょろきょろ見回す動作をしている。介護職者は，Ｂさんの気持ちを理解しようと思い，同じように悲しそうな表情になり，まわりを見回してみた。

介護職者が行った対応について，**最も適切なものを１つ**選びなさい。

1　アイコンタクト
2　カリブレーション
3　リフレージング
4　センタリング
5　レミニシング

➡ 解答時間　2 分

問題　46　トランスファーショック（リロケーションダメージ）を予防する次の記述のうち，**最も適切なものを１つ**選びなさい。

1　新しい環境に慣れるために，家で使っていたものは持ち込まないよう説明する。
2　気の合う仲間を見つけられるよう，共有スペースで過ごす時間を増やす。
3　いつも同じ環境では意欲が低下するので，居室内の配置換えを行う。
4　施設に慣れていない時は，同じ介護職員がケアを行う。
5　徐々に変えるよりは，一気に変えた方がストレスはかからない。

➡ 解答時間　2分

問題　47　看護小規模多機能型居宅介護に関する次の記述のうち，**最も適切なものを 1 つ**選びなさい。

1　認知症（dementia）のある方が少人数で共同生活できるサービスである。
2　要支援者も要介護者も利用できる。
3　都道府県が実施する地域密着型サービスである。
4　1日24時間，月曜日から金曜日のサービス利用が可能である。
5　訪問看護と小規模多機能型居宅介護の複合型サービスである。

➡ 解答時間　2分

問題　48　若年性認知症（dementia with early onset）と診断された人とその家族の支援に関する次の記述のうち，**最も適切なものを 1 つ**選びなさい。

1　老年期の認知症と比べて，家族の心理的負担は少ない。
2　異常に気づくことは早いが診断は遅れやすい。
3　前期高齢者が発症する認知症である。
4　若年性認知症（dementia with early onset）のだれもが，介護保険制度を利用することができる。
5　支援体制が充実しており経済的に困窮することはない。

障害の理解

➡ 解答時間　1 分

問題　49 ICF（International Classification of Functioning，Disability and Health：国際生活機能分類）概念に関する次の記述のうち，**最も適切なものを 1 つ**選びなさい。

1　環境因子には，住居や制度，人間関係などがある。
2　ICF（International Classification of Functioning, Disability and Health：国際生活機能分類）は社会モデルに基づくので，性格や価値観などの個人因子は考慮しない。
3　活動と参加の 2 要素の生活機能から障害を捉える。
4　ICIDH（International Classification of Impairments，Disabilities and Handicaps：国際障害分類）は社会モデルの考え方で，ICF（International Classification of Functioning, Disability and Health：国際生活機能分類）は医学モデルの考え方である。
5　生活機能は，環境因子から一方的に影響を受けていると考える。

➡ 解答時間　2 分

問題　50 成年後見制度に関する次の記述のうち，**最も適切なものを 1 つ**選びなさい。

1　任意後見人を選任するのは，裁判所である。
2　法定後見人の選任は都道府県知事が行う。
3　成年後見人は，日常の買い物の取り消しを行うことができない。
4　日常生活自立支援事業の一部として位置づけられる。
5　成年後見人は，施設入所の契約はできない。

➡ 解答時間　1分

問題　51　ストレングス（strength）の視点に基づく利用者支援の説明として，**最も適切なものを1つ**選びなさい。

1　障害者が再び自らの人生を変革する全人間的復権を目標とする。
2　障害者の特性や強さを見つけて，それを生かす支援を行う。
3　生活や行動の妨げとなるものを取り除きながら支援を行う。
4　役割を担ってもらうことで，潜在能力を引き出す支援を行う。
5　あらゆる人が排除されずに，個々の多様性を認める支援を行う。

➡ 解答時間　1分

問題　52　Cさん（72歳，男性）は，若い頃から統合失調症（schizophrenia）を発症しており，現在は特別養護老人ホームに入所している。統合失調症（schizophrenia）の特徴的な症状である被害妄想があり，「みんなから悪口を言われている」と，介護福祉職に被害的なことを話すことが多い。

Cさんに対しての介護福祉職の対応として，**最も適切なものを1つ**選びなさい。

1　症状が悪化しているので薬を増やしましょうね。
2　みんなとは誰ですか？　誰も悪口を言ってないですよ。
3　もうすぐ，お昼ご飯ですのでホールに行きましょう。
4　そんなことを言うと嫌われてしまうので言わないようにしましょう。
5　みんなから悪口を言われているような気がして不安なんですね。

➡ 解答時間　1 分

問題　53　糖尿病合併症に関する次の記述のうち，**最も適切なもの**を **1 つ**選びなさい。

1　糖尿病性神経障害（diabetic neuropathy）では，咳《せき》や痰《たん》が多くなる。

2　糖尿病性腎症は，尿失禁の原因になる。

3　糖尿病合併症では，透析の必要性はない。

4　糖尿病性網膜症（diabetic retinopathy）は，失明の原因になる。

5　糖尿病合併症に，足壊疽はない。

➡ 解答時間　1 分

問題　54　D さん（80 歳，男性）は心機能障害があり内服治療を行っていた。しだいに症状が悪化してきたため，心臓ペースメーカーの植え込み手術を行い，現在は自宅で生活している。日常生活の過ごし方についての D さんへの説明で**最も適切なもの**を **1 つ**選びなさい。

1　食事時の塩分制限等は必要ありませんよ。

2　日常生活ではなるべく外出を控えてくださいね。

3　激しい運動をしても問題はありません。

4　血行を良くするため入浴時のお湯は 41℃以上にしてください。

5　脈拍は自分で毎日測定してくださいね。

➡ 解答時間　2分

問題　55 障害者グループホームに勤務するEさん（26歳，女性）は，レクリエーションの企画として障害者アートを提案しようと考えている。障害者アートに関する次の記述のうち，**最も適切なものを1つ**選びなさい。

1　一人ひとりばらばらではなく，みんなで同じ作業をする方がよい。
2　本人の可能性を拡げ自己肯定感を高めるために，自由に表現してもらう。
3　アート作品はつくることに意義があるので，振り返りは行わない。
4　自分の内面に触れる作業なので，他者との交流については考えなくてよい。
5　良い作品を残すために，職員からアドバイスを多く出すようにする。

➡ 解答時間　2分

問題　56 2022（令和4）年成立の改正障害者総合支援法のポイントに関する次の記述のうち，**最も適切なものを1つ**選びなさい。

1　一人暮らしよりも，グループホームでの生活支援を重視
2　障害者雇用を向上させる支援サービスの体制強化
3　精神障害者の医療保護入院は，家族の意思を重視
4　難病患者への支援については盛り込まれていない
5　個人情報保護を強化するためデータベースを制限

（注）「障害者総合支援法」とは，「障害者の日常生活及び社会生活を総合的に支援するための法律」のことである。

➡ 解答時間　2 分

問題　57　相談支援専門員の役割に関する次の記述のうち，**最も適切なものを 1 つ**選びなさい。

1　サービス等利用計画の作成を行う。
2　主な働き場所は，特別養護老人ホームである。
3　サービス提供者にモニタリングを依頼し，報告書を確認する。
4　高齢者が自立した日常生活，社会生活を送るための相談支援を行う。
5　直接的な介護援助を行いながら相談支援も行う。

➡ 解答時間　2 分

問題　58　F さん（36 歳，男性）は 5 年前に交通事故により脊髄損傷《せきずいそんしょう》（spinal cord injury）で対麻痺になった。F さんの家族は，妻の G さん，5 歳の子ども，70 歳の父親の 4 人家族である。F さんはリハビリテーション病院で訓練を受けて車いすでの日常生活動作はだいたい自立してきたため，退院が決定した。F さんの希望としては，退院後すぐに自宅に戻り以前の生活や就労を目指していきたいと考えている。妻の G さん（32 歳）は 5 歳の子どもと高齢の義理の父親を抱え，自分一人で家族を支えられるのか不安がとても大きな様子である。家族介護力をアセスメントする時の視点として，**最も優先順位の低いものを 1 つ**選びなさい。

1　F さんの趣味
2　家族の健康状態
3　家族の人間関係
4　G さんの介護ニーズ
5　家族と地域とのつながり

＜領域：医療的ケア＞

医療的ケア

➡ 解答時間　２分

問題　59　医療的ケアを実施する際の医療関係者との連携に関する次の記述のうち，**最も適切なものを１つ**選びなさい。

1　吸引実施後は看護職等に顔色や表情，呼吸状態の観察を依頼する。
2　経管栄養は食事の援助であるため医療職への報告は必要ない。
3　経鼻経管栄養チューブが適切に挿入《そうにゅう》されているかは介護職が確認後，医療職に報告する。
4　胃ろう栄養チューブが挿入された方への入浴援助は医療職が行う。
5　介護職が喀痰吸引《かくたんきゅういん》を行う際は医師の指示書に基づいて行う。

➡ 解答時間　２分

問題　60　喀痰吸引《かくたんきゅういん》実施後に関する次の記述のうち，**最も適切なものを１つ**選びなさい。

1　口腔《こうくう》内吸引後は，チューブ内側を洗浄水で洗浄後，チューブの外側を清浄綿で拭く。
2　吸引後は，身体を動かさない方がよいので，体勢はそのままにする。
3　鼻腔《びくう》内吸引後は，出血し血液の流れ込みがないか確認が必要である。
4　気管カニューレ内部の吸引で使用した吸引チューブは，１日１回交換する。
5　吸引終了後は手洗いの必要はない。

➡ 解答時間　2分

問題　61　喀痰吸引《かくたんきゅういん》の実施に関する次の記述のうち，**最も適切なものを 1 つ**選びなさい。

1　吸引への恐怖心が増すため，声をかけないで実施した方がよい。
2　吸引チューブは，気管カニューレ内部用と口腔《こうくう》・鼻腔《びくう》用で区別する。
3　吸引中に出血が見られたら，誤嚥《ごえん》を防ぐため十分に吸引する。
4　吸引中に顔色が悪い場合は，痰《たん》がつまっているので時間をかけて吸引する。
5　吸引チューブは太さを変えて何本か準備した方がよい。

➡ 解答時間　2分

問題　62　液状栄養剤と半固形化栄養剤に関する次の記述のうち，**最も適切なものを 1 つ**選びなさい。

1　液状の栄養剤の方が，逆流しにくいので嘔吐《おうと》や誤嚥《ごえん》性肺炎を予防しやすい。
2　液状の栄養剤の方が，胃腸の蠕動《ぜんどう》運動を促し消化機能が活発になる。
3　半固形化栄養剤の注入は，仰臥位《ぎょうがい》で行う。
4　半固形化栄養剤の注入は，下痢《げり》を起こす心配はなくなる。
5　液状の栄養剤も半固形化栄養剤も口腔《こうくう》ケアは必要である。

問題　63　Ｈさん（82歳，女性）は脳梗塞（cerebral infarction）の後遺症により経口摂取ができなくなった。そのため，経鼻経管栄養法を実施している。今日の昼食の栄養剤を注入している時，体動によって，滴下速度が速くなり，気づいた時には終了していて短時間で注入されてしまった。現在，顔色等の変化はなく穏やかな表情をしている。

今，起こる可能性のある状態として，**最も適切なものを１つ**選びなさい。

1　発熱
2　低血糖
3　チューブ挿入《そうにゅう》部《ぶ》のスキントラブル
4　下《げ》痢《り》
5　呼吸困難

完全予想模試①午前　解答用紙

正解数（得点）
／63点

配点：1問1点
合格の目安は午前午後合わせて7割以上の得点で、すべての科目群に得点があること（ガイドー5「試験ガイダンス」参照）。

制限時間　100分

チェック欄	番号	解答番号				
□	問題 1	①	②	③	④	⑤
□	問題 2	①	②	③	④	⑤
□	問題 3	①	②	③	④	⑤
□	問題 4	①	②	③	④	⑤
□	問題 5	①	②	③	④	⑤
□	問題 6	①	②	③	④	⑤
□	問題 7	①	②	③	④	⑤
□	問題 8	①	②	③	④	⑤
□	問題 9	①	②	③	④	⑤
□	問題 10	①	②	③	④	⑤
□	問題 11	①	②	③	④	⑤
□	問題 12	①	②	③	④	⑤
□	問題 13	①	②	③	④	⑤
□	問題 14	①	②	③	④	⑤
□	問題 15	①	②	③	④	⑤
□	問題 16	①	②	③	④	⑤
□	問題 17	①	②	③	④	⑤
□	問題 18	①	②	③	④	⑤
□	問題 19	①	②	③	④	⑤
□	問題 20	①	②	③	④	⑤
□	問題 21	①	②	③	④	⑤
□	問題 22	①	②	③	④	⑤
□	問題 23	①	②	③	④	⑤
□	問題 24	①	②	③	④	⑤
□	問題 25	①	②	③	④	⑤
□	問題 26	①	②	③	④	⑤
□	問題 27	①	②	③	④	⑤
□	問題 28	①	②	③	④	⑤
□	問題 29	①	②	③	④	⑤
□	問題 30	①	②	③	④	⑤
□	問題 31	①	②	③	④	⑤
□	問題 32	①	②	③	④	⑤

チェック欄	番号	解答番号				
□	問題 33	①	②	③	④	⑤
□	問題 34	①	②	③	④	⑤
□	問題 35	①	②	③	④	⑤
□	問題 36	①	②	③	④	⑤
□	問題 37	①	②	③	④	⑤
□	問題 38	①	②	③	④	⑤
□	問題 39	①	②	③	④	⑤
□	問題 40	①	②	③	④	⑤
□	問題 41	①	②	③	④	⑤
□	問題 42	①	②	③	④	⑤
□	問題 43	①	②	③	④	⑤
□	問題 44	①	②	③	④	⑤
□	問題 45	①	②	③	④	⑤
□	問題 46	①	②	③	④	⑤
□	問題 47	①	②	③	④	⑤
□	問題 48	①	②	③	④	⑤
□	問題 49	①	②	③	④	⑤
□	問題 50	①	②	③	④	⑤
□	問題 51	①	②	③	④	⑤
□	問題 52	①	②	③	④	⑤
□	問題 53	①	②	③	④	⑤
□	問題 54	①	②	③	④	⑤
□	問題 55	①	②	③	④	⑤
□	問題 56	①	②	③	④	⑤
□	問題 57	①	②	③	④	⑤
□	問題 58	①	②	③	④	⑤
□	問題 59	①	②	③	④	⑤
□	問題 60	①	②	③	④	⑤
□	問題 61	①	②	③	④	⑤
□	問題 62	①	②	③	④	⑤
□	問題 63	①	②	③	④	⑤

※この用紙はコピーしてお使いください。

矢印の方向に引くと問題が取り外せます。

介護福祉士

完全予想模試①午後

次の注意事項をよく読んでから、始めてください。

（注　意）

1　これは試験予想問題です。問題は 62 問です。

2　制限時間は 120 分です。
　＊科目別問題数については、第 36 回本試験を参考に設定しています。

3　答えは、①午後－ 25 ページの解答用紙に記入してください。

4　答えは、各問題とも 1 つだけです。2 つ以上の解答をしたもの、判読が困難なものは、正解としません。
　解答は、解答用紙の解答番号を黒くぬりつぶして記入してください。

5　問題中、法令に関する部分は、2024 年 4 月 1 日現在施行中の規定に基づいて出題されています。

6　解答・解説は本冊解答・解説編の 25 ページから、正解一覧は本冊解答・解説編の 24 ページです。

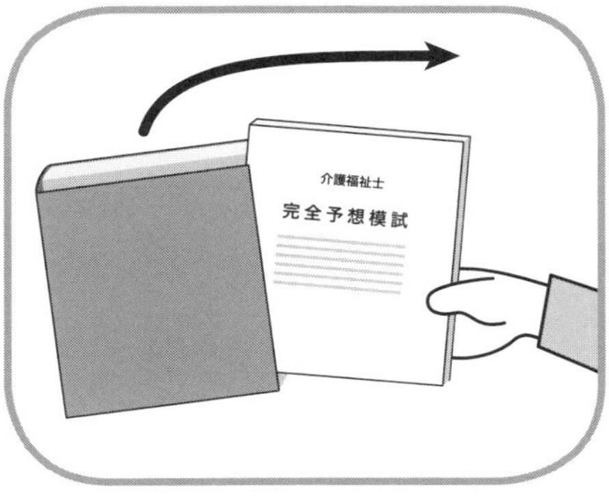

矢印の方向に引くと問題が取り外せます。➡

＜領域：介護＞

介護の基本

➡ 解答時間　2分

問題　64「2022（令和4）年 国民生活基礎調査」（厚生労働省）における日本での介護の状況に関する次の記述のうち，**最も適切なものを1つ**選びなさい。

1　要支援または要介護と認定された者（要介護者等）のうち，在宅の者のいる世帯を世帯構造別にみると「核家族世帯」が最も多い。
2　要介護者等の年齢層をみると，女性は「85～89歳」，男性は「90歳以上」がそれぞれ最も多い。
3　介護が必要となった主な原因を現在の要介護度別にみると，要介護者では「関節疾患」が最も多い。
4　同居の主な介護者の介護時間を要介護度別にみると，「要介護3」では「必要なときに手をかす程度」が最も多い。
5　同居の主な介護者は，要介護者等の「子」が最も多い。

➡ 解答時間　2分

問題　65 経済連携協定（Economic Partnership Agreement：EPA）に基づく介護福祉士候補者の受入れに関する次の記述のうち，**正しいものを1つ**選びなさい。

1　介護福祉士候補者の在留期間の上限は4年である。
2　介護福祉士候補者の受入れの対象となる国は4か国である。
3　介護人材の不足を補うことが目的である。
4　介護福祉士候補者の受入れ施設の要件は，常勤介護職員の3割以上が介護福祉士であることである。
5　介護福祉士候補者の受入れ施設として，訪問介護事業所も含まれている。

➡ 解答時間　2 分

問題　66　社会福祉士及び介護福祉士法に関する次の記述のうち，**最も適切なものを１つ**選びなさい。

1　介護福祉士としての業務を辞した後も，秘密保持義務が課せられている。

2　資質向上を図るため，研修の受講が義務付けられている。

3　介護福祉士国家試験に合格した日から，「介護福祉士」と名乗ることができる。

4　介護福祉士の業として，家族介護者の介護離職の防止が含まれている。

5　2007（平成 19）年の法改正により，介護福祉士の義務等に「連携」が追加された。

➡ 解答時間　2 分

問題　67　リハビリテーションと介護予防に関する次の記述のうち，**最も適切なものを１つ**選びなさい。

1　リワークプログラムは，教育リハビリテーションに含まれる。

2　急性期リハビリテーションでは，障害が固定してから訓練を開始する。

3　体力が低下している高齢者等に機能訓練を行う際は，実施回数を減らし，1 回の量を多くする。

4　利き手交換訓練は，社会リハビリテーションに含まれる。

5　介護保険制度では，掃除の仕方がわからない利用者と一緒に訪問介護員が掃除を行った場合，訪問介護における身体介護に位置づける。

➡ 解答時間　2 分

問題　68　介護保険法におけるサービスに関する次の記述のうち，**最も適切なものを１つ**選びなさい。

1　短期入所療養介護には，介護医療院に短期間入所して提供されるサービスも含まれる。

2　特定施設入居者生活介護の対象には，特別養護老人ホームに入居している要介護者も含まれる。

3　看護小規模多機能型居宅介護の種類には，「介護・看護一体型」と「介護・看護連携型」がある。

4　居宅療養管理指導では，看護師が居宅を訪問し，必要な診療の補助または療養上の世話を行う。

5　小規模多機能型居宅介護では，「通い」と「長期間の宿泊」と「訪問」を組み合わせてサービスを提供する。

➡ 解答時間　2 分

問題　69　多職種連携に基づく利用者への支援に関する次の記述のうち，**最も適切なものを１つ**選びなさい。

1　多職種連携に基づくチームを主導するのは医師である。

2　介護福祉職からみた多職種連携とは，介護福祉職以外の職種との連携を意味する。

3　ボランティアは，多職種連携に基づくチームに含まれる。

4　多職種連携に基づくチームメンバーの人数は 4 ～ 6 人程度が望ましい。

5　ADL（Activities of Daily Living：日常生活動作）の改善を優先して，多職種連携を展開する。

➡ 解答時間　2分

問題　70「育児・介護休業法」に関する次の記述のうち，**最も適切なものを１つ**選びなさい。

1　法改正に伴い，男性労働者が子どもの出生後4週間以内に最大2週間まで育児休業を取得可能となった。

2　法改正に伴い，育児休業を男女とも分割して3回まで取得可能となった。

3　法改正に伴い，常時雇用する労働者が50人を超える事業主は，育児休業等の取得状況を年1回公表することが義務化された。

4　介護休業は，対象家族1人につき，通算73日まで2回を上限として分割して取得可能である。

5　介護休業の対象家族とは，2週間以上にわたって常時介護を必要とする家族のことを指す。

（注）「育児・介護休業法」とは，「育児休業，介護休業等育児又は家族介護を行う労働者の福祉に関する法律」のことである。

➡ 解答時間　2分

問題　71　介護福祉職の腰痛予防に関する次の記述のうち，**最も適切なものを１つ**選びなさい。

1　1年ごとに，医師による腰痛の健康診断を受ける。

2　勤務前の動的ストレッチングが効果的である。

3　シーツ交換を行う際は，事前にベッドの高さを調節し，前屈《まえかが》みの姿勢で行う。

4　男性の介護福祉職が人力のみで取り扱う重量は，体重のおおむね40%以下とする。

5　勤務時間内は，介護福祉職が一律に腰部保護ベルト（コルセット）を使用する。

➡ 解答時間　2分

問題　72　介護老人福祉施設における感染対策に関する次の記述のうち，**最も適切なものを１つ**選びなさい。

1　施設での手洗いは，液体石鹸《せっけん》よりも固形石鹸《せっけん》を使用して行う。

2　感染対策のための委員会は，おおむね5か月に1回以上開催する。

3　感染症予防のための研修は，年2回以上実施する。

4　モップや雑巾は，使用しない時は湿らせておく。

5　同一の感染症が疑われる者が20名以上発生した場合，保健所に報告する。

➡ 解答時間　2分

問題　73　安全対策と災害対策に関する次の記述のうち，**最も適切なものを１つ**選びなさい。

1　消防法において，介護保険施設等は，年1回以上の消火訓練および避難訓練が義務づけられている。

2　介護保険施設において，安全対策担当者の配置が義務づけられている。

3　災害対策基本法において，避難行動要支援者名簿の作成が市町村長の努力義務となっている。

4　施設の介護における安全確保のため，利用者に画一的なサービスを提供する。

5　災害救助法では，避難所の開設期間を原則として災害発生の日から12日以内と定めている。

コミュニケーション技術

➡ 解答時間　2分

問題　74　Aさん（47歳，男性）は，大学卒業後，金属加工業の仕事に従事していた。ところが，1年前に仕事上の事故によって失明し，職場を退職した。失明当初，Aさんは意欲を喪失し，自宅に引きこもりがちな生活を送っていた。その後，妻の助言もあり，1週間前から総合リハビリテーションセンターを利用し始めることになった。Aさんとのコミュニケーションに関する次の記述のうち，**最も適切なものを1つ**選びなさい。

1　点字を用いてコミュニケーションを図る。
2　Aさんの話をうなずきながら聞く。
3　場所や周囲の状況を説明する際は,「あそこ」「こちら」「そこに」等の言葉を用いて説明する。
4　挨拶する際は，身体に触れてから話す。
5　代読する際は，正確さが求められる。

➡ 解答時間　2分

問題　75　Bさん（72歳，男性）は，脳梗塞（cerebral infarction）を発症して入院したものの，後遺症として右片《みぎかた》麻痺《まひ》と運動性失語症（motor aphasia）が残った。3日前から介護老人保健施設に入所している。昼食前，午後の趣味活動の内容を相談するため，担当の介護福祉職がBさんの居室を訪ねた。担当の介護福祉職は事前に、Bさんが昔から囲碁《いご》，将棋，チェス，オセロが大好きであるという情報をBさんの妻から得ていた。そこで，Bさん自身が午後の趣味活動で囲碁《いご》，将棋，チェス，オセロのうち，どれを行うのかを決めてもらうことにした。

この時のBさんへの介護福祉職の対応として，**最も適切なものを1つ**選びなさい。

1　囲碁《いご》，将棋，チェス，オセロの実物を並べ，右手で行いたいものを示すように促す。
2　囲碁《いご》，将棋，チェス，オセロの写真を見せて選んでもらう。
3　「囲碁《いご》，将棋，チェス，オセロのどれにしますか」とゆっくり尋ねる。
4　「囲碁《いご》を行いませんか」と話しかける。
5　五十音表を活用して選んでもらう。

次の事例を読んで，**問題 76**，**問題 77** について答えなさい。

〔事　例〕

Cさん（50歳，男性）は，20歳の頃に統合失調症（schizophrenia）と診断され，その後，入退院を繰り返しながら両親と一緒に生活してきた。ところが，両親との関係が悪化し，現在はアパートの一室を借り，居宅介護を利用しながら1人暮らしを送っている。ある日，訪問介護員がCさん宅を訪れるとCさんは部屋の天井のほうを指さしながら「天井の隅に監視カメラがあって，俺のことを見張っている」と大声を出し，訪問介護員に対して「早くカメラを外してほしい」と訴えた。ただし，訪問介護員が目視で天井を含めてCさんの部屋を確認するかぎり，監視カメラは存在しなかった。

➡ 解答時間　2分

問題　76　訪問介護員がCさん宅を訪れた時の客観的事実を表す介護記録として，**最も適切なものを1つ**選びなさい。

1　「監視カメラが仕掛けられている」との訴えはあったが，監視カメラは存在しなかった。
2　実際には存在しない監視カメラに見張られているという幻視の症状が見られた。
3　「早くカメラを外してほしい」と訴えた後，「天井の隅に監視カメラがあって，俺のことを見張っている」と大声を出した。
4　「天井の隅に監視カメラがあって，俺のことを見張っている。早くカメラを外してほしい」と言った。
5　「天井の隅に監視カメラがあって，俺のことを見張っている」と奇声をあげた。

➡ 解答時間　2分

問題　77　Cさんの発言を聞いた訪問介護員の対応として，**最も適切なものを1つ**選びなさい。

1　部屋の中に監視カメラは存在しないことを説明した。
2　混乱させないために，Cさんの話は聞かないようにした。
3　話の内容は理解できなくても，否定も肯定もせずに関わった。
4　Cさんの考えを理解するために，話の内容を詳しく聞いた。
5　解決策として，監視カメラを外すことを提案した。

➡ 解答時間　2分

問題　78　介護福祉職と利用者の家族との関係づくりに関する次の記述のうち，**最も適切なものを１つ**選びなさい。

1　利用者と家族の意向が対立する場合は，家族よりも利用者の意向を尊重する。
2　家族が間違った方法で介護を行っていた場合は，すぐに否定して訂正する。
3　介護福祉職の身だしなみは，家族との関係に影響しない。
4　利用者を看取る家族に対しては，積極的な情報提供は控える。
5　利用者と関わる家族の様子で，家族を理解できたと思ってはいけない。

➡ 解答時間　2分

問題　79　介護老人福祉施設に勤務する介護福祉職が行う報告等に関する次の記述のうち，**最も適切なものを１つ**選びなさい。

1　事故が発生した際，最初に利用者の家族に報告する。
2　軽微な事故については，業務を終えてから報告する。
3　事故に至った経過を最初に報告する。
4　指示を受けた業務内容に不明な点があった場合，その場で指示した職員に確認する。
5　事故報告書を記載する際は，介護福祉職としての判断を除外する。

生活支援技術

➡ 解答時間　2分

問題　80　高齢者に配慮した住環境整備に関する次の記述のうち，**最も適切なものを1つ**選びなさい。

1　浴槽《よくそう》への出入りを行いやすくするため，洗い場から浴槽縁《よくそうふち》までの高さを55cm程度とする。
2　トイレを開き戸とする場合，内開きとする。
3　自走用標準型車いすを使用する場合，廊下の幅を60cm程度とする。
4　廊下に手すりを設ける場合，床からの高さを75～80cm程度とする。
5　階段の片側に手すりを設ける場合，上がる時に利き手または健側となる側に取り付ける。

➡ 解答時間　2分

問題　81　介護保険制度の給付対象となる住宅改修として，**正しいものを1つ**選びなさい。

1　滑りにくい床材に変更するために下地を補修する。
2　寝室の近くにトイレを増設する。
3　取り外しが可能なスロープを設置する。
4　段差解消機を設置する。
5　既存の洋式便器に暖房機能を付加する。

➡ 解答時間　2分

問題　82　標準型車いすを用いた移動の介護に関する次の記述のうち，**最も適切なものを1つ**選びなさい。

1　スロープを下りる時は，前向きで進む。
2　段差を上がる際は，前輪を上げて進み，駆動輪が段差に接した後に前輪を下ろす。
3　車いすの点検は，週1回，定期的に実施する。
4　砂利道では，駆動輪を上げて進む。
5　片麻痺《かたまひ》のある利用者が片足こぎを行う場合は，レッグサポートを装着する。

➡ 解答時間　2分

問題　83　Dさん（85歳，男性）は，脳梗塞（cerebral infarction）に罹患《りかん》して入院した。後遺症として右片麻痺《みぎかたまひ》が生じたものの，リハビリテーションに取り組んだ結果，見守りがあれば，T字杖を使って歩行ができるようになった。

Dさんに対する杖歩行時の介護に関する次の記述のうち，**最も適切なものを1つ**選びなさい。

1　3動作歩行を行う際は，Dさんの右横に位置して見守る。
2　階段を上がる場合，杖，左足，右足の順で声かけを行う。
3　階段を下りる場合，介護福祉職はDさんの右後方に位置して見守る。
4　段差をまたぐ場合，杖は段差の手前に突くように促す。
5　溝をまたいだ後は，左足が杖よりも前に位置するように促す。

➡ 解答時間　2 分

問題　84　視覚障害のある利用者の外出に同行する際の支援に関する次の記述のうち，**最も適切なものを 1 つ**選びなさい。

1　バスに乗る際は，利用者が先に乗る。

2　駅で電車を待つ際，利用者を点状ブロックの上に立つように誘導する。

3　介護福祉職は，利用者の手首を握って誘導する。

4　白杖《はくじょう》を使用している場合，介護福祉職は白杖《はくじょう》側に位置して誘導する。

5　狭い通路を歩く際，介護福祉職は握られている腕を背後に回し，介護福祉職の真後ろに利用者が入る。

➡ 解答時間　2 分

問題　85　左片麻痺《ひだりかたまひ》の利用者が和式寝衣《しんい》をベッド上で臥床《がしょう》したまま交換する際の介護に関する次の記述のうち，**最も適切なものを 1 つ**選びなさい。

1　介護福祉職は利用者の左側に立つ。

2　袖《そで》を抜く際は，手関節→肘《ちゅう》関節→肩関節の順で行う。

3　脱いだ寝衣は肌に触れていた面が外側となるように丸めて，利用者の身体の下に入れる。

4　利用者を右側臥位《そくがい》にし，脱いだ寝衣を引き出す。

5　右前身頃が左前身頃の上になるように重ねる。

➡ 解答時間　1 分

問題　86　総義歯（全部床《しょう》義歯）の取り扱いに関する次の記述のうち，**最も適切なものを 1 つ**選びなさい。

1　夕食後に洗う。

2　装着する際は，上顎《じょうがく》，下顎《かがく》の順に行う。

3　上顎用の総義歯は，義歯の前方を下げるようにして取り外す。

4　洗浄は熱湯で行う。

5　保管する際は，義歯の半分が浸《つ》かるように浸け置きタイプの義歯洗浄剤を保管容器に入れる。

➡ 解答時間　2 分

問題　87　利用者の状態・状況に応じた食事支援に関する次の記述のうち，**最も適切なものを 1 つ**選びなさい。

1　嚥下《えんげ》障害がある場合，冷菜は冷たいままで提供する。

2　右片麻痺《みぎかたまひ》がある場合は，右側から食事介護を行う。

3　左半側空間無視《ひだりはんそくくうかんむし》がある場合は，クロックポジションで食事メニューを説明する。

4　構音障害がある場合は，他の利用者と会話をしながら食事することを勧める。

5　食事中にむせ込んだ場合は，すぐに水分を摂取するように促す。

➡ 解答時間　２分

問題　88　慢性閉塞性肺疾患《まんせいへいそくせいはいしっかん》（chronic obstructive pulmonary disease：COPD）のある利用者の食事に関する次の記述のうち，**最も適切なものを１つ**選びなさい。

1　たんぱく質の多い食品の摂取は控える。
2　繊維質を含む食品の摂取を増やす。
3　水分摂取は１回の量を増やし，回数を減らす。
4　高カロリーの食事は控える。
5　脂質を加えた食事の機会を増やす。

➡ 解答時間　２分

問題　89　介護福祉職が利用者に行う手浴・足浴に関する次の記述のうち，**最も適切なものを１つ**選びなさい。

1　手浴を行う際は，利用者の肘を手より低くする。
2　手指は，30 分程度お湯に浸《ひた》す。
3　足浴は，眠気がとれて覚醒《かくせい》する効果がある。
4　足を洗う際は，利用者のつま先を持ちながら行う。
5　糖尿病（diabetes mellitus）がある場合は，足浴後に足の保湿を行う。

➡ 解答時間　１分

問題　90　長期臥床している利用者にケリーパッドを使用して行うベッド上での洗髪に関する次の記述のうち，**最も適切なものを１つ**選びなさい。

1　利用者の後頭部がケリーパッドの縁《ふち》に当たるようにする。
2　膝を伸ばした仰臥位《ぎょうがい》の姿勢となるようにする。
3　爪を立ててマッサージしながら洗う。
4　洗髪前は，ブラッシングを控える。
5　洗髪後は，髪の毛の根元から乾かすようにする。

➡ 解答時間　２分

問題　91　要介護高齢者に対する入浴支援に関する次の記述のうち，**最も適切なものを１つ**選びなさい。

1　脱衣室の室温は 24℃前後に調節する。
2　浴槽《よくそう》への出入りにシャワーチェアーを用いる際は，浴槽《よくそう》より高い位置に調整する。
3　右片麻痺《みぎかたまひ》がある場合は，利用者の右側から浴槽に入る。
4　左片麻痺《ひだりかたまひ》の利用者が浴槽内《よくそうない》から立ち上がる際は，右手で手すりをつかみ，身体を真上に上げる。
5　浴槽《よくそう》のお湯に 15 分以上浸《つ》かる。

➡ 解答時間　2分

問題　92　清拭《せいしき》に関する次の記述のうち，**最も適切なものを１つ**選びなさい。

1　全身清拭《せいしき》を行う際は，40℃程度のお湯を準備する。
2　全身倦怠感《けんたいかん》が強い場合は，数日に分けて部分清拭《せいしき》を行う。
3　上肢は，上腕から手先に向けて拭く。
4　目のまわりは，目尻から目頭に向けて拭く。
5　全身清拭《せいしき》において上腕を拭く際は，手関節を支える。

➡ 解答時間　2分

問題　93　乾皮症がある高齢者への入浴介護に関する次の記述のうち，**最も適切なものを１つ**選びなさい。

1　保湿剤は，皮膚が湿っている状態で塗る。
2　石鹸《せっけん》を泡立て，こするように洗う。
3　弱アルカリ性の石鹸《せっけん》で洗う。
4　硫黄《いおう》を含む入浴剤を使用する。
5　着替えの下着は，羊毛素材とする。

➡ 解答時間　2分

問題　94　介護老人保健施設に入所しているＥさん（65歳，女性，要介護３）は，車いすを使用して移動している。Ｅさんは，日中はテレビを見て過ごすことが多かった。最近，便秘の症状がみられ，担当の介護福祉職に対してＥさんは「便秘を解消したい。何か良い方法はあるかしら」と尋ねた。そこで担当の介護福祉職は，Ｅさんの便秘の解消に向けて支援内容を検討した。

Ｅさんへの介護福祉職による自然排便を促すための支援として，**最も適切なものを１つ**選びなさい。

1　反時計回りに腹部のマッサージを行う。
2　腹部に冷罨法《れいあんぽう》を実施する。
3　便座に座る際は，足底を床につけ，背筋を伸ばすように助言する。
4　オリーブオイルの摂取を提案する。
5　ごぼうを使った料理の提供を控える。

➡ 解答時間　2 分

問題　95　ベッド上で腰上げが可能な利用者への差し込み便器による排泄《はいせつ》介護の方法として，**最も適切なものを 1 つ**選びなさい。

1　便器を差し込む際は，下着を大腿部《だいたいぶ》まで下ろす。
2　差し込み便器を使用する際は，両脚を伸ばす。
3　仙骨部を便器の縁《ふち》に当てて固定する。
4　便器の位置を確認した後，ベッドをギャッチアップし，下肢を上げる。
5　男性の場合は尿器を同時に準備する。

➡ 解答時間　2 分

問題　96　F さん（78 歳，女性）は，介護老人福祉施設で生活している。脳梗塞（cerebral infarction）の後遺症で右片麻痺《みぎかたまひ》があり，車いすを使って移動している。F さんは，座位保持は可能であるものの，下肢筋力が低下しており，立位に一部介助が必要な状態である。

F さんがトイレで排泄《はいせつ》を行う際の介護福祉職の支援として，**最も適切なものを 1 つ**選びなさい。

1　車いすから便座に移乗する際は，F さんの左側に便座が位置するように車いすを置く。
2　車いすから便座に移乗する際，介護福祉職は F さんの左側に位置し，立ち上がりを支援する。
3　便座での座位姿勢が安定しない場合は，背もたれに寄りかかるようにする。
4　排泄《はいせつ》終了後，便座から立ち上がる前に下着とズボンを下腿部《かたいぶ》まで上げておく。
5　排泄《はいせつ》終了後，F さんの右手は介護福祉職が洗う。

➡ 解答時間　1 分

問題　97　自己導尿に関する次の記述のうち，**最も適切なものを 1 つ**選びなさい。

1　側臥位《そくがい》の姿勢で行う。
2　介護福祉職がカテーテルを挿入《そうにゅう》する。
3　排出された尿の観察を介護福祉職は行えない。
4　尿道口は 1 日 1 回を目安に清浄綿で清拭《せいしき》する。
5　再利用のカテーテルは水道水で洗った後，消毒液入りの専用ケースに入れる。

➡ 解答時間　1 分

問題　98　疾病《しっぺい》と利用者の食生活に関する次の記述のうち，**最も適切なものを 1 つ**選びなさい。

1　骨粗鬆症《こつそしょうしょう》（osteoporosis）の予防には，カリウムを多く含む食品の摂取を勧める。
2　抗凝固薬《こうぎょうこやく》を服用している場合は，青汁の摂取を勧める。
3　人工透析をしている場合は，果物の摂取を控える。
4　高血圧症がある場合は，1 日の塩分摂取量を 12g 未満とする。
5　逆流性食道炎（reflux esophagitis）がある場合は，高脂肪食品の摂取を勧める。

➡ 解答時間　2 分

問題 99 ノロウイルス（Norovirus）による感染症とその対策に関する次の記述のうち，**最も適切なものを１つ**選びなさい。

1　主な感染経路は，経口感染である。
2　汚染された部分にエタノール消毒液を噴霧《ふんむ》する。
3　汚染されたシーツは，強くもみ洗いをする。
4　汚染されたシーツは，75℃以上の熱水洗濯を行う。
5　嘔吐物《おうとぶつ》は，乾燥後に取り除く。

➡ 解答時間　2 分

問題100 2022（令和 4）年の「家計調査」（総務省統計局）における 65 歳以上の単身無職世帯の家計収支に関する次の記述のうち，**正しいものを１つ**選びなさい。

1　可処分所得が，消費支出を上回っている。
2　非消費支出は，1 万円以下となっている。
3　1 か月の実収入は，15 万円を超えている。
4　主な支出は，「保健医療費」となっている。
5　主な収入源は「社会保障給付」であり，実収入の約 9 割を占めている。

➡ 解答時間　2 分

問題101 介護福祉職による利用者への安眠に向けた支援に関する次の記述のうち，**最も適切なものを１つ**選びなさい。

1　室温は夏場で 25℃前後，冬場で 16 ～ 19℃程度に調整する。
2　湿度は 30％以下に調整する。
3　夕食の際にトリプトファン（tryptophan）を多く含む食事を提供する。
4　就寝前に熱めのお風呂に入れるようにする。
5　寝床内の温度を 22℃程度に調整する。

➡ 解答時間　2 分

問題102 施設等で利用者の死後に行われるデスカンファレンス（death conference）に関する次の記述のうち，**最も適切なものを１つ**選びなさい。

1　利用者が亡くなった直後に行う。
2　個人の責任や反省を追及する。
3　利用者の家族は参加できない。
4　グリーフケア（grief care）の機会にもなる。
5　スタッフの身体的な負担の軽減につながる。

➡ 解答時間　2 分

問題103　施設等で行われるグリーフケア（grief care）に関する次の記述のうち，**最も適切なものを 1 つ**選びなさい。

1　利用者が亡くなる前から開始される。
2　介護福祉職が主に担う。
3　遺族が泣いていた場合，「寝ると気持ちが楽になりますよ」と声をかける。
4　遺族が悲しまないように故人の思い出話は控える。
5　スタッフが遺族宛てに手紙を書くことは控える。

➡ 解答時間　2 分

問題104　「人生の最終段階における医療・ケアの決定プロセスに関するガイドライン」（2018〔平成 30〕年改訂：厚生労働省）に示されている内容に関する記述のうち，**最も適切なものを 1 つ**選びなさい。

1　医療・ケアチームの対象に介護従事者は含まれていない。
2　医療の方針や，どのような生き方を望むか等を，施設に入所する前に話し合う。
3　話し合った内容をその都度文書にまとめておく。
4　本人が自らの意思を伝えられない状態になった後に，本人の意思を推定する者を定める。
5　今後，夫婦のみ世帯が増えることを踏まえ，信頼できる者の対象を家族に拡大した。

➡ 解答時間　2 分

問題105　福祉用具の使用に関する次の記述のうち，**最も適切なものを 1 つ**選びなさい。

1　固定型歩行器は片手で持ち上げて使用するため，肩関節に可動域制限がある利用者には適さない。
2　前腕固定型杖（ロフストランドクラッチ）は，関節リウマチ（rheumatoid arthritis）のある利用者に適している。
3　スライディングシート（スライディングマット）は，ボード上で臀部《でんぶ》を滑らせ，座位で移乗する際に用いる。
4　バスボードは，一方の端を浴槽縁《よくそうふち》にかけ，もう一方の縁を脚部で支えて使用する入浴台である。
5　段差解消機は，利用者や車いすが乗るテーブルが垂直方向に昇降して段差を乗り越える福祉用具である。

介護過程

➡ 解答時間　2分

問題106　介護過程を展開する目的として，**最も適切なものを1つ**選びなさい。

1　直感的な判断に基づき支援を展開する。
2　ケアプランを作成し，それに基づく支援を展開する。
3　医療職と連携する。
4　利用者の家族の意思を代弁する。
5　個別ケアを実践する。

➡ 解答時間　2分

問題107　介護過程におけるアセスメント（assessment）に関する次の記述のうち，**最も適切なものを1つ**選びなさい。

1　生活課題を明確にすることが目的である。
2　情報は関連づけず，1つずつ解釈する。
3　より多くの情報収集を行う。
4　情報を解釈し，個別性を一般化する。
5　達成できる目標を設定する。

➡ 解答時間　2分

問題108　介護過程において情報収集を行う際の留意点として，**最も適切なものを1つ**選びなさい。

1　実践したい支援に沿った情報収集を心がける。
2　他の介護福祉職との会話で得られた情報は，間接的な情報として取り扱う。
3　家族から聞いた利用者の生活歴は，主観的情報として取り扱う。
4　アセスメント（assessment）のことを意味する。
5　利用者本人の希望に沿った情報を収集する。

➡ 解答時間　2分

問題109　介護計画における目標に関する次の記述のうち，**最も適切なものを1つ**選びなさい。

1　介護計画における目標は，ケアプランとは関連しない。
2　短期目標の主語は，介護福祉職とする。
3　長期目標の期間は，3か月とする。
4　目標は，抽象的でわかりやすい表現を用いる。
5　長期目標は，生活上の課題が解決した状態を表現する。

次の事例を読んで，**問題 110，問題 111** について答えなさい。

〔事　例〕

G さん（82 歳，男性）は，21 歳の頃から妻と一緒に野菜農家を営んでいた。6 年前に血管性認知症（vascular dementia）と診断され，1 年前からは認知症対応型共同生活介護に入居している。G さんには右片《みぎかた》麻《ま》痺《ひ》があり，ふらつきがみられる。移動は 4 点杖を使用して自力で歩行している。G さんは，介護計画に基づき，毎朝，介護福祉職と一緒にベランダで育てている野菜の様子を見たり，水やりを行ったりしていた。G さん自身も「野菜を育てるのは楽しい。昔を思い出す」と発言していた。

ところが，ある日，G さんは 1 人でベランダに行こうとした際，他の利用者が使用している車いすのキャスターにつまずいて転倒した。G さんにケガはなかったものの，次の日の朝以降，介護福祉職が「野菜の様子を見に行きませんか」と誘っても，G さんは「今は行きたくない」と強い口調で断るようになった。そうした状況を心配し，担当の介護福祉職が居室を訪ねて G さんから話を聞いたところ，G さんは目に涙を浮かべて「職員の皆さんに迷惑をかけたくない」と小声で言った。

➡ 解答時間　2 分

問題 110　G さんへの再アセスメントに関する次の記述のうち，**最も適切なものを 1 つ**選びなさい。

1　順調に経過していない時の状況を分析する。
2　野菜の様子を見に行く時間帯を変更する必要があると判断する。
3　「野菜の様子を見に行きませんか」と誘った際の介護福祉職の思いを解釈する。
4　「妻と一緒に野菜を見に行きたい」という生活課題に変更する必要があると判断する。
5　G さんの気持ちが変化し，野菜の様子を見に行くことが面倒になったと解釈する。

➡ 解答時間　2 分

問題 111　再アセスメントの後に見直された介護計画の目標に関する記述として，**最も適切なものを 1 つ**選びなさい。

1　長期目標として「施設で生活していても安全に移動し，自立した生活を送ることができる」を設定した。
2　長期目標として「施設においても転ばずに野菜の様子を見に行ったり，そこで水やりを行ったりする中で役割を持つことができるように支援する」を設定した。
3　長期目標として「施設においても転ばずに野菜の様子を見に行ったり，右手でジョーロを持って水やりを行ったりすることができる」を設定した。
4　短期目標として「G さんが歩く動線上に障害物がないことを確認する」を設定した。
5　「他の利用者や職員と会話する時間を増やすことができる」以外にも短期目標は存在する。

➡ 解答時間　2分

問題112 Hさん（52歳，男性）は，くも膜下出血（subarachnoid hemorrhage）の後遺症によって左片《ひだりかた》麻《ま》痺《ひ》が残り，一時は車いすを使用していた。しかし，病院でのリハビリテーションに専念した結果，多脚杖と短下肢装具を使用して歩行することが可能となった。その後，就労支援員による支援もあり，職場復帰を果たした。

Hさんは，しばらくは順調に出勤していたが，ある日，電車に乗る際に「遅い，早くしてよ」と後ろの乗客に怒鳴られたことをきっかけに会社を休みがちとなった。心配した就労支援員がHさんと面談を行った結果，Hさんは「朝の通勤時の混雑によってストレスがたまり，仕事に行く気になれない」と話した。

Hさんへの今後の支援を検討するにあたり，ICF（International Classification of Functioning, Disability and Health：国際生活機能分類）の視点で**最も考慮すべき要素を1つ**選びなさい。

1　環境因子
2　健康状態
3　心身機能・身体構造
4　個人因子
5　参加

➡ 解答時間　2分

問題113 利用者への支援とチームアプローチに関する次の記述のうち，**最も適切なものを1つ**選びなさい。

1　利用者が訪問看護の利用を希望した場合は，主治医に意見を求めなければならない。
2　利用者理解を他の専門職の視点に合わせる。
3　利用者への各専門職のアプローチを介護支援専門員が決定する。
4　サービス担当者会議を行う際は，利用者や家族を招集しない。
5　介護福祉職は，他職種の専門性を考慮し，情報交換の頻度を控える。

＜総合問題＞

総合問題

（総合問題 1）

次の事例を読んで，**問題 114 から問題 116 まで**について答えなさい。

〔事　例〕

Ｊさん（80 歳，女性）は，自宅で夫と二人暮らしである。最近Ｊさんは，実際には誰もいないのに「知らない人が部屋の隅に立っている」と訴えることが多くなった。夫と一緒に病院へ行くとレビー小体型認知症（dementia with Lewy bodies）と診断を受けた。夫は，「妻はこの先どうなっていくのか。住み慣れた今の家で暮らし続けることができるのか」と，今後の生活について心配するようになった。Ｊさんもこのまま自宅で生活をしたいと考えている。そこで，要介護認定の申請を行い，訪問介護（ホームヘルプサービス）を利用することになった。

➡ 解答時間　２分

問題114　Ｊさんの自宅での最近の言動から考えられる状態として，**最も適切なものを１つ**選びなさい。

1　幻視
2　感情失禁
3　見当識障害《けんとうしきしょうがい》
4　遂行《すいこう》機能障害
5　記憶障害

➡ 解答時間　２分

問題115　夫から訪問介護員（ホームヘルパー）へ介護保険制度の利用に関する相談があった。夫への介護保険制度の説明に関する次の記述のうち，**最も適切なものを１つ**選びなさい。

1　「介護保険料は，医療保険料と一緒に納付します」
2　「介護認定の結果に不服がある場合は，介護認定審査会に申し立てをしてください」
3　「居宅サービス計画の作成には，利用者負担はありません」
4　「介護保険サービスの費用は，サービスの利用回数にかかわらず定額です」
5　「介護認定は，一度受けたらそのままずっと有効です」

➡ 解答時間　２分

問題116　その後もＪさんの「知らない人が立っている」といった訴えは続いた。困った夫が訪問介護員（ホームヘルパー）に相談したところ,「見間違いなどは暗い場所で起こりやすいので，室内の明るさを統一し，影をつくらないようにしてみてはどうでしょうか。また，壁に洋服をかけないようにすることも大切です」とアドバイスを受けた。

訪問介護員（ホームヘルパー）が意図したＪさんへの関わりをICF（International Classification of Functioning, Disability and Health：国際機能分類）に当てはめた記述として，**最も適切なもの**を**１つ**選びなさい。

1　心身機能への影響を意図として，環境因子に働きかける。
2　個人因子への影響を意図として，健康状態に働きかける。
3　健康状態への影響を意図して，心身機能に働きかける。
4　参加への影響を意図して，環境因子に働きかける。
5　活動への影響を意図して，身体構造へ働きかける。

（総合問題 2）

次の事例を読んで，**問題 117 から問題 119 まで**について答えなさい。

〔事　例〕

K さん（23 歳，女性，障害区分 3）は，アテトーゼ型（athetosis）の脳性麻痺（cerebral palsy）による，四肢・体幹機能障害がある。寝返りは可能であるが，筋緊張の変動が激しく，安定した座位姿勢をとることが困難である。K さんは，特別支援学校の高等部を卒業後，週 2 回，生活介護を利用しながら自宅で生活をしている。また，K さんは，生活介護事業所で行う音楽鑑賞やリズム遊びを楽しみにしている。

➡ 解答時間　2 分

問題117　K さんの脳性麻痺（cerebral palsy）の特徴に関する次の記述のうち，**最も適切なもの**を **1 つ**選びなさい。

1　着衣失行が生じる。
2　不随意運動が生じて，運動コントロールが困難になる。
3　ものに手を伸ばすと振戦《しんせん》が起こる。
4　動作は緩慢《かんまん》で表情が乏しくなる。
5　強い筋緊張から，四肢のつっぱりが強い。

➡ 解答時間　２分

問題118　Ｋさんは，入浴での洗身の際，安定した座位姿勢を保つためにシャワーチェアを使用している。Ｋさんが洗身の際に使用しているシャワーチェアとして，**最も適切なものを１つ**選びなさい。

1.

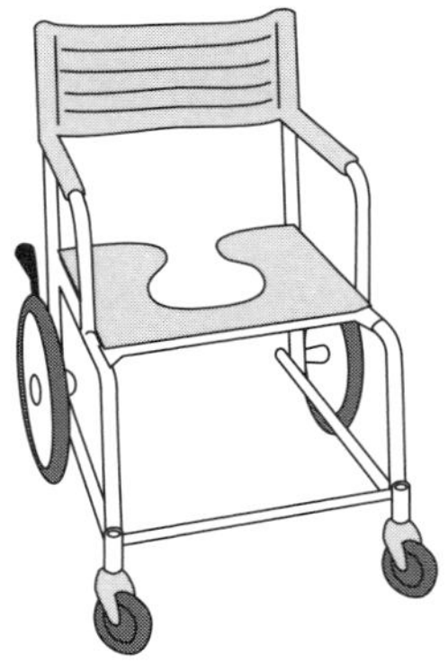

2.

3.

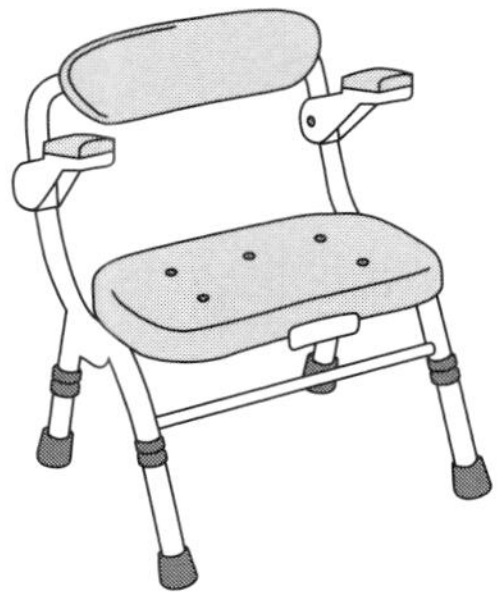

4.

5.

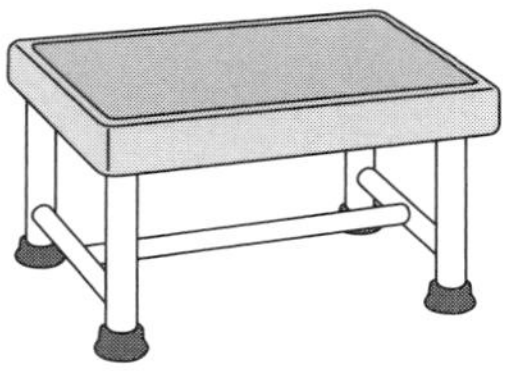

➡ 解答時間　２分

問題119　Ｋさんは，来月に隣町で開催される音楽鑑賞会に関心をもっており「ぜひ鑑賞会に行ってみたい」と話していた。そこでＫさんは，「自宅から音楽鑑賞会に行くときの介助をお願いするにはどうしたらよいか」と介護福祉職に相談した。介護福祉職は，Ｋさんが音楽鑑賞会に参加できるようにサービスを提案したいと考えている。次のうちＫさんが利用するサービスとして，**最も適切なものを１つ**選びなさい。

1　行動援護
2　同行援護
3　就労移行支援
4　移動支援
5　療養介護

(総合問題 3)

次の事例を読んで，**問題 120 から問題 122 まで**について答えなさい。

〔事　例〕

Lさん（74 歳，女性）は，自宅で夫と二人暮らしである。2 か月前に脳梗塞（cerebral infarction）を発症して左片《ひだりかた》麻痺《まひ》が生じた。急性期医療機関を経て，3 週間前から回復期リハビリテーション病院に入院している。現在は，杖歩行の訓練を行っている。Lさんは，段差があることに気づかずつまずくことや体の左側が壁にぶつかることがある。当初 Lさんは，熱心に訓練に取り組んでいたが，歩行状態がなかなか改善されず，最近では自信をなくし生活全般にわたって意欲が低下している。また，Lさんは，自宅への退院を目指していたが，「夫に負担をかけてしまうのではないか」と話しており，自宅での夫との生活について不安を感じていた。

➡ 解答時間　2 分

問題120　Lさんの現在の病院での様子をさらに観察すると，食事の際，本人から見て左側にある食事に手をつけない様子が多く見られた。Lさんの病院での様子から考えられる状態として，**最も適切なものを 1 つ**選びなさい。

1　記憶障害
2　実行機能障害
3　社会的行動障害
4　観念失行
5　半側空間《はんそくくうかん》無視《むし》

➡ 解答時間　2 分

問題121　Lさんは，退院後の夫との生活について病棟に勤務する担当の介護福祉職に相談した。担当の介護福祉職は，「退院後は，復帰のために一定期間施設に入所しリハビリテーション専門職から機能訓練などを受けながら生活をしてはどうか」と提案した。次のうち，Lさんが提案を受けた施設として，**最も適切なものを 1 つ**選びなさい

1　介護老人福祉施設
2　介護医療院
3　介護老人保健施設
4　認知症対応型共同生活介護
5　養護老人ホーム

問題122 リハビリテーションに参加するため，介護福祉職が**L**さんの居室を訪室すると，**L**さんは「先日，歩行中につまずいてしまって」と言い下を向いたまま黙ってしまった。このときの介護福祉職の関わりに関する次の記述のうち**最も適切なもの**を**１つ**選びなさい。

1 「リハビリテーションは決まりなので参加してください」
2 「後で呼びに来ますのでそれまでに準備をしてください」
3 「自宅に退院するのですよ。がんばりましょう」
4 「それは危ないですね。本日は欠席しますか」
5 「つまずいてしまったのですね。けがはありませんでしたか」

（総合問題 4）

次の事例を読んで，**問題 123 から問題 125 まで**について答えなさい。

〔事　例〕

Ｍさん（88 歳，女性）は，介護老人福祉施設に入所している。末期がんの診断を受けており，最近は，食事をしていても，うとうとしてほとんど食べず，臥床して過ごすことが多くなった。Ｍさんにこれからのことを聞くと，「苦しくなってきたら病院に入院したい」と答えた。また，家族からは「できるだけ苦しまないように自然に死を迎えてほしい」との要望があった。施設では，Ｍさんの考えに沿った支援の方向性について検討するため，Ｍさんを中心に多職種での話し合いが行われＭさんの考えを尊重することとなった。

➡ 解答時間　2 分

問題123　話し合いから 2 週間後，Ｍさんから「やっぱり私，最期までこの施設にいたい」と介護福祉職に話があった。Ｍさんの申し出に対し，アドバンス・ケア・プランニング（advance care planning：ACP）に基づく介護福祉職の言葉かけとして，**最も適切なものを 1 つ**選びなさい。

1 「話し合いで決まったことなので変更できませんよ」
2 「どちらが良いか，家族に判断してもらいましょう」
3 「担当医師の許可をもらってきてください」
4 「私は，入院するほうが良いと思いますよ」
5 「改めて，みんなで話し合う機会を作りましょう」

➡ 解答時間　２分

問題124　Ｍさんの死が近づいたときの日常生活の変化とその介護に関する次の組み合わせのうち，**最も適切なものを１つ**選びなさい。

1　活動量の低下 ―――― 同一姿勢での時間を長くする
2　食事摂取量の減少 ― 高カロリーの食事を用意する
3　口唇の渇き ―――― 水分量を増やす
4　呼吸困難 ―――― 上体を起こす
5　四肢の倦怠感《けんたいかん》 ―――― 冷罨法《れいあんぽう》を行う

➡ 解答時間　２分

問題125　Ｍさんの死が近づいた時の家族への支援に関する次の記述のうち，**最も適切なものを１つ**選びなさい。

1　面会は面会時間を守るように伝える。
2　緊急連絡先を複数施設に登録するように伝える。
3　本人に会えるのは家族のみと伝える。
4　最期のときの衣服は浴衣にするように伝える。
5　臨終の場面では本人に声をかけないように伝える。

完全予想模試①午後　解答用紙

正解数（得点）

／62点

配点：1問1点
合格の目安は午前午後合わせて7割以上の得点で、すべての科目群に得点があること（ガイド－5「試験ガイダンス」参照）。

制限時間　120分

チェック欄	番号	解答番号				
□	問題64	①	②	③	④	⑤
□	問題65	①	②	③	④	⑤
□	問題66	①	②	③	④	⑤
□	問題67	①	②	③	④	⑤
□	問題68	①	②	③	④	⑤
□	問題69	①	②	③	④	⑤
□	問題70	①	②	③	④	⑤
□	問題71	①	②	③	④	⑤
□	問題72	①	②	③	④	⑤
□	問題73	①	②	③	④	⑤
□	問題74	①	②	③	④	⑤
□	問題75	①	②	③	④	⑤
□	問題76	①	②	③	④	⑤
□	問題77	①	②	③	④	⑤
□	問題78	①	②	③	④	⑤
□	問題79	①	②	③	④	⑤
□	問題80	①	②	③	④	⑤
□	問題81	①	②	③	④	⑤
□	問題82	①	②	③	④	⑤
□	問題83	①	②	③	④	⑤
□	問題84	①	②	③	④	⑤
□	問題85	①	②	③	④	⑤
□	問題86	①	②	③	④	⑤
□	問題87	①	②	③	④	⑤
□	問題88	①	②	③	④	⑤
□	問題89	①	②	③	④	⑤
□	問題90	①	②	③	④	⑤
□	問題91	①	②	③	④	⑤
□	問題92	①	②	③	④	⑤
□	問題93	①	②	③	④	⑤
□	問題94	①	②	③	④	⑤

チェック欄	番号	解答番号				
□	問題95	①	②	③	④	⑤
□	問題96	①	②	③	④	⑤
□	問題97	①	②	③	④	⑤
□	問題98	①	②	③	④	⑤
□	問題99	①	②	③	④	⑤
□	問題100	①	②	③	④	⑤
□	問題101	①	②	③	④	⑤
□	問題102	①	②	③	④	⑤
□	問題103	①	②	③	④	⑤
□	問題104	①	②	③	④	⑤
□	問題105	①	②	③	④	⑤
□	問題106	①	②	③	④	⑤
□	問題107	①	②	③	④	⑤
□	問題108	①	②	③	④	⑤
□	問題109	①	②	③	④	⑤
□	問題110	①	②	③	④	⑤
□	問題111	①	②	③	④	⑤
□	問題112	①	②	③	④	⑤
□	問題113	①	②	③	④	⑤
□	問題114	①	②	③	④	⑤
□	問題115	①	②	③	④	⑤
□	問題116	①	②	③	④	⑤
□	問題117	①	②	③	④	⑤
□	問題118	①	②	③	④	⑤
□	問題119	①	②	③	④	⑤
□	問題120	①	②	③	④	⑤
□	問題121	①	②	③	④	⑤
□	問題122	①	②	③	④	⑤
□	問題123	①	②	③	④	⑤
□	問題124	①	②	③	④	⑤
□	問題125	①	②	③	④	⑤

※この用紙はコピーしてお使いください。

矢印の方向に引くと問題が取り外せます。

介護福祉士

完全予想模試②午前

次の注意事項をよく読んでから、始めてください。

（注　意）

1　**これは試験予想問題です。問題は 63 問です。**

2　**制限時間は 100 分です。**

＊科目別問題数については、第 36 回本試験を参考に設定しています。

3　**答えは、②午前－ 27 ページの解答用紙に記入してください。**

4　**答えは、各問題とも 1 つだけです。2 つ以上の解答をしたもの、判読が困難なものは、正解としません。**

解答は、解答用紙の解答番号を黒くぬりつぶして記入してください。

5　**問題中、法令に関する部分は、2024 年 4 月 1 日現在施行中の規定に基づいて出題されています。**

6　**解答・解説は本冊解答・解説編の 52 ページから、正解一覧は本冊解答・解説編の 51 ページです。**

矢印の方向に引くと問題が取り外せます。

＜領域：人間と社会＞

人間の尊厳と自立

➡ 解答時間　2 分

問題　1　A さん（80 歳，女性，要介護 3）は，戸建ての自宅で一人暮らしをしている。一年前から火の不始末で鍋を焦がしてしまう，ごみを分別せずに出してしまう行為がみられるようになった。A さんの状況を心配した隣町に住む息子（50 歳）は，A さんと一緒に病院を受診した。その結果，軽度の認知障害と診断されたが，その後も，訪問介護（ホームヘルプサービス）を利用しながら一人暮らしを続けている。息子は，「本人はこれからも一人暮らしを望んでいるようだが，火の元の管理ができないようでは心配なので，施設に入ってほしい」「本人には内緒で施設を探している」と訪問介護員（ホームヘルパー）に話す。

訪問介護員（ホームヘルパー）の対応として，**最も適切なものを 1 つ**選びなさい。

1　「よい施設がないかどうか，探してみます」
2　「A さんと同居することをお勧めします」
3　「A さんが生活の中で困っていることを尋ねてみませんか」
4　「火を一人では使えないようにしましょう」
5　「訪問介護の回数を増やしてみませんか」

➡ 解答時間　1 分

問題　2　ノーマライゼーション（normalization）に関する次の記述のうち，**最も適切なものを 1 つ**選びなさい。

1　全ての人々を孤独や孤立，排除から援護し，社会の構成員として包み支え合うこと。
2　年齢や障害の有無などにかかわらず，多くの人にわかりやすく，多くの人が利用可能であるようにデザインすること。
3　障壁となるバリアを取り除くこと。
4　高齢者や障害者を含めて，誰もがホームページ等で提供される情報や機能を支障なく利用できること。
5　社会的な立場が弱い人たちの生活を通常の社会環境に近づけ，一般の人たちと同様の権利を行使すること。

人間関係とコミュニケーション

➡ 解答時間　2分

問題　3　B介護福祉職（22歳，女性）は，利用者のCさん（85歳，男性）との関係に悩んでいる。Cさんは認知症（dementia）があり，「財布を盗んだだろう」と頻繁にB介護福祉職に訴えてくる。B介護福祉職はその都度，対応しているが，なぜ自分が疑われるのだろうかと考えると，怒りや悲しみに襲われる。そのため，上司のスーパービジョン（supervision）を受けることにした。

スーパービジョン（supervision）を終えたB介護福祉職は，上司に悩みを共有してもらったことで前向きな気持ちになることができた。

B介護福祉職の受けたスーパービジョン（supervision）の機能として，**最も適切なものを１つ選びなさい。**

1　教育的機能
2　支持的機能
3　啓発的機能
4　管理的機能
5　ストレス軽減機能

➡ 解答時間　2分

問題　4　チームマネジメントに関する次の記述のうち，**最も適切なものを１つ選びなさい。**

1　PM理論では，6つのリーダーシップタイプが提示されている。
2　メンバーシップとは，管理者がリーダーを支える機能のことを言う。
3　キャリアパスとは，組織内での昇進・昇格の道筋を示したものである。
4　コンプライアンスとは，職場の就業規則を遵守することである。
5　ケアカンファレンス（care conference）は，利用者へのサービス提供に関した会議のためチームマネジメントとは関係がない。

➡ 解答時間　1 分

問題　5　コミュニケーションに関係する次の用語とその説明文のうち，**適切なものを 1 つ選びなさい。**

1　共感的態度とは，利用者を尊重し，そのあるがままの状態を受け容《い》れる姿勢のことである。

2　ラポール（rapport）とは，利用者との友人関係のことである。

3　感情の反射とは，介護福祉職への理解を促すために，介護福祉職の感情を利用者に伝えることである。

4　傾聴《けいちょう》とは，返答したり相槌《あいづち》をうったりせず，注意深く利用者の声に耳を傾けることである。

5　自己覚知《かくち》とは，自分自身の感情やものの見方を理解していることである。

➡ 解答時間　2 分

問題　6　**D** さん（67 歳，女性，要介護 1）は，55 歳頃から腰椎椎間板《ようついついかんばん》ヘルニア（lumbar disc herniation）を患っており，右足にしびれや痛みを感じている。認知症（dementia）はない。現在，週 1 回の通所リハビリテーションを利用し始めてから 2 年が経過している。**D** さんは介護福祉職に対して「今日のように寒くて雨の日は普段より痛みが強い。痛みがなければ，もっと楽に歩けるのに。今日はつらい」と話した。

　このときの **D** さんの発言に対する介護福祉職の返答として，**最も適切なものを 1 つ選びなさい。**

1　「暖かくて晴れの日だと良かったですね」

2　「痛みがあるので無理をせず，ベッドで休んでくださいね」

3　「車いすを用意しますので，使ってくださいね」

4　「なぜ，痛いのですか。何か病気にかかっているのですか」

5　「天候が悪い日は特に痛みが強くて，つらい気持ちなのですね」

社会の理解

➡ 解答時間　2分

問題　7「成年後見関係事件の概況（令和5年1月～12月）」（最高裁判所事務総局家庭局）に関する次の記述のうち，**最も適切なものを1つ**選びなさい。

1　成年後見人等で，親族以外で選任された職種で最も多いのは弁護士である。
2　成年後見人等の申立人で最も多いのは本人の子である。
3　成年後見人等の開始原因では，認知症（dementia）が最も多い。
4　成年後見人等の利用者を性別でみると，女性では60歳代が最も多い。
5　成年後見人等の主な申立ての動機では，身上保護が最も多い。

➡ 解答時間　1分

問題　8「『地域共生社会』の実現に向けて（当面の改革工程）」（平成29年2月7日　厚生労働省「我が事・丸ごと」地域共生社会実現本部決定）に関する次の記述のうち，**最も適切なものを1つ**選びなさい。

1　「支え手」「受け手」が明確に分かれた社会を目指す。
2　地域丸ごとのつながりの強化。
3　市区町村が「我が事」として参画する。
4　公的支援を「縦割り」へ転換する。
5　専門人材の活用を抑制する。

➡ 解答時間　1分

問題　9　Eさん（80歳，男性）は，がん（cancer）の末期と診断を受けている。Eさんは，在宅での生活を望んでいることから，現在入院している病院を退院し，在宅生活を予定している。そして，在宅移行後は，通いと適宜の宿泊の介護サービスを希望している。また，医療的なニーズも高いことから訪問看護の利用も希望している。

Eさんのニーズにあっている介護サービスについて，**最も適切なものを1つ**選びなさい。

1　夜間対応型訪問介護
2　看護小規模多機能型居宅介護
3　定期巡回・随時対応型訪問介護看護
4　認知症対応型共同生活介護
5　通所介護

➡ 解答時間　1 分

問題　10　介護保険制度における地域ケア会議に関する次の記述のうち，**適切なものを 1 つ**選びなさい。

1　設置主体は，地域包括支援センターまたは市町村である。
2　介護支援専門員が招集する。
3　毎回，利用者や家族が参加する。
4　市町村介護保険事業計画を策定する。
5　介護保険サービス事業者の第三者評価の役割を果たす。

➡ 解答時間　2 分

問題　11　健康保険制度における自己負担割合に関する次の記述のうち，**最も適切なものを 1 つ**選びなさい。

1　70 歳から 74 歳までの被保険者の自己負担割合は 1 割（現役並み所得者は 3 割）である。
2　13 歳の中学生の被保険者の自己負担割合は，3 割負担である。
3　義務教育就学前の被保険者の自己負担割合は，免除される。
4　50 歳の被保険者の自己負担割合は，2 割である。
5　75 歳以上の被保険者の自己負担割合は，2 割（現役並み所得者は 3 割）である。

➡ 解答時間　1 分

問題　12　我が国における国民年金制度に関する次の記述のうち，**最も適切なものを 1 つ**選びなさい。

1　老齢基礎年金を受給することができるのは，受給資格期間が 25 年以上の者である。
2　学生納付特例制度では，申請により保険料納付を猶予された期間は年金額に反映される。
3　障害基礎年金 2 級の年金額は，老齢基礎年金の 1.25 倍である。
4　日本に居住する外国籍を持つものは国民年金への加入は免除されている。
5　国民年金の独自給付として，死亡一時金がある。

➡ 解答時間　1分

問題　13 生活保護において，原則として現物給付である扶助の種類として**適切なものを１つ**選びなさい。

1　出産扶助
2　生業扶助
3　生活扶助
4　介護扶助
5　葬祭扶助

➡ 解答時間　2分

問題　14「育児・介護休業法」に関する次の記述のうち，**最も適切なものを１つ**選びなさい。

1　出生時育児休業は，出生日から起算して８週間を経過する日の翌日までに，６週間以内の期間を定めて行う。
2　育児休業は分割して取得できる。
3　育児休業期間は，子が満１歳になるまでである。
4　子の看護休暇は，一日単位で取得できると定められている。
5　育児休業の対象となる子は，実子のみとされている。

（注）「育児・介護休業法」とは，「育児休業，介護休業等育児又は家族介護を行う労働者の福祉に関する法律」のことである。

➡ 解答時間　1分

問題　15「障害者総合支援法」における介護給付に関する次の記述のうち，**適切なものを１つ**選びなさい。

1　同行援護は，知的障害や精神障害により常時介護が必要な人を対象に，外出支援を行う。
2　行動援護は，視覚障害により移動に著しい困難を有する人を対象に，外出支援を行う。
3　重度訪問介護は，重度の障害がある人を対象に，居宅介護等，複数のサービスを包括的に行う。
4　生活介護は，医療と常時介護を必要とする人を対象に，医療機関で機能訓練や療養上の管理，看護，介護等を行う。
5　施設入所支援は，障害者支援施設に入所する人を対象に，主に夜間，入浴，排泄《はいせつ》，食事の介護等を行う。

（注）「障害者総合支援法」とは，「障害者の日常生活及び社会生活を総合的に支援するための法律」のことである。

➡ 解答時間　2分

問題　16「障害者総合支援法」に関する次の記述のうち，**適切なものを１つ**選びなさい。

1　障害者の年齢を20歳以上と規定している。
2　補装具の支給決定は障害者または障害児の保護者の申請に基づき，市町村が行っている。
3　福祉サービスの費用は利用者の応益負担となっている。
4　地方公共団体が設置する協議会には，障害福祉計画の策定が義務づけられている。
5　障害福祉計画は6年を1期として策定される。

（注）「障害者総合支援法」とは，「障害者の日常生活及び社会生活を総合的に支援するための法律」のことである。

➡ 解答時間　1分

問題　17　**F**さん（64歳，女性）は，聴覚障害者として身体障害者手帳を保持している。ある日，引っ越しの手続きのため市役所の窓口に行き，その際，市役所職員との筆談によるやり取りを申し出た。

その時の市役所職員の対応として，障害者差別解消法の合理的配慮の観点から，**最も適切なものを１つ**選びなさい。

1　口頭によるやり取りが原則のため，丁寧に断る。
2　筆談による対応は時間がかかるため，予約をして出直してもらう。
3　筆談は，特別な対応のため，上司への判断を仰ぐ。
4　コミュニケーションの代替として，筆談で対応する。
5　筆談に必要な用具の準備を，**F**さんにお願いする。

（注）「障害者差別解消法」とは，「障害を理由とする差別の解消の推進に関する法律」のことである。

➡ 解答時間　2分

問題　18「高齢者虐待《ぎゃくたい》防止法」と「障害者虐待《ぎゃくたい》防止法」に関する次の記述のうち，**適切なものを１つ**選びなさい。

1　「高齢者虐待防止法」では，虐待を身体的虐待，ネグレクト，心理的虐待，性的虐待の4つに分類している。
2　「高齢者虐待防止法」では，職員研修の実施や苦情処理体制の整備を課している。
3　「高齢者虐待防止法」では，虐待を発見した者は警察に速やかに通報する義務がある。
4　「障害者虐待防止法」では，家族の許可を得なければ，家庭内に立ち入って調査することができないとしている。
5　「障害者虐待防止法」では，虐待への対応の開始には，障害者本人の申し出が必要とされている。

（注）「高齢者虐待防止法」とは，「高齢者虐待の防止，高齢者の養護者に対する支援等に関する法律」，「障害者虐待防止法」とは，「障害者虐待の防止，障害者の養護者に対する支援等に関する法律」のことである。

＜領域：こころとからだのしくみ＞

こころとからだのしくみ

➡ 解答時間　1分

問題　19　ライチャード（Reichard,S.）の老年期の性格類型に関する次の記述のうち，**適切なものを１つ**選びなさい。

1　円熟型は，現実を受け入れて満足しており，他人に頼りながら生きるタイプである。
2　安楽椅子型は，過去に対する後悔も，未来への不安もなく積極的に社会参加を行うタイプである。
3　防衛型は，老いに対する不安を抑圧し若い時の生活水準を維持しようとするタイプである。
4　憤慨型は，自分の人生が失敗だったと考えて自己嫌悪に陥りふさぎ込むタイプである。
5　自責型は，老いに対する不満が強く，他人に攻撃しやすいタイプである。

➡ 解答時間　2分

問題　20　脳の部位とその機能の組み合わせとして，**正しいものを１つ**選びなさい。

1　前頭葉 ―――― 思考，意欲，創造性
2　側頭葉 ―――― 血圧・脈拍・呼吸の調節
3　後頭葉 ―――― 運動，平衡感覚
4　小脳 ―――― 視覚野
5　脳幹 ―――― 記憶，情緒，言葉

➡ 解答時間　1分

問題　21　座位から立位への立ち上がり動作で，膝関節《しつかんせつ》を伸展させる主動作筋として，**最も適切なものを１つ**選びなさい。

1　上腕二頭筋
2　大腿四頭筋《だいたいしとうきん》
3　三角筋
4　下腿三頭筋《かたいさんとうきん》
5　腸腰筋《ちょうようきん》

➡ 解答時間　2 分

問題　22　廃用症候群（disuse syndrome）の症状として，**最も適切なものを 1 つ**選びなさい。

1　高血圧
2　動脈血栓症
3　筋肥大
4　肺活量の低下
5　蠕動運動の亢進

➡ 解答時間　1 分

問題　23　褥瘡《じょくそう》の予防に関する次の記述のうち，**最も適切なものを 1 つ**選びなさい。

1　体位変換時の摩擦・ずれを防ぐ。
2　排泄物《はいせつぶつ》が広がらないようにオムツを何枚も重ねる。
3　同一部位の圧迫を防ぐために体位変換を 4 時間ごとに行う。
4　入浴は皮膚をふやけさせるため，なるべく控える。
5　野菜を多く摂取するよう促す。

➡ 解答時間　2 分

問題　24　口臭にも影響を及ぼす唾液に関する次の記述のうち，**最も適切なものを 1 つ**選びなさい。

1　唾液には消化作用がある。
2　唾液は交感神経が刺激されるとたくさん分泌する。
3　唾液分泌量が多くなると舌苔《ぜったい》が多くなる。
4　唾液量が多いと歯周病になりやすい。
5　唾液の量は味覚に関係ない。

➡ 解答時間　1 分

問題　25　高齢者の脱水に関する次の記述のうち，**最も適切なものを 1 つ**選びなさい。

1　気分転換のために活動的なレクリエーションに誘う。

2　塩分は脱水を悪化させるので減塩食にする。

3　皮膚から蒸発している水分と汗を不感蒸泄《ふかんじょうせつ》という。

4　喉の渇《かわ》きに気づきにくいので水分補給を頻回に行う。

5　体温低下が起きるので保温につとめる。

➡ 解答時間　2 分

問題　26　G さん（77 歳，女性）は入浴することがとても大好きである。しかし，最近，全身のかゆみが強くなってきて，皮膚をかきむしって出血したり，眠れなかったりする日もある。

G さんが入浴する際の声かけの内容として**最も適切なものを 1 つ**選びなさい。

1　「汚れが残っているとかゆみが増すので，石鹸でよく洗いましょう」

2　「熱いお風呂に入った方が，かゆみが減りますよ」

3　「入浴剤は皮膚に刺激になるので，入れるのをやめましょう」

4　「入浴直後は皮膚が濡れているので，1 時間後にクリームを塗りましょう」

5　「湯船に長く入っていると水分が出てしまうので，長湯はやめましょう」

➡ 解答時間　2 分

問題　27　便秘《べんぴ》の種類と原因の組み合わせとして，**最も適切なものを 1 つ**選びなさい

1　直腸性《ちょくちょうせい》便秘 ―――― ストレスによる自律神経の失調

2　医原性《いげんせい》便秘 ―――― 大腸がん（colorectal cancer）

3　弛緩性《しかんせい》便秘 ―――― 大腸の蠕動《ぜんどう》運動の低下

4　器質性《きしつせい》便秘 ―――― 排便反射の低下

5　痙攣性《けいれんせい》便秘 ―――― 薬の副作用

➡ 解答時間　1 分

問題　28　睡眠に関する次の記述のうち，**最も適切なものを 1 つ**選びなさい。

1　概日リズム（サーカディアンリズム（circadian rhythm））とは，人間の一生に関するリズムのことをいう。
2　体内時計は，カフェイン（caffeine）の量によって調整される。
3　高齢者ではレム睡眠の時間が減る。
4　抗ヒスタミン薬には，眠気を取り除く作用がある。
5　メラトニン（melatonin）は，睡眠を促進するホルモン（hormone）である。

➡ 解答時間　2 分

問題　29　H さん（82 歳，男性）は妻と二人暮らしであったが，1 週間前に妻が亡くなった。妻を亡くした後，H さんは元気がなくなり，外出もせず誰とも話をしない状態が続いている。食事もあまり食べていないようである。

H さんへのグリーフケア（grief care）として，**最も適切なものを 1 つ**選びなさい。

1　妻の話は悲しみを増強させるので，話題にしない。
2　食事を食べていないので，配食サービスを紹介する。
3　家族を亡くした人のためのサポートグループへの参加を勧める。
4　H さんの生活を元に戻すため，前向きに生きるよう励ます。
5　さりげなく寄り添い，H さんが話したいことを十分に話せる環境をつくる。

➡ 解答時間　1 分

問題　30　終末期における死亡直前の身体機能の変化に関する次の記述のうち，**最も適切なものを 1 つ**選びなさい。

1　食欲は比較的保たれる。
2　筋肉は硬直してくる。
3　体温は低下する。
4　呼吸は静かで規則的になる。
5　尿量は増加する。

発達と老化の理解

➡ 解答時間　２分

問題　31　Ｊさんは，数秒間一人で立っていることができるようになり，指を使って積み木がつかめるようになってきた。また，お腹が空いた時には，「まんま」と一語文で話すようにもなり，はじめて見る食べる物に対しても，母親が美味しそうに食べているのを見て，自分も食べようとする動作が見られるようになった。

Ｊさんの年齢はいくつぐらいか，**最も適切なものを１つ**選びなさい。

1　４か月
2　６か月
3　８か月
4　１歳
5　２歳

➡ 解答時間　１分

問題　32　ボウルビィ（Bowlby, J.）の理論に関する次の記述のうち，**最も適切なものを１つ**選びなさい。

1　代理母実験から乳児と大人の関係形成について明らかにした。
2　自我同一性（アイデンティティ）の概念を提示した。
3　乳児の愛着行動の個人差を調べた。
4　悲嘆過程には順序性があると提示した。
5　悲嘆過程における二重過程モデルを提唱した。

➡ 解答時間　１分

問題　33　子どもの身体的機能の発育発達に関する次の記述のうち，**最も適切なものを１つ**選びなさい。

1　身長は，どの部位も均等に成長する。
2　体重は，生後３か月で出生時の２倍となる。
3　BMI は，乳幼児期の成長の評価指標である。
4　微細運動が先に成長し，続いて粗大運動が発達する。
5　原始反射とは，一般的に出生直後に消失する。

➡ 解答時間　1 分

問題　34　老年期の認知機能に関する次の記述のうち，**最も適切なものを 1 つ**選びなさい。

1　自伝的記憶では，30 代のできごとを最も思い出しやすい。
2　老年期は気が散りにくくなり集中できるようになる。
3　ワーキングメモリは加齢の影響を受けにくい。
4　昨日のできごとなどのエピソード記憶は加齢の影響を受けにくい。
5　流動性知能は加齢の影響を受けやすい。

➡ 解答時間　2 分

問題　35　K さん（76 歳，女性）は脳梗塞（cerebral infarction）の後遺症によって，自宅での一人暮らしが難しくなり，1 か月前に介護老人福祉施設に入所した。もともと社交的な人で，友だちと買い物や旅行に行くことが大好きであった。入所後は外出する機会もなく，次第に元気がなくなっていたが，家から旅行の気分を味わえる DVD が届き，今はその動画をみて笑顔が増えてきた。

K さんに生じている適応（防衛）機制として**最も適切なものを 1 つ**選びなさい。

1　退行
2　攻撃
3　代償
4　昇華
5　抑圧

➡ 解答時間　2 分

問題　36　老化にともなう感覚機能の変化に関する次の記述のうち，**最も適切なものを 1 つ**選びなさい。

1　暗さに目が慣れるよりも，まぶしさに慣れる能力が低下する。
2　大きな高い声で話しかける方が聞き取りやすい。
3　水晶体の変性によって青色と緑色の区別がつきにくくなる。
4　感覚は鈍化していくため，かゆみも感じにくくなる。
5　味覚は個人差があり，感受性の低下は起きにくい。

➡ 解答時間　1 分

問題　37　最近Ｌさん（88 歳，女性）は，歩いていると足が痛くなったりしびれたりしてきて，足がもつれるようになってきた。しばらく立ち止まって座ったり，前かがみになって休んだりすると，足の痛みは楽になり，また歩けるようになる。長い距離を続けて歩くのが困難になってきた。

Ｌさんの症状から考えられる疾患として**最も適切なものを 1 つ**選びなさい。

1　腰《よう》部《ぶ》脊柱管狭窄症《せきちゅうかんきょうさくしょう》
2　パーキンソン病（Parkinson disease）
3　老年期うつ病
4　脊椎圧迫骨折《せきついあっぱくこっせつ》
5　変形性膝関節症《へんけいせいしつかんせつしょう》（knee osteoarthritis）

➡ 解答時間　2 分

問題　38　軽度のアルツハイマー型認知症（dementia　of the Alzheimer's type）であるＭさん（92 歳，女性）は，現在，認知症対応型共同生活介護（グループホーム）で生活している。血圧が少し高めで，60 歳頃から降圧剤を服用している。最近，食欲がないといってお茶もあまり飲もうとせず，「めまいがするから起きたくないわ」と言って，日中，横になっていることが多くなった。

Ｍさんへの介護福祉職の対応として，**最も適切なものを 1 つ**選びなさい。

1　本人の意思を尊重し，食欲がない時は食事や水分を無理に勧めない。
2　起き上がると転倒のおそれがあるので，治るまで横になっていることを勧める。
3　入浴は症状を改善させるので，長く浴槽に入っていることを勧める。
4　降圧剤を飲んでいて仕方のないことなので，気にしないように説明する。
5　排泄後は，突然に立ち上がらずにゆっくり立つように勧める。

認知症の理解

➡ 解答時間　1分

問題　39　2019（令和元）年６月に策定された「認知症施策推進大綱」の５つの柱に関する次の記述のうち，**最も適切なものを１つ**選びなさい。

1　若年性認知症コーディネーターの配置
2　認知症バリアフリーの推進
3　共生と安全を車の両輪としている
4　認知症サポーターの養成開始
5　認知症（dementia）の人やその家族の視点の重視

➡ 解答時間　1分

問題　40　加齢による物忘れに関して，**最も適切なものを１つ**選びなさい。

1　時間や場所についての混乱がある。
2　体験したできごとをまるごと忘れる。
3　日常生活動作に支障がでる。
4　物忘れが進行する。
5　物忘れの自覚はある。

➡ 解答時間　2分

問題　41　認知症（dementia）の人に対する介護福祉職の対応として，**最も適切なものを１つ**選びなさい。

1　入所したばかりで不安が強いならば，なるべく多くの人が関わるようにする。
2　暴言・暴力がある場合は，すぐに抗精神病薬を処方していく。
3　夜間，幻視によっておびえて眠れない場合は，幻視を強く否定していく。
4　常同行動に対してはルーチン化療法を行う。
5　周回がある場合は，危険であるため外に出られないようにする工夫が必要である。

➡ 解答時間　1分

問題　42　アルツハイマー型認知症（dementia of the Alzheimer's type）の薬物療法に関する次の記述のうち，**最も適切なものを１つ**選びなさい。

1　病期によって投与量を変えない方が効果がある。
2　回想法などの脳活性リハビリテーションの効果がない人に行う。
3　行動・心理症状（BPSD）には効果がない。
4　認知症（dementia）の症状の進行を遅らせるものである。
5　副作用はほとんどない。

➡ 解答時間　2分

問題　43　身寄りのない一人暮らしの**A**さん（80歳，男性）は，最近，物忘れが多くなってきたことを心配し，認知症（dementia）になって判断能力が低下した時に財産の管理を頼む人を選ぼうと考えた。

Aさんが選ぼうと考えている人について，**最も適切なものを１つ**選びなさい。

1　任意後見人
2　補助人
3　民生委員
4　成年後見人
5　保佐人

➡ 解答時間　1分

問題　44　認知症ケアの技法であるユマニチュードに関する次の記述のうち，**最も適切なものを１つ**選びなさい。

1　パーソン・センタード・ケアの視点でケアを振り返っていく。
2　人生の再評価やアイデンティティの強化を促すことになる技法である。
3　４つの柱と５つのステップでマルチモーダル・ケアを行う方法である。
4　感情表出を促して信頼関係を築いていく方法である。
5　チームで利用者本位のケアマネジメントを行う方法である。

➡ 解答時間　2分

問題　45　レビー小体型認知症（dementia with Lewy bodies）に関する次の記述のうち，**最も適切なものを１つ**選びなさい。

1　人格変化や反社会的行動がみられる。
2　具体的な内容の幻聴が聞かれる。
3　初期の段階から，もの盗られ妄想がみられる。
4　ドーパミン減少による嚥下障害が生じやすい。
5　歩行などの運動障害は起きにくい。

➡ 解答時間　2分

問題　46　アルツハイマー型認知症（dementia of the Alzheimer's type）のBさん（80歳, 女性）は，ユニット型介護老人福祉施設に入所しており，最近，「帰りたい」「帰りたい」と何度も繰り返し言い続けるようになった。

Bさんに対する介護福祉職の対応に関する次の記述のうち，**最も適切なものを1つ**選びなさい。

1　安心させるために「息子さんが迎えに来るので少し待ちましょうね」と言う。
2　「帰りたいのですね。少しお話を聞かせていただいてもいいですか」と言う。
3　「これから，楽しい歌の会がありますよ」と気を紛らわせる。
4　説明するとさらに興奮してしまうので，落ち着くために話をしないようにする。
5　「今日はここに泊まることになっていますよ」と伝える。

➡ 解答時間　3分

問題　47　地域での認知症包括ケアシステムに関する次の記述のうち，**最も適切なものを1つ**選びなさい。

1　認知症地域支援推進員は，各市町村の認知症カフェに配置される。
2　認知症ケアパスとは，認知症の人の状態に応じた適切なサービスの流れのことである。
3　認知症サポート医は，主治医（かかりつけ医）の指示の下，日常的な診療を行う。
4　認知症サポーターは，認知症の初期段階に認知症の人や家族にかかわり，介護支援専門員（ケアマネージャー）をサポートする。
5　認知症疾患医療センターは，重度の認知症の人を入院させ専門的な治療を行う場所である。

問題　48　介護老人福祉施設に入所している認知症（dementia）の**C**さん（82歳，女性，糖尿病（diabetes mellitus））は，月に1回，家族とともに病院を受診している。受診時は検査があるので朝食は食べないことになっていて，前日に看護師は食止めを管理栄養士に連絡し，ユニットの介護福祉士にも伝え，**C**さん本人にも伝えた。

しかし，当日の朝，**C**さんの朝食はいつもどおりに配膳され，早番の介護福祉士は食事介助を行ったため，受診は中止になってしまった。多職種間での情報共有についてカンファレンスを行い，次のような意見が出た。

相互理解のために有意義な意見として，**最も適切なものを1つ**選びなさい。

1　「栄養課の管理栄養士が食事を止めないことが原因ではないかしら」
2　「食事介助を行った介護福祉士が確認を怠ったからだわ」
3　「看護師の連絡の仕方が悪かったと思うわ」
4　「情報伝達の見える化が必要なので，そのシステムをつくりましょう」
5　「人手が足りなくて忙しすぎることが原因だと思うわ」

障害の理解

➡ 解答時間　2 分

問題　49　ノーマライゼーション（normalization）の理念に関する次の記述のうち，**最も適切なものを 1 つ**選びなさい。

1　社会復帰に向け，職業訓練を重視する。
2　普通の生活環境に近づける。
3　障害の原因となる疾病の治療を目指す。
4　障害者だけの活動の場を広げる。
5　施設での生活の充実を目指す。

➡ 解答時間　2 分

問題　50　D さん（32 歳，男性）は軽度の知的障害があり，両親の世話を受けながら自宅で暮らしている。D さんは生活意欲が高く，家に閉じこもらずに地域の人たちとの交流を増やしたり，簡単な作業を行ったりして，「地域での居場所ができたらいいな」と思い，「障害者総合支援法」の地域生活支援事業を活用しようと考えている。

D さんが受けるサービスとして**最も適切なものを 1 つ**選びなさい。

1　地域活動支援センター
2　行動援護
3　地域定着支援
4　福祉ホーム
5　自立訓練

➡ 解答時間　1 分

問題　51　高次脳機能障害（higher brain dysfunction）の主な症状の 1 つである半側空間無視に関する次の記述のうち，**最も適切なもの**を **1 つ**選びなさい。

1　ちょっとしたことで，激しく怒り出す。
2　2 つのことを同時にしようとして混乱する。
3　簡単な料理でも順序よく行うことが難しい。
4　髭《ひげ》剃《そ》りでいつも片側をそり残す。
5　物の置き場所を忘れる。

➡ 解答時間　1 分

問題　52　障害受容の過程に関する次の記述のうち，**最も適切なもの**を **1 つ**選びなさい。

1　上田敏の障害受容のモデルは 5 つの過程を段階的に一方向で進む。
2　上田敏の障害受容モデルの混乱期は価値の転換が起きる。
3　障害受容の環境要因には，こころない言葉や視線，偏見といった意識的障壁がある。
4　障害受容における物理的障壁には，音声案内や点字がないことが含まれる。
5　障害受容の過程にはピアサポートの関わりは影響しない。

➡ 解答時間　1 分

問題　53　脊髄の損傷に関する次の記述のうち，**最も適切なものを 1 つ**選びなさい。

1　腰髄損傷（lumbar spinal cord injury）では，呼吸障害，四肢麻痺となる。
2　頸髄損傷《けいずいそんしょう》（cervical cord injury）（C_7）では，肘を伸ばすプッシュアップができなくなる。
3　損傷部位より下位の神経領域の感覚と運動機能は失われる。
4　胸髄損傷（T_1）では，座位バランスは安定する。
5　頸髄損傷《けいずいそんしょう》（cervical cord injury）（C_1）では，上肢全体を使える。

➡ 解答時間　2 分

問題　54　大学生の E さん（20 歳，女性）は，小さい頃からじっとしていることが苦手で，授業中も集中して座っていられなかったり，友人に衝動的に話しかけてしまったりして注意を受けることが多い。E さんは自分の状態も理解していて就職もしたいと考えている。

E さんへの助言として，**最も適切なものを 1 つ**選びなさい。

1　頑張っていることを伝えながら，目標を定めるよう勧める。
2　授業中は他者に迷惑をかけないよう，後ろの席に座るよう勧める。
3　仕事に就くことは難しいので短時間のアルバイトを勧める。
4　まずは病院を受診し病気の治療を勧める。
5　トラブルを避けるよう他者との交流を控えるように伝える。

➡ 解答時間　1 分

問題　55 筋萎縮性側索硬化症（amyotrophic lateral sclerosis：ALS）に関する次の記述のうち，**最も適切なものを 1 つ**選びなさい。

1　呼吸器機能は保たれる。
2　排泄障害が起きやすい。
3　嚥下機能は保たれ食事は食べられる。
4　コミュニケーションでは筆談が有効である。
5　視力や聴力は保たれる。

➡ 解答時間　2 分

問題　56 F さん（38 歳，男性）は，妻と二人で暮らしている。F さんは，うつ病（depression）のため，不眠と注意力の低下から仕事ができなくなり，精神科病院に通院している。E さんは，通院以外は外出をしようとせず，自宅にこもっていることが多い。現在は，妻が働いて生計を立てている。訪問した介護福祉職に「自分が働くことができず，妻に申し訳ない。何をやっても駄目な人間になってしまった」と F さんは話した。

F さんの発言に対する介護福祉職の返答として，**最も適切なものを 1 つ**選びなさい。

1　「奥様に申し訳ないと思うなら，少しでも早く病気を治しましょう」
2　「ただただ自室にこもっているだけで，何もなさっていないのではないですか。何をやっても駄目な人間なんて言わないでください」
3　「そんなこと言わずにもっと積極的に行動してみてください。頑張りましょう」
4　「F さんは駄目な人間になられてしまいましたね。奥様がかわいそうです」
5　「働けなくなってしまって，つらいですね」

➡ 解答時間　2 分

問題　57　G さん（72 歳, 女性, 知的障害）は一人暮らしである。日常生活はほぼ自立しているが, 足腰がだいぶ弱ってきている。そのため, 相談支援専門員はフォーマルな社会資源を探している。

次の記述のうち，フォーマルな社会資源として**最も適切なものを 1 つ**選びなさい。

1　コンビニエンスストアによる見守り
2　近隣の住民からの善意の声かけ
3　ボランティアが行う見守り
4　民生委員が行う相談支援
5　家族会が行う悩み相談

➡ 解答時間　2 分

問題　58　相談支援専門員の役割に関する次の記述のうち，**最も適切なものを 1 つ**選びなさい。

1　高齢者が自立した日常生活，社会生活を送るための相談支援を行う。
2　サービス等利用計画の作成を行う。
3　サービス提供者にモニタリングを依頼し，報告書を確認する。
4　主な働き場所は，特別養護老人ホームである。
5　相談に応じながら，直接的な介護援助も行う。

＜領域：医療的ケア＞

医療的ケア

➡ 解答時間　２分

問題　59　消毒と滅菌に関する次の記述のうち，**正しいものを１つ**選びなさい。

1　栄養剤の注入後に白湯を入れてチューブ内を消毒する。
2　経管栄養の準備は石鹸と流水で丁寧に手を洗ってから行う。
3　滅菌とは，病原性の微生物を死滅させることである。
4　滅菌物は開封してあっても有効期限内であれば使用できる。
5　次亜塩素酸ナトリウムは酸性洗剤と混ぜると効果があがる。

➡ 解答時間　２分

問題　60　喀痰吸引《かくたんきゅういん》にともなうケアにおいて，痰《たん》を出しやすくする次の記述のうち，**最も適切なものを１つ**選びなさい。

1　気道粘膜のせん毛運動を活発にするため，室内環境を乾燥させる。
2　呼吸困難を引き起こすので，咳《せき》は我慢するよう説明する。
3　水分を多量に摂取すると痰《たん》の量が増えてしまうので，水分量を控える。
4　痰《たん》のある部位を上にした体位の調整を行う。
5　重力を利用して痰《たん》を出しやすくするため，なるべく同一体位を保つ。

問題　61　医療行為としての喀痰吸引《かくたんきゅういん》等を行うための指示書に関する次の記述のうち，**最も適切なものを 1 つ**選びなさい。

1　1 年ごとに書き換えられる。
2　1 日に 1 回は必ず指示書の確認を行う。
3　看護職が指示書の確認を行う。
4　指示書に咽頭の先までの指示があれば，それに従う。
5　医師が作成する。

➡ 解答時間　2分

問題　62　経管栄養の実施手順において，介護福祉士が実施する内容に関する次の記述のうち，**最も適切なものを 1 つ**選びなさい。

1　胃ろう挿入部は感染のおそれが強いので，異常がなくても毎回，消毒剤で消毒する。

2　実施前には，利用者に本人確認を行い，栄養剤が本人のものかどうかも確認する。

3　経管栄養チューブに空気を入れて胃内の音にて適切に挿入されていることを確認する。

4　経鼻経管栄養チューブの固定テープがはがれていたら，すぐに貼り直す。

5　表情や嘔気・嘔吐，腹部膨満感等の観察は，注入前と注入後に行う。

➡ 解答時間　2分

問題　63　H さん（85 歳，女性）に対して胃ろうによる経管栄養を行っていた。あと 10 分ほどで終了しそうな時に，H さんから「お腹が張って気分が悪い」と言われた。この時の介護福祉士の対応として，**最も適切なものを 1 つ**選びなさい。

1　早く終わらせるために，注入速度を速める。

2　水分量が増えると苦しいので，白湯を入れずに終了する。

3　仰《ぎょう》臥《が》位《い》で休んだ方がよいので，すぐに上半身を下げて水平にする。

4　お腹が張っていると言うので，注入量を減らす。

5　利用者の状態を観察し，すぐに看護職に報告する。

完全予想模試②午前　解答用紙

正解数（得点）

／63 点

配点：１問１点
合格の目安は午前午後合わせて７割以上の得点で、すべての科目群に得点があること（ガイド－5「試験ガイダンス」参照）。

制限時間　100 分

チェック欄	番号	解答番号				
□	問題 1	①	②	③	④	⑤
□	問題 2	①	②	③	④	⑤
□	問題 3	①	②	③	④	⑤
□	問題 4	①	②	③	④	⑤
□	問題 5	①	②	③	④	⑤
□	問題 6	①	②	③	④	⑤
□	問題 7	①	②	③	④	⑤
□	問題 8	①	②	③	④	⑤
□	問題 9	①	②	③	④	⑤
□	問題 10	①	②	③	④	⑤
□	問題 11	①	②	③	④	⑤
□	問題 12	①	②	③	④	⑤
□	問題 13	①	②	③	④	⑤
□	問題 14	①	②	③	④	⑤
□	問題 15	①	②	③	④	⑤
□	問題 16	①	②	③	④	⑤
□	問題 17	①	②	③	④	⑤
□	問題 18	①	②	③	④	⑤
□	問題 19	①	②	③	④	⑤
□	問題 20	①	②	③	④	⑤
□	問題 21	①	②	③	④	⑤
□	問題 22	①	②	③	④	⑤
□	問題 23	①	②	③	④	⑤
□	問題 24	①	②	③	④	⑤
□	問題 25	①	②	③	④	⑤
□	問題 26	①	②	③	④	⑤
□	問題 27	①	②	③	④	⑤
□	問題 28	①	②	③	④	⑤
□	問題 29	①	②	③	④	⑤
□	問題 30	①	②	③	④	⑤
□	問題 31	①	②	③	④	⑤
□	問題 32	①	②	③	④	⑤

チェック欄	番号	解答番号				
□	問題 33	①	②	③	④	⑤
□	問題 34	①	②	③	④	⑤
□	問題 35	①	②	③	④	⑤
□	問題 36	①	②	③	④	⑤
□	問題 37	①	②	③	④	⑤
□	問題 38	①	②	③	④	⑤
□	問題 39	①	②	③	④	⑤
□	問題 40	①	②	③	④	⑤
□	問題 41	①	②	③	④	⑤
□	問題 42	①	②	③	④	⑤
□	問題 43	①	②	③	④	⑤
□	問題 44	①	②	③	④	⑤
□	問題 45	①	②	③	④	⑤
□	問題 46	①	②	③	④	⑤
□	問題 47	①	②	③	④	⑤
□	問題 48	①	②	③	④	⑤
□	問題 49	①	②	③	④	⑤
□	問題 50	①	②	③	④	⑤
□	問題 51	①	②	③	④	⑤
□	問題 52	①	②	③	④	⑤
□	問題 53	①	②	③	④	⑤
□	問題 54	①	②	③	④	⑤
□	問題 55	①	②	③	④	⑤
□	問題 56	①	②	③	④	⑤
□	問題 57	①	②	③	④	⑤
□	問題 58	①	②	③	④	⑤
□	問題 59	①	②	③	④	⑤
□	問題 60	①	②	③	④	⑤
□	問題 61	①	②	③	④	⑤
□	問題 62	①	②	③	④	⑤
□	問題 63	①	②	③	④	⑤

※この用紙はコピーしてお使いください。

矢印の方向に引くと問題が取り外せます。

介護福祉士

完全予想模試②午後

次の注意事項をよく読んでから、始めてください。

（注　意）

1　これは試験予想問題です。問題は 62 問です。

2　制限時間は 120 分です。

＊科目別問題数については、第 36 回本試験を参考に設定しています。

3　答えは、②午後－ 25 ページの解答用紙に記入してください。

4　答えは、各問題とも 1 つだけです。2 つ以上の解答をしたもの、判読が困難なものは、正解としません。

解答は、解答用紙の解答番号を黒くぬりつぶして記入してください。

5　問題中、法令に関する部分は、2024 年 4 月 1 日現在施行中の規定に基づいて出題されています。

6　解答・解説は本冊解答・解説編の 72 ページから、正解一覧は本冊解答・解説編の 71 ページです。

矢印の方向に引くと問題が取り外せます。

＜領域：介護＞

介護の基本

➡ 解答時間　２分

問題　64　厚生労働省が作成した資料「今後の高齢者人口の見通しについて」と「2025年に向けた介護人材にかかる需給推計（確定値）について」に関する次の記述のうち，**正しいものを１つ**選びなさい。

1　2025年頃，75歳以上人口は，町村部では急速に増加する。
2　2025年頃，介護福祉職の需要は低下する。
3　2025年頃に向けて，「認知症高齢者の日常生活自立度」ランクⅠの高齢者が増加していく。
4　2035年頃に向けて，世帯主が65歳以上の単独世帯が増加していく。
5　2055年頃，75歳以上の人が全人口に占める割合は，約18％となる見込みである。

➡ 解答時間　２分

問題　65　リハビリテーションに関する次の記述のうち**最も適切なものを１つ**選びなさい。

1　リハビリテーションの理念には全人的復権がある。
2　リハビリテーションとレクリエーションは対極の概念である。
3　リハビリテーションとは医学的な視点のみで使用される。
4　リハビリテーションは在宅サービスには適用されない。
5　福祉用具を使用せずに，自立した生活を送ることができることである。

➡ 解答時間　２分

問題　66　労働基準法に関する次の記述のうち，**適切なものを１つ**選びなさい。

1　労働者の安全と健康を守り，快適な職場環境づくりを目的とした法律である。
2　休憩時間を含め，１週間40時間，１日８時間を超えての労働を禁止している。
3　時間外労働や休日労働をさせる場合には，あらかじめ労使協定の締結が必要である。
4　本人の請求があった場合に限り，産後８週間の産休を義務づけている。
5　年次有給休暇の日数のうち年３日については，使用者が時季を指定して労働者に取得させる必要がある。

➡ 解答時間　2 分

問題　67　次の行為のうち，介護福祉職が利用者に行える行為として，**正しいものを 1 つ**選びなさい。

1　新生児以外で入院治療の必要がない人に対しての動脈血酸素飽和度の測定
2　糖尿病の利用者の足趾の爪切りとやすりがけ
3　点滴の管理
4　褥瘡《じょくそう》の患部のガーゼ交換
5　一包化されていない薬の内服

➡ 解答時間　2 分

問題　68　介護保険制度における訪問介護で対応可能な支援として，**適切なものを 1 つ**選びなさい。

1　利用者が留守の際に実施する利用者の居室掃除
2　利用者の親戚《しんせき》へのお茶出し
3　処方薬の交付と薬局での受け取り
4　利用者が飼う犬の散歩
5　電子体温計を用いての利用者への体温測定

➡ 解答時間　2 分

問題　69　ユニットケアに関する次の記述のうち，**最も適切なものを 1 つ**選びなさい。

1　担当する職員を一定期間，固定して配置する。
2　利用者同士の関わりは，同じユニット内の相互交流にとどめる。
3　原則として利用者は自分の居室で食事をとる。
4　原則として居室は全室個室とし，1 ユニットにつき 20 人前後の生活単位とする。
5　介護老人福祉施設のうち，ユニットケアを採用している施設では，新たに多床室を増設することも可能である。

➡ 解答時間　2 分

問題　70　地域包括支援センターに関する次の記述のうち，**適切なものを 1 つ**選びなさい。

1　各市町村に 1 か所ずつ設置されることになっている。
2　高齢者虐待《ぎゃくたい》の防止や早期発見のために必要な事業を行う。
3　原則として，保健師，介護福祉士，主任介護支援専門員を専門職種として置くことになっている。
4　介護予防サービスを提供しなければならない。
5　老人福祉法に基づいて設置される。

➡ 解答時間　2分

問題　71　介護福祉職のＡさん（男性，40歳）は，介護老人福祉施設に10年以上勤務し，職場のリーダー的存在として活躍してきた。しかし，最近，体調不良で仕事を休むことが多くなったため，Ａさんの妻が付き添って心療内科で診察を受けたところ，うつ病（depression）と診断された。うつ病（depression）に関する次の記述のうち**最も適切なもの**を**１つ**選びなさい。

1　薬による治療は症状の悪化につながる。
2　好きなことをして楽しみを感じることで，症状が緩和する。
3　意欲を高めるためにも，仕事量を増やす。
4　定期的にカウンセリングを受ける。
5　脳の活動力は低下しない。

➡ 解答時間　2分

問題　72　介護福祉士の災害時の支援に関する次の記述のうち，**最も適切なもの**を**１つ**選びなさい。

1　要配慮者は，災害救助法に規定されている。
2　要配慮者には，乳幼児も含まれる。
3　都道府県は，避難行動要支援者の円滑かつ迅速な避難を図る観点から，個別避難計画を作成する努力義務がある。
4　介護福祉士は，災害派遣医療チーム（DMAT）の一員として被災地に入ることもある。
5　一般避難所では避難生活が困難な人たちに配慮した，市町村が指定する避難所を，要配慮避難所という。

➡ 解答時間　2分

問題　73　保健･医療･福祉に関連する人材とその説明として，**最も適切なもの**を**１つ**選びなさい。

1　サービス管理責任者は，児童発達支援計画を作成する。
2　言語聴覚士は，視機能検査や視機能回復のための訓練を行う。
3　義肢装具士は，基本的な動作能力の回復を目指し，関節可動域訓練や歩行訓練，物理療法を行う。
4　職場適応援助者（ジョブコーチ）は，社会的な適応能力の回復を目指し，日常生活動作の訓練や自助具の選定を行う。
5　民生委員は，常に住民の立場に立って相談に応じ，必要な援助を行うフォーマルな社会資源の１つである。

コミュニケーション技術

➡ 解答時間　2分

問題 74 コミュニケーションの技法に関する次の記述のうち，**最も適切なものを1つ**選びなさい。

1　利用者の話を聞き，それを繰り返すことを反射という。
2　援助者が利用者の話す内容を受け止めた上で，重要な部分に焦点を絞って質問を行うのは，要約である。
3　利用者が話した内容を利用者自身が理解できるように整理して端的にまとめて伝えることを明確化という。
4　利用者の感情と行動の矛盾点を指摘し，利用者が自分自身と向き合う機会を提供するのは，直面化である。
5　利用者が伝えたい内容を上手く表現できない場合に，質問等を行って，利用者が伝えたい内容を明らかにすることを言い換えという。

➡ 解答時間　2分

問題 75 Bさん（85歳，男性，要介護1）は，通所介護を週1回利用しながら，自宅で一人暮らしを送っている。通所介護事業所では他の利用者に対して自ら話しかける等，Bさんは社交的で話し好きな方である。

その一方で，最近，他の利用者の声が聞き取りづらくなり，耳鼻咽喉科の医師からは加齢性（老人性）難聴との診断を受けている。今のところ，補聴器は使用していない。

Bさんとコミュニケーションを行う際に介護福祉職が配慮すべき点として，**最も適切なものを1つ**選びなさい。

1　耳元で大きな声で話しかける。
2　五十音表を活用する。
3　補聴器の購入を提案する。
4　筆談を活用する。
5　甲高《かんだか》い声で話す。

次の事例を読んで，**問題 76**，**問題 77** について答えなさい。

〔事　例〕

C さん（85 歳，男性）は，警察官を定年退職した後，しばらく趣味の釣りや家庭菜園などをして過ごしていたが，認知症（dementia）を発症し，見当識障害や記憶力低下がみられるようになった。介護老人福祉施設に入所することになり，遠方に住む娘が面会にきた。**C** さんは娘に向かって，「初めまして。N 警察署交通課の **C** です」と丁寧に挨拶をした。面会を終えた後，娘は介護福祉職のところにやってきて，困ったような顔で「父が私に他人のように接してくるときはどのようにしたらよいでしょうか」と相談してきた。

➡ 解答時間　2 分

問題　76　この時の娘に対する介護福祉職の対応として**最も適切なものを 1 つ**選びなさい。

1　「自分のことを 1 から説明してあげてください」
2　「娘であることをしっかりとアピールして接してください」
3　「お父さんの認識を理解してあげて，否定しないように接してあげてください」
4　「認知症（dementia）が進行しているので仕方がないのです」
5　「できるだけ，お父さんの警察官時代のお話をしてあげてください」

➡ 解答時間　2 分

問題　77　その後，**C** さんの認知症（dementia）が進み，寝たきり状態となり，医師から余命が短いことが告げられた。この時の介護福祉職の家族への対応について**最も適切な対応を 1 つ**選びなさい。

1　「ご家族で **C** さんの死後について話し合っておいて下さい」
2　「ご家族で過ごされる時間を大切にしてください」
3　「延命措置についてどうしますか」
4　「余命が短いのでできるだけこちらで対応します」
5　「**C** さんにはもう私達の言葉は聞こえていないかもしれません」

➡ 解答時間　2 分

問題　78　介護老人福祉施設で働く介護福祉職が行う申し送りの方法として，**最も適切なものを 1 つ**選びなさい。

1　報告者は，利用者への介護上の留意点を中心に伝える。
2　報告者は，要点を押さえた上で，まず結論から自分自身の意見を述べる。
3　報告者は，利用者の健康状態に異変がみられなかった場合でも報告内容は省略しない。
4　報告を受ける側は，他の業務を行いながら聞く。
5　申し送りの際，報告内容に不明な点があった場合は勤務時間を避けて確認する。

➡ 解答時間　2分

問題　79　介護老人福祉施設で介護福祉職が作成する記録に関する次の記述のうち，**最も適切なものを１つ**選びなさい。

1　利用者からコールがあった場合は，スタッフステーションの机上に介護記録を置いたまま，速やかに利用者の居室に向かう。

2　ケアカンファレンス（care conference）を行う際は，利用者の氏名を匿名《とくめい》化する。

3　アセスメントシートには，氏名，年齢，性別，居住地等，利用者に関する基本的な情報を記載する。

4　勤務時間内にパソコンを使って介護記録を作成できなかった場合は，USB フラッシュメモリに保存して自宅に持ち帰り，残りの部分を記載する。

5　介護記録を作成する際の文体は，常体が適している。

生活支援技術

➡ 解答時間　2分

問題　80　自宅で生活している高齢者の生活空間と転倒を防ぐための安全対策の組み合わせとして，**最も適切なものを1つ**選びなさい。

1　寝室 ――――― 開き戸
2　トイレ ――――― 和式便器
3　浴室 ――――― 全面をタイル張りにする
4　階段 ――――― 手すりは踏面《ふみづら》から 100cm 程度の高さ
5　台所 ――――― 食卓との動線は短くする

➡ 解答時間　2分

問題　81　住環境の整備や寝具の手入れに関する次の記述のうち，**最も適切なものを1つ**選びなさい。

1　シックハウス症候群を予防するため，24 時間換気システムを導入する。
2　ヒートショックを予防するため，浴室・脱衣室と居室との温度差を大きくする。
3　ダニアレルゲンを除去するため，使用後の布団を強く叩《たた》く。
4　感染症のリスクを軽減するため，湿度は 20％以下を保つようにする。
5　階段での転落を防止するため，介護保険制度を活用してホームエレベーターを設置する。

➡ 解答時間　2分

問題　82　利用者が臥床したままの状態で，シーツ交換を行うときの方法として，**適切なものを1つ**選びなさい。

1　ベッドの高さは，介護福祉職の身長に合わせて調整する。
2　左右のサイドレールを一度にはずす。
3　利用者の掛けものを全てはずし，足元にまとめる。
4　シーツのコーナーをつくる際は，介護福祉職は両足をそろえて行う。
5　はずしたシーツは，たたみなおす。

➡ 解答時間　2分

問題　83　片麻痺があり，立位保持が困難で車いすを使用している利用者への介護福祉職による支援に関する次の記述のうち，**最も適切なものを1つ**選びなさい。

1　車いすに深く座り直す場合は，前傾姿勢をとった利用者の重心を左右にずらしながら腸骨を押す。
2　ベッドから車いすに移乗する場合は，端座位になっている利用者の患側斜め前に車いすを置く。
3　ベッドから車いすに移乗する場合，利用者はベッドに浅く座り，上体を反らした後傾姿勢をとる。
4　スロープを下りる場合は，車いすを前向きにする。
5　ドアを通過する場合は，ドアを片手でおさえながら，車いすを押す。

➡ 解答時間　2分

問題　84　**D**さん（75歳，女性）は，左片《ひだりかた》麻《ま》痺《ひ》があるが座位姿勢が安定しており，自立度も高い。**D**さんが，自身で介助バーを使って仰《ぎょう》臥《が》位《い》から端座位にする場合の，体位変換の手順に関する記述として**最も適切なものを1つ**選びなさい。

1　左側の手で介助バーをつかんで，身体を右側に向ける。
2　左側の足は膝を曲げた右側の足の下に入れて，身体を横に傾ける。
3　左側の足を使って下肢をベッドの右端に寄せる。
4　足を下ろしながら，介助バーをつかんでいる側の肘を使って，頭を上げて上半身をおこす。
5　足を浮かせたまま，座位姿勢をとる

➡ 解答時間　２分

問題　85　介護福祉職が行う利用者の爪切りに関する次の記述のうち，**最も適切なものを１つ選**びなさい。

1　爪やすりは，左右に往復させるようにかける。
2　手の爪を切るときは，利用者にもう一方の手で指先を持ってもらう。
3　糖尿病で巻き爪のある利用者の爪切りを行う。
4　爪切りのあとは，クリームなどつけない。
5　爪切りは入浴後に行う。

➡ 解答時間　２分

問題　86　いすに座っている左片麻痺のある利用者に対して食事介護を行う際の留意点として，**最も適切なものを１つ**選びなさい。

1　頭部を後屈《こうくつ》した姿勢とする。
2　足底を床につけた上で，テーブルと身体の間には隙間《すきま》をつくらない。
3　スプーンは，右側の口腔内に入れる。
4　利用者の目線よりも上方から食べ物を口に運ぶ。
5　食事を終えたら，ベッドで仰臥位となる。

➡ 解答時間　２分

問題　87　利用者の状態・状況に応じた食事支援に関する次の記述のうち，**最も適切なものを１つ**選びなさい。

1　肥満がある場合は，食材を大きめに切る。
2　嚥下《えんげ》障害がある場合は，食材を細かく刻む。
3　下痢《げり》が続いている場合は，温めた牛乳を提供する。
4　慢性閉塞性肺疾患（COPD）がある場合は，１回の食事量を増やし，回数を減らす。
5　呼吸器疾患がある場合は，食物繊維の多い芋類を食事に取り入れる。

➡ 解答時間　1分

問題　88　ビタミンの種類と，それが不足して起きる欠乏症の組み合わせに関する次の記述のうち，**最も適切なものを１つ**選びなさい。

1　夜盲症《やもうしょう》―――――――――ビタミンC
2　くる病―――――――――ビタミンD
3　脚気《かっけ》―――――――――ビタミンK
4　血液凝固不良―――――――――ビタミンB_1
5　壊血病《かいけつびょう》―――――――――ビタミンB_2

➡ 解答時間　2分

問題　89　高齢者の低栄養状態に関する次の記述のうち，**最も適切なものを１つ**選びなさい。

1　肉や魚が苦手な人は，ご飯やパン，麺類を食べていればよい。
2　集中して食事するために，居室に閉じこもり，一人で食事をする。
3　ふくよかな体型の人は，低栄養状態にならない。
4　低栄養状態になっても，認知機能が低下することはない。
5　1か月の体重減少率が3％以上の場合，低栄養状態であることが疑われる。

➡ 解答時間　1分

問題　90　利用者へのシャワー浴と部分浴に関する次の記述のうち，**最も適切なものを１つ**選びなさい。

1　難聴の利用者にシャワーをかけている際は，大声で話しかける。
2　シャワーは，利用者の胸部からかけていく。
3　四肢麻痺のある利用者が手浴を実施する際は，手指を5～10分程度お湯に浸す。
4　ベッド上で足浴を実施する場合は，利用者の足側をギャッチアップする。
5　足浴を実施する場合は，利用者の下腿《かたい》が湯に浸《つ》からないようにする。

➡ 解答時間　2分

問題　91　胃ろうカテーテルを挿入している人の入浴の介護に関する次の記述のうち，**最も適切なものを１つ**選びなさい。

1　入浴をする際は，カテーテル挿入部に絆創膏《ばんそうこう》を貼る必要がある。
2　カテーテル挿入部の周囲はデリケートなため，石鹸《せっけん》を使用せずにお湯のみで洗う。
3　汚れが落ちやすいように、こすって洗う。
4　看護師と連携して実施する。
5　入浴後は，タオルで拭いたあとカテーテル挿入部を消毒する。

➡ 解答時間　2 分

問題　92 自宅で一人暮らしをしている**E**さん（左片麻痺，男性，要介護 1）は，夜間，以下のようなベッドの状況下でポータブルトイレを使用している。ポータブルトイレの設置場所として，**最も適切なものを 1 つ**選びなさい。

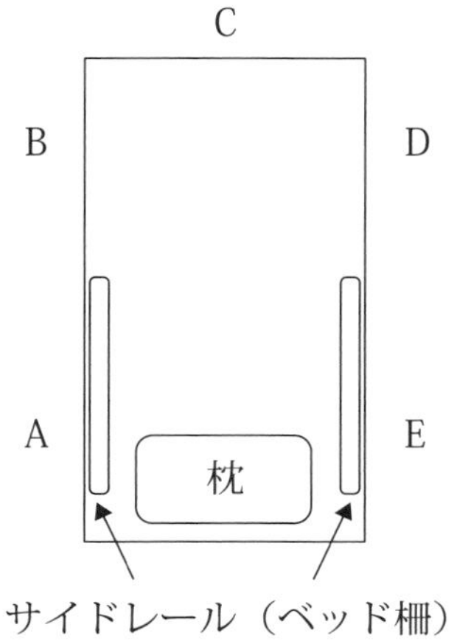

1　A
2　B
3　C
4　D
5　E

➡ 解答時間　2 分

問題　93 介護老人福祉施設に入所する**F**さん（90 歳，女性，要介護 5）は，ベッド上で寝たままの状態で過ごしていることが多い。また，尿意・便意がみられないため，**F**さんはテープ止めタイプのおむつを使用している。

Fさんに対するおむつ交換時の留意点として，**最も適切なものを 1 つ**選びなさい。

1　おむつと腹部の間には十分なゆとりを作る。
2　おむつは，上のテープを斜め下向きに，下のテープを斜め上向きに，腰前面 2 か所で留める。
3　おむつの立体ギャザーは外側に起こし，鼠径《そけい》部にフィットさせる。
4　おむつを片付ける際は，尿の吸収面を外側に丸める。
5　陰部洗浄は 42℃程度のお湯を使用して行い，恥骨《ちこつ》部から肛門に向けて拭く。

➡ 解答時間　1 分

問題　94 食中毒の予防に関する次の記述のうち，**最も適切なものを 1 つ**選びなさい。

1　冷凍食品を解凍した後，使用せずに余った冷凍食品は，再度冷凍して保管する。
2　生食用の海産魚介類は，真水で洗い流す。
3　シチューやカレーは，100℃で 1 時間加熱した後，常温で保存する。
4　豚肉と鶏肉は，中心部が 55℃で 60 秒間以上加熱する。
5　二枚貝は，中心部が 75℃で 60 秒間以上加熱する。

➡ 解答時間　2分

問題　95　洗濯に関する次の記述のうち，**適切なものを 1 つ**選びなさい。

1　ポリエステルは，塩素系漂白剤を使って漂白するのに適さない素材である。

2　ナイロン（nylon）は，塩素系漂白剤を使って漂白するのに適した素材である。

3　血液等のたんぱく質の汚れを高温のお湯で洗濯すると，汚れが落ちやすくなる。

4　液体酸素系漂白剤を，水洗いできる絹に用いてはならない。

5　淡色のものを洗う場合に，蛍光増白剤の入った洗剤を使用すると，変色することがある。

➡ 解答時間　2分

問題　96　2016（平成 28）年 12 月から導入された新たな洗濯表示に関して，以下の A ～ E が示す意味として，**正しいものを 1 つ**選びなさい。

A　　B　　C　　D　　E

1　A は，液温は 40℃とし，洗濯機で洗濯ができるという表示である。

2　B は，塩素系及び酸素系漂白剤が使用できないという表示である。

3　C は，日陰の平干しがよいという表示である。

4　D は，底面温度 200℃を限度としてアイロン仕上げができるという表示である。

5　E は，タンブル乾燥ができるという表示である。

➡ 解答時間　3分

問題　97　台所用洗剤で落としやすいしみの種類として，**最も適切なものを 1 つ**選びなさい。

1　口紅

2　クレヨン

3　墨汁

4　ミートソース

5　油性ボールペン

➡ 解答時間　2分

問題　98　悪質商法への対応法とクーリング・オフ制度に関する次の記述のうち，**最も適切なものを１つ**選びなさい。

1　催眠商法《さいみんしょうほう》への対応法は，注文した覚えのない商品を受け取らないことである。
2　点検商法への対応法は，業者を家の中に入れないことである。
3　クーリング・オフ制度は，電話勧誘販売には適用されない。
4　クーリング・オフ制度は，訪問販売には適用されない。
5　業務提供誘引販売取引のクーリング・オフ制度の期間は，法定契約書を受領してから８日間以内である。

➡ 解答時間　2分

問題　99　睡眠に影響を及ぼす嗜好品や薬物に関する次の記述のうち，**適切なものを１つ**選びなさい。

1　タバコに含まれるニコチンには，入眠作用がある。
2　コーヒーなどに含まれるカフェインには，覚醒作用はない。
3　大量の飲酒後は，睡眠が深くなる。
4　睡眠導入薬は，就寝２時間前に服用する。
5　睡眠持続薬は，中途覚醒する人にも効果的である。

➡ 解答時間　2分

問題100　夜間の安眠を促す行動に関する次の記述のうち，**最も適切なものを１つ**選びなさい。

1　朝はカーテンを開け，日光を浴びる。
2　昼寝をする場合は，１時間以内とする。
3　就寝直前に，夜食を食べる。
4　就寝前に，負荷の高い運動を行う。
5　就寝直前まで，テレビを見て過ごす。

➡ 解答時間　2分

問題101　死後のケアに関する次の記述のうち，**最も適切なものを１つ**選びなさい。

1　死亡診断書が出されてから３時間後に行う。
2　和式着物の場合は，左前に合わせ，帯紐《おびひも》を縦結びにする。
3　口が閉じない場合は，枕の高さを低くする。
4　全身清拭を行う際は，冷水を用意する。
5　髭剃《ひげそ》り後，顔を蒸しタオルで覆《おお》う。

➡ 解答時間　２分

問題102　人生の最終段階（終末期）の支援に関する次の記述のうち，**最も適切なものを１つ選**びなさい。

1　水分摂取量が減少した場合，口腔《こうくう》ケアは控える。
2　呼吸が苦しそうな場合は，枕を外す。
3　意識がなくなった場合，声かけは控える。
4　食事量が減少した時は，カロリーの高い食事を提供する。
5　体力の低下を防ぐため，同一体位を保持する。

➡ 解答時間　２分

問題103　デスカンファレンス（death conference）についての次の記述のうち，**最も適切なものを１つ**選びなさい。

1　死別後の家族に悲しみを思い出させないために行う。
2　介護福祉職と家族のみで行う。
3　介護福祉職の感情を出してはいけない。
4　介護福祉職自身の振り返りに活かすことができる。
5　利用者の家族に対して励ましの言葉を中心に行う。

➡ 解答時間　２分

問題104　介護保険制度における福祉用具貸与《たいよ》において，要介護３の利用者が貸与《たいよ》可能な福祉用具として，**適切なものを１つ**選びなさい。

1　座位保持椅子
2　移動用リフトの吊《つ》り具
3　自動排泄処理装置の本体部分
4　排泄予測支援機器
5　特殊寝台付属品

➡ 解答時間　２分

問題105　スライディングボードを活用した介護福祉職による支援に関する次の記述のうち，**適切なものを１つ**選びなさい。

1　寝たきりの利用者をベッド上で水平移動する際にも活用できる。
2　スライディングボードを利用者の臀部《でんぶ》の下に入れる際は，利用者の上半身を斜め前方に傾ける。
3　アームサポートが取り外し可能な車いすでは使用することができない。
4　ベッドから車いすに移乗する際は，車いすの座面よりもベッドの高さを少しだけ低くする。
5　スライディングボードを利用者の身体から抜く際は，利用者の後方から支援を行う。

介護過程

➡ 解答時間　1 分

問題106　介護過程の意義と目的に関する次の記述のうち，**最も適切なものを 1 つ**選びなさい。

1　日常生活動作（Activities of Daily Living：ADL）の向上を目指す。

2　根拠に基づいた介護実践を可能にする。

3　介護福祉職の業務の効率化を目指す。

4　施設利用者のための集団ケアの実践が可能になる。

5　介護計画を立案することを目的とする。

➡ 解答時間　2 分

問題107　介護福祉職が行うアセスメント（assessment）に関する次の記述のうち，**最も適切なものを 1 つ**選びなさい。

1　先入観を持つことによって，利用者を適切にアセスメント（assessment）することができる。

2　専門職としての倫理観を大切にし，自分の価値観に基づいてアセスメント（assessment）しなければならない。

3　介護福祉職は利用者の言動によってアセスメント（assessment）することから，介護福祉職には推察力が求められる。

4　生活課題を明確にした上で，情報の関連づけ・統合・解釈を行う。

5　生活課題を見出す際は利用者の弱み（マイナス面）を優先的に検討する。

➡ 解答時間　2 分

問題108　サービス開始間もない利用者へ，介護福祉職が行う情報収集に関する次の記述のうち，**最も適切なものを 1 つ**選びなさい。

1　情報収集は，短期間に終了させる。

2　まずは，利用者のできないことだけを把握すればよい。

3　利用者のことばは，本音でない可能性がある。

4　認知症の利用者の情報は，家族への聴きとりを基本とする。

5　記録は，客観的な情報を主とする。

➡ 解答時間　２分

問題109　介護過程に関してSOAP方式で記録する場合，Oに該当するものとして，**適切なものを１つ**選びなさい。

1　利用者の発言内容
2　生活課題の検討
3　介護計画
4　介護福祉職が判断したこと
5　介護福祉職が観察した事実

➡ 解答時間　２分

問題110　Gさん（70歳，女性，要介護3）は，20年程，自宅で一人暮らしであった。現在は介護老人福祉施設に入所しており，移動の際は車いすを使用している。Gさんには認知症（dementia）はない。Gさんが入所して2週間が経過した時，Gさんが介護福祉職を呼び寄せ，「居室で昼寝をせずに，夜間，しっかりと眠りたい」という希望を伝えた。

Gさんの発言を聞いた介護福祉職がアセスメント（assessment）する際，まず確認しなければならない情報として，**最も適切なものを１つ**選びなさい。

1　居室のベッドの状況
2　日中の活動量
3　家族の面会の有無
4　尿意の有無
5　食の嗜好《しこう》

➡ 解答時間　２分

問題111　Hさん（77歳，男性，要介護2）は介護老人保健施設に入所しており，施設内では杖を使って歩行している。Hさんは脳梗塞（cerebral infarction）の後遺症で右片麻痺がある。担当の介護福祉職は，Hさんの長期目標を「リビングで，いすに座って，家族と一緒に食事をすることができる」とし，その短期目標の1つを「居室からリビングまで杖を使って，転ばずに自分の力で歩くことができる」に設定した。

この場合の支援内容・方法に関する次の記述のうち，**最も適切なものを１つ**選びなさい。

1　リビングまで歩行器を使って移動し，家族と一緒に食事をする。
2　理学療法士と連携し，歩行器を使って，転ばずに自分の力で歩く練習を行うように促す。
3　杖歩行時，転倒を防ぐため，介護福祉職が左斜め後方で見守る。
4　食事を居室まで運び，家族と一緒に食事をする。
5　食事の時間になったら，声かけ・見守りをしてリビングに移動するように促す。

➡ 解答時間　1分

問題112　介護過程の評価に関する次の記述のうち，**最も適切なものを１つ**選びなさい。

1　実施しなかった介護計画についても，評価は行う。

2　長期目標が達成されれば，評価は行わない。

3　評価した内容を他の利用者にも伝え，人間関係の円滑《えんかつ》化《か》を図る。

4　利用者の満足度の評価はしない。

5　利用者の状態が変化しても，介護計画に定めた時期でなければ評価はしない。

➡ 解答時間　2分

問題113　サービス担当者会議に関する次の記述のうち，**最も適切なものを１つ**選びなさい。

1　利用者とその家族の参加を基本とする。

2　介護福祉職が開催する。

3　サービス担当者会議で検討した利用者に対する支援方法や内容に基づいて，ケアプランの原案を作成する。

4　参加者が各々で記録をとる。

5　介護支援専門員（ケアマネジャー）の同意があれば，サービスを変更することができる。

＜総合問題＞

総合問題

（総合問題 1）

次の事例を読んで，**問題 114 から問題 116 まで**について答えなさい。

〔事　例〕

アルツハイマー型認知症（dementia of the Alzheimer's type）があるＪさん（80 歳, 女性, 要介護 3）は，通所介護（デイサービス）を利用しながら，介護者の夫と自宅で二人で暮らしていた。ところが，夫が亡くなり，Ｊさんは自宅での生活が困難となった。そのため，Ｊさんは 1 週間前から入所定員 29 名以下で原則，要介護 3 以上でなければ入所できない施設に入所し，新たな生活を始めている。入所当初からＪさんは，急に施設内を歩き回ることがあった。歩き回る時間は 1 回につき約 5 分から 10 分程度であったが，歩き終えると，尿取りパッドの中に失禁していることが何回かあった。それ以外は椅子に座って外の景色を見ながら過ごすことが多かった。また，Ｊさんは杖等を使わず，自分の力で施設内を歩いているものの，時折ふらつき，転倒しそうになったことが何度もあった。これらの情報に基づき，担当の介護福祉職はＪさんの尿失禁対策と転倒予防に向けて，他の職員とケアカンファレンス（care conference）を開催し，Ｊさんに対する支援の方向性を検討することにした。

➡ 解答時間　2 分

問題114　現在，Ｊさんが入所している施設として，**最も適切なものを 1 つ**選びなさい。

1　認知症対応型共同生活介護
2　介護老人保健施設
3　地域密着型介護老人福祉施設
4　地域密着型特定施設
5　特別養護老人ホーム

➡ 解答時間　2分

問題115　Jさんの尿失禁対策についてケアカンファレンス（care conference）を行った結果，まずJさんの尿失禁の原因を把握し，それに応じた対策を講じることになった。Jさんの尿失禁の種類（原因）とその対策の組み合わせとして，**最も適切なものを1つ**選びなさい。

1　反射性尿失禁 ――――― トイレ誘導
2　溢流性尿失禁 ――――― 原因疾患の治療
3　切迫性尿失禁 ――――― 服薬による治療
4　機能性尿失禁 ――――― トイレに行きたいサインの早期発見
5　腹圧性尿失禁 ――――― 骨盤底筋体操の実施

➡ 解答時間　2分

問題116　Jさんの転倒を防止するためにケアカンファレンス（care conference）が開催され，その中でJさんを担当する介護福祉職が意見を述べた。担当の介護福祉職が述べた意見の内容として，**最も適切なものを1つ**選びなさい。

1　Jさん専属の介護福祉職を1名配置し，Jさんが転倒しないように見守る。
2　Jさんが転倒しそうになった頻度が増えた際には，施設内でも車いすを使用する。
3　Jさんが歩き回るのは徘徊の症状であるため，向《こう》精神薬を用いて，夜間，眠れるように配慮する。
4　Jさんが歩き回っているルートを把握し，その環境整備を行う。
5　Jさんの家族に転倒の危険性を説明した上で，仮に転倒事故が生じた際には自分が責任をとりたい。

（総合問題２）

次の事例を読んで，**問題117から問題119まで**について答えなさい。

〔事　例〕

Ｋさん（74歳，男性）は，４か月前に脳梗塞（cerebral infarction）を発症し，右片麻痺の後遺症が残った。現在は訪問介護を利用し，自宅で，妻と二人暮らしをしている。

Ｋさんは，Ｔ字杖を使用して歩行することが可能だが，最近では室間のちょっとした段差でつまずくこともあり，歩行に対して不安を感じている。歩行時は妻が見守りや介助を行っている。

以前，Ｋさんは，介護福祉職に「自宅内を安全に移動したい」と話しており，妻からも，「安全な歩行のために，できることはないか」と相談があった。

➡ 解答時間　２分

問題117　Ｋさんの妻から，「夫の杖歩行を見守るとき，私はどこの位置にいればよいか」と相談があった。介護福祉職が妻に助言する内容として，**最も適切なものを１つ**選びなさい。

1　「Ｋさんの左側前方から見守りましょう」
2　「Ｋさんの左側後方から見守りましょう」
3　「Ｋさんの右側前方から見守りましょう」
4　「Ｋさんの右側後方から見守りましょう」
5　「Ｋさんの真後ろから見守りましょう」

➡ 解答時間　２分

問題118　Ｋさんが自宅内を安全に移動できるために，介護保険の給付対象となる住宅改修を利用することとなった。Ｋさんに配慮した住宅改修として**最も適切なものを１つ**選びなさい。

1　室間の床の段差を解消する。
2　居室のとなりに新しくトイレを増設する。
3　和式便座の上に，腰掛便座を設置する。
4　玄関に，スロープを設置する。
5　階段の手すりを，降りるときに右側にくるように設置する。

問題119 先日，訪問介護員（ホームヘルパー）が訪問すると，妻から「私が質問しても，Kさんがうまく話せないことがあり困っている」との相談があった。そのため，訪問介護員（ホームヘルパー）はKさんとコミュニケーションをとった。Kさんは，訪問介護員（ホームヘルパー）の話は理解していたが，自分の伝えたいことを言葉にすることができずに困った表情をしていた。

Kさんの特性に応じたコミュニケーションに関する次の記述のうち，**最も適切なものを1つ**選びなさい。

1　大きな声で話す。
2　五十音表を活用する。
3　手話を使うようにする。
4　閉ざされた質問は控える。
5　写真やイラストを活用する。

（総合問題 3）

次の事例を読んで，**問題 120 から問題 122 まで**について答えなさい。

〔事　例〕

Lさん（35 歳，男性）は，現在，母親（75 歳）とP市内で一緒に生活している。Lさんは中学校・高校・大学と陸上部に所属し，長距離走や駅伝チームの選手として活躍してきた。大学卒業後は運送会社に就職し，配達部門の職員として働き始めた。就職後も仕事が終わってからランニングする等，トレーニングを続け，休日等を利用して各地のマラソン大会に参加してきた。

ところが，5 年前にオートバイで転落事故を起こし，損傷レベル C_6 の頸髄損傷《けいずいそんしょう》（cervical cord injury）となった。入院先の病院で関節可動域訓練や上肢の筋力向上訓練等を行って退院したものの，移動には車いすが必要な状態となった。Lさんは配達部門から事務部門へと異動になったものの，現在も運送会社で働き続けている。その際，自宅から 1km 程度離れた職場までは電動車いすで通勤している。

Lさんは景色を見ながら走ることの楽しさを忘れられず，車いすマラソン大会への出場を目指すことにした。その準備として，LさんはP市が主催するパラスポーツ教室に週 1 回参加することにした。ただし，その教室が開催される陸上競技場までは自宅から 5km 離れている上，歩道が整備されていない等，電動車いすでの移動には危険を伴うことが予測された。また，Lさんの母親は運転免許を持っていない。そこでLさんはP市の担当者に相談したところ，移動支援事業についての情報を得ることができた。

➡ 解答時間　2 分

問題120　Lさんに関する次の記述のうち，ICF（International Classification of Functioning, Disability and Health：国際生活機能分類）における「個人因子」と「参加」の関係を示すものとして，**最も適切なもの**を **1 つ**選びなさい。

1　会社の事務部門で新たに働き始め，出勤には電動車いすを使用している。
2　頸髄損傷（cervical cord injury）のため，排泄のコントロールが困難となった。
3　景色を見ながら走ることの楽しさを忘れられず，車いすマラソン大会に出場する準備を始めた。
4　玄関の段差を解消したことにより，自宅から 1 人で外出できるようになった。
5　指先が思うように動かないため，自助具を使用して食事をしている。

➡ 解答時間　２分

問題121　**Ｌ**さんが日常生活を送る上で注意すべき点として，**最も適切なもの**を**１つ**選びなさい。

1　ズボンの着衣は座位のままで行う。

2　自己導尿は自宅以外の場所では実施しないようにする。

3　ベッドから車いすに移乗後，起立性低血圧（orthostatic hypotension）を起こした際は，頭部を冷やす。

4　うつ熱を起こした際は，冷房を使用する。

5　尿や便の溜《た》まりすぎにより，血圧が急激に低下することがあるため，注意する。

➡ 解答時間　２分

問題122　Ｐ市の担当者が**Ｌ**さんに説明した移動支援事業に関する内容として，**最も適切なもの**を**１つ**選びなさい。

1　対象は，都道府県が外出時の移動の支援が必要と認めた障害者等である。

2　「障害者総合支援法」では，訓練等給付に分類されるサービスの１つである。

3　通勤や営業活動等の社会経済活動に関する外出以外の目的で利用することはできない。

4　利用する場合，障害支援区分の認定は必要ない。

5　65 歳に達した時，介護保険制度における移動支援事業に移行できる。

（総合問題 4）

次の事例を読んで，**問題 123 から問題 125 まで**について答えなさい。

〔事　例〕

M さん（9 歳，男性）には自閉症スペクトラム障害（autism spectrum disorder）があり，現在は特別支援学校に通学している。両親は共働きのため，学校の授業終了後は放課後等デイサービスに週 5 日通っている。放課後等デイサービスを利用中の M さんは 1 人で積み木をして遊んでいることが多い。その際，他の子どもたちが声をかけても，無視している。職員が話しかけても，M さんは目を合わせようとせず，無言のまま，天井を見ている。また，月に 1 回程度，M さんは椅子に座ったまま動かないことがある一方，急に騒ぎ出し，ドアをたたくこともある。ただし，そうした興奮状態は一時的なもので数分から 30 分以内に収まっている。

➡ 解答時間　2 分

問題123　M さんが利用している放課後等デイサービスに関する次の記述のうち，**適切なものを 1 つ**選びなさい。

1　利用対象は，18 歳未満の障害児である。
2　利用するにあたり，障害の種類別の手帳は必要ない。
3　学校の夏休みや冬休みの期間中には利用できない。
4　学校から事業所，事業所から自宅までは家族が送迎する必要がある。
5　2016（平成 28）年に「障害者総合支援法」が改正されて創設された。

➡ 解答時間　2 分

問題124　放課後等デイサービス利用中の M さんへの職員の対応として，**最も適切なものを 1 つ**選びなさい。

1　返事がない時は，大きな声で伝える。
2　興奮状態が起きた際は，しばらく様子を見る。
3　予定の変更を伝える時は，二重否定を含んだ表現を避ける。
4　相手の目を見ながら話を聞くように促す。
5　M さんが 1 人で遊んでいる時は，他の子どもたちに仲間に入るように伝える。

➡ 解答時間　2 分

問題125　放課後等デイサービスにおいて M さんの個別支援計画を作成する際に責任を持つ職員として，**正しいものを 1 つ**選びなさい。

1　児童発達支援管理責任者
2　児童自立支援専門員
3　児童指導員
4　サービス管理責任者
5　サービス提供責任者

完全予想模試②午後　解答用紙

正解数（得点）

／62点

配点：１問１点
合格の目安は午前午後合わせて７割以上の得点で、すべての科目群に得点があること（ガイド－５「試験ガイダンス」参照）。

制限時間　120分

チェック欄	番号	解答番号				
□	問題64	①	②	③	④	⑤
□	問題65	①	②	③	④	⑤
□	問題66	①	②	③	④	⑤
□	問題67	①	②	③	④	⑤
□	問題68	①	②	③	④	⑤
□	問題69	①	②	③	④	⑤
□	問題70	①	②	③	④	⑤
□	問題71	①	②	③	④	⑤
□	問題72	①	②	③	④	⑤
□	問題73	①	②	③	④	⑤
□	問題74	①	②	③	④	⑤
□	問題75	①	②	③	④	⑤
□	問題76	①	②	③	④	⑤
□	問題77	①	②	③	④	⑤
□	問題78	①	②	③	④	⑤
□	問題79	①	②	③	④	⑤
□	問題80	①	②	③	④	⑤
□	問題81	①	②	③	④	⑤
□	問題82	①	②	③	④	⑤
□	問題83	①	②	③	④	⑤
□	問題84	①	②	③	④	⑤
□	問題85	①	②	③	④	⑤
□	問題86	①	②	③	④	⑤
□	問題87	①	②	③	④	⑤
□	問題88	①	②	③	④	⑤
□	問題89	①	②	③	④	⑤
□	問題90	①	②	③	④	⑤
□	問題91	①	②	③	④	⑤
□	問題92	①	②	③	④	⑤
□	問題93	①	②	③	④	⑤
□	問題94	①	②	③	④	⑤

チェック欄	番号	解答番号				
□	問題95	①	②	③	④	⑤
□	問題96	①	②	③	④	⑤
□	問題97	①	②	③	④	⑤
□	問題98	①	②	③	④	⑤
□	問題99	①	②	③	④	⑤
□	問題100	①	②	③	④	⑤
□	問題101	①	②	③	④	⑤
□	問題102	①	②	③	④	⑤
□	問題103	①	②	③	④	⑤
□	問題104	①	②	③	④	⑤
□	問題105	①	②	③	④	⑤
□	問題106	①	②	③	④	⑤
□	問題107	①	②	③	④	⑤
□	問題108	①	②	③	④	⑤
□	問題109	①	②	③	④	⑤
□	問題110	①	②	③	④	⑤
□	問題111	①	②	③	④	⑤
□	問題112	①	②	③	④	⑤
□	問題113	①	②	③	④	⑤
□	問題114	①	②	③	④	⑤
□	問題115	①	②	③	④	⑤
□	問題116	①	②	③	④	⑤
□	問題117	①	②	③	④	⑤
□	問題118	①	②	③	④	⑤
□	問題119	①	②	③	④	⑤
□	問題120	①	②	③	④	⑤
□	問題121	①	②	③	④	⑤
□	問題122	①	②	③	④	⑤
□	問題123	①	②	③	④	⑤
□	問題124	①	②	③	④	⑤
□	問題125	①	②	③	④	⑤

※この用紙はコピーしてお使いください。

矢印の方向に引くと問題が取り外せます。

’25年版 介護福祉士

法改正と完全予想模試

解答・解説編

contents

本解答・解説は，原則として 2024 年 5 月 1 日現在施行中の法令等に基づいて作成しています。

完全予想模試
①午前

解答・解説

合格によく効く!!

正解一覧

チェック欄	番号	正解番号				
	人間の尊厳と自立					
☐	問題 1	①	②	❸	④	⑤
☐	問題 2	❶	②	③	④	⑤
	人間関係とコミュニケーション					
☐	問題 3	❶	②	③	④	⑤
☐	問題 4	①	②	③	❹	⑤
☐	問題 5	①	②	❸	④	⑤
☐	問題 6	①	②	③	④	❺
	社会の理解					
☐	問題 7	①	❷	③	④	⑤
☐	問題 8	❶	②	③	④	⑤
☐	問題 9	①	②	③	❹	⑤
☐	問題 10	❶	②	③	④	⑤
☐	問題 11	①	❷	③	④	⑤
☐	問題 12	①	②	③	④	❺
☐	問題 13	①	②	③	❹	⑤
☐	問題 14	①	②	③	❹	⑤
☐	問題 15	①	②	❸	④	⑤
☐	問題 16	❶	②	③	④	⑤
☐	問題 17	①	❷	③	④	⑤
☐	問題 18	①	②	③	④	❺
	こころとからだのしくみ					
☐	問題 19	①	②	③	❹	⑤
☐	問題 20	①	②	③	❹	⑤
☐	問題 21	❶	②	③	④	⑤
☐	問題 22	①	②	③	④	❺
☐	問題 23	①	②	❸	④	⑤
☐	問題 24	①	❷	③	④	⑤
☐	問題 25	①	②	③	❹	⑤
☐	問題 26	①	②	❸	④	⑤
☐	問題 27	①	②	③	❹	⑤
☐	問題 28	①	②	③	④	❺
☐	問題 29	①	②	③	❹	⑤
☐	問題 30	①	❷	③	④	⑤
	発達と老化の理解					
☐	問題 31	①	❷	③	④	⑤
☐	問題 32	❶	②	③	④	⑤
☐	問題 33	①	②	③	④	❺
☐	問題 34	❶	②	③	④	⑤
☐	問題 35	①	②	❸	④	⑤
☐	問題 36	①	❷	③	④	⑤
☐	問題 37	①	②	❸	④	⑤
☐	問題 38	①	②	③	④	❺
	認知症の理解					
☐	問題 39	①	❷	③	④	⑤
☐	問題 40	❶	②	③	④	⑤
☐	問題 41	①	②	③	❹	⑤
☐	問題 42	①	②	③	④	❺
☐	問題 43	①	②	③	❹	⑤
☐	問題 44	①	②	❸	④	⑤
☐	問題 45	①	❷	③	④	⑤
☐	問題 46	①	②	③	❹	⑤
☐	問題 47	①	②	③	④	❺
☐	問題 48	①	❷	③	④	⑤
	障害の理解					
☐	問題 49	❶	②	③	④	⑤
☐	問題 50	①	②	❸	④	⑤
☐	問題 51	①	❷	③	④	⑤
☐	問題 52	①	②	③	④	❺
☐	問題 53	①	②	③	❹	⑤
☐	問題 54	①	②	③	④	❺
☐	問題 55	①	❷	③	④	⑤
☐	問題 56	①	❷	③	④	⑤
☐	問題 57	❶	②	③	④	⑤
☐	問題 58	❶	②	③	④	⑤
	医療的ケア					
☐	問題 59	①	②	③	④	❺
☐	問題 60	①	②	❸	④	⑤
☐	問題 61	①	❷	③	④	⑤
☐	問題 62	①	②	③	④	❺
☐	問題 63	①	②	③	❹	⑤

☆及び★印は次のような基準でつけました。

重 要 度	難 易 度
☆ ……… 注　意	★ ……… 普　通
☆☆ …… 重　要	★★ ……　 難
☆☆☆ … 最重要	★★★ … 超　難

＜領域：人間と社会＞

人間の尊厳と自立

問題 1　正解 3　重要度 ☆☆☆　難易度 ★

若年性アルツハイマー型認知症の利用者への介護福祉職の対応

1 ×　Aさんは，「一人で来たい」と希望しており，また，自宅から会場まで向かうこと全てに困難を抱えているわけではない。よって，家族が付き添うことは，本人の希望を無視し，持っている能力を**使わせない・奪う**対応になってしまう。

2 ×　Aさんは，**迷ったことによる不安**を訴えているのであり，原因を知りたいのではない。

3 ○　まず，自宅から会場に向かう中の何に困難を感じているのかを本人に確認し，そのうえで，**一人で参加することが継続できるように支援**していく。

4 ×　活動を自粛するように伝えることは，**本人の行動を制限**することにつながるため適切ではない。

5 ×　Aさんは，「不安ではあるが，次回も一人で来たい」と話しており，一人で会場まで来るまでの**助言・サポート**のニーズを持っている。励ましを求めているわけではない。

問題 2　正解 1　重要度 ☆☆☆　難易度 ★★

アドボカシー

1 ○　アドボカシーは，**権利の代弁**，**擁護**といった意味で用いられる。介護福祉士も、権利やニーズを表明することが困難な人に代わって**代弁していく役割**が求められている。

2 ×　エンパワメントについての説明である。援助者は，対象者が自らの**潜在的な力や長所**に注目し主体的に取り組んでいくことを重視する。

3 ×　**ソーシャルインクルージョン**についての説明である。社会的包摂とも言われ，一人ひとりの考えや価値観を尊重しながら支え合う社会を目指すものである。

4 ×　**インフォームド・コンセント**についての説明である。「説明と同意」と訳され，互いに情報共有し，合意するプロセスである。医療の場に限らず介護を提供する際にも求められる。

5 ×　**ノーマライゼーション**についての説明である。ノーマライゼーションは，デンマークの**バンク・ミケルセン**によって提唱された。

人間関係とコミュニケーション

問題 3　正解 1　重要度 ☆☆☆　難易度 ★

コンプライアンス

　コンプライアンスとは，法令を含んだ**社会規範**，**社内規程**等を守ることをいう。

1 ○　個人情報の適切な管理は，**個人情報保護法等の法令に沿った対応**である。

2 ×　家族の要望に沿った介護はコンプライアンスに沿った行動に**該当しない**。

3 ×　非公式のルールではなく**組織の公式の規程に従う**必要がある。また，非公式のルールに従うことは，コンプライアンス違反につながるリスクを有している。

4 ×　自身の信条は，**個々の価値観が影響**をしているもので**主観的**なものである。よって，自身の信条に従った行動はコンプライアンスに沿った行動に該当しない。

5 ×　施設の慣習は，**公式の規程で定められたものではない**。よって，施設の慣習に沿った行動はコンプライアンスに沿った行動とは言えない。

問題 4　正解 4　重要度 ☆☆☆　難易度 ★★★

フォロワーシップ

1　×　シティズンシップとは，コミュニティの構成員に与えられた資格であり，**市民的権利，政治的権利，社会的権利**がある。

2　×　インターンシップとは，学生が在学中に自らの専攻，将来のキャリアに関連した**就業を体験すること**をいう。

3　×　パートナーシップとは，援助者と利用者が**ともに課題に取り組む**関係性をいう。

4　○　フォロワーシップとは，チームの目標達成のために**フォロワーがリーダーを支える**機能のことであり，フォロワーがチームのために積極的に建設的な意見を述べたりする行動がこれに当たる。

5　×　リーダーが発揮すべき**意識**や**行動**のことをいう。

問題 5　正解 3　重要度 ☆☆☆　難易度 ★★

非言語コミュニケーションの準言語

コミュニケーションは，言語によって行われる**言語コミュニケーション**，言語以外の手段によって行われる**非言語コミュニケーション**に分類することができる。非言語コミュニケーションの中には「声の大きさや抑揚」などの**準言語**がある。

1　×　「言語」は，**言語コミュニケーション**である。

2　×　「顔の表情」は**非言語コミュニケーション**に該当するが，**準言語ではない**。

3　○　「声の大きさ」は**準言語**である。その他，声の高さ，抑揚，話すスピードなども該当する。

4　×　「背中をさする」ことは身体接触であり，**非言語コミュニケーション**に該当するが，**準言語ではない**。

5　×　手話は，言語メッセージを伝える方法のため，**言語コミュニケーション**に含まれる。

問題 6　正解 5　重要度 ☆☆☆　難易度 ★★

傾聴していることを伝えるための方法

1　×　腕組みは聴き手の**閉じた姿勢**を相手に伝えることになり，傾聴していることを伝えることにはならない。

2　×　相手の話を否定することは，相手に**受容していないというメッセージ**を伝えることとなり，傾聴していることを伝えることにはならない。

3　×　相手の沈黙には，考えをまとめている，過去のことを思い出している場合がある。よって，相手が再度，話を切り出せるために**沈黙を大切にする**ことが，傾聴の姿勢を伝えることにもなる。

4　×　話の途中で結論を述べることは，相手が**話を中断されたと感じる**可能性がある。

5　○　**相手の言葉を繰り返す**ことで，「話をきちんと聴いてもらっている」という気持ちを抱くため，傾聴していることを相手に伝えるための適切な方法である。

社会の理解

問題 7　正解 2　重要度 ☆☆☆　難易度 ★★★

災害時の避難行動要支援者への支援

1　×　災害対策基本法第 49 条の 10 では，「**自ら避難することが困難な者**であつて，その円滑かつ迅速な避難の確保を図るため**特に支援を要するもの**」とされている。

2　○　災害対策基本法第 49 条の 11 では，都道府県警察，民生委員，市町村社会福祉協議会等の避難支援に携わる関係者に**本人の同意のうえ，名簿情報を提供**できるとされている。

3　×　福祉避難所とは，主として**高齢者，障害者，乳幼児**その他の**特に配慮を要する要配慮者**の受け入れを想定した避難所をいう。

4 × 災害対策基本法第49条の10では，避難行動要支援者名簿は，**市町村長**が作成しておかなければならないとされている。

5 × 災害対策基本法第49条の14では，市町村長は，「避難行動要支援者の個別計画を作成するように**努めなければならない**」とあり，義務ではない。

問題 8	正解 1	重要度 ☆☆☆
		難易度 ★★★

伴走型支援

対人支援では，「**具体的な課題解決を目指すアプローチ**」と「つながり続けることを目指すアプローチ（**伴走型支援**）」を両輪として組み合わせていくことが必要であることが、地域共生社会推進検討会において述べられている。

具体的な課題解決を目指すアプローチ	伴走型支援（つながり続けることを目指すアプローチ）
・本人の抱える課題が明らかな場合に有効 ・本人が有する特定の課題を解決することを目指す ・属性に対応するための支援を重視する	・暮らし全体と人生の時間軸を捉え，本人と支援者が継続的につながることを目指す ・生きづらさの背景が明らかでない，課題が複合化した場合に有効とされる

（出典：地域共生社会推進検討会最終とりまとめ（概要）より作成）

1 ○ 伴走型支援は，本人と支援者が**継続的につながる**ことを目指す。

2 × 「**具体的な課題解決を目指すアプローチ**」の説明である。

3 × 「**具体的な課題解決を目指すアプローチ**」の説明である。伴走型支援は，生きづらさの背景が明らかでない，課題が複合化した場合に有効とされる。

4 × 「**具体的な課題解決を目指すアプローチ**」の説明である。伴走型支援は，暮らし全体と人生の時間軸を捉え，本人と支援者が継続的につながり関わる。

5 × 伴走型支援では，支援者と本人が「支える」「支えられる」という一方向の関係性ではなく，**互いに学び合い，変化する関係性**とする。

問題 9	正解 4	重要度 ☆☆☆
		難易度 ★★

小規模多機能型居宅介護

小規模多機能型居宅介護とは，訪問介護，通い，泊まりを組み合わせて，入浴・排泄《はいせつ》・食事等の介護，調理・洗濯・掃除等の**家事等**や**機能訓練**を行うサービスである。

1 × 運営推進会議は，おおむね**2月に1回以上**，活動状況等について協議・報告・評価を行うこととなっている。

2 × 訪問看護，訪問介護，通い，泊まりを組み合わせて提供するのは，**看護小規模多機能型居宅介護**である。

3 × **夜間対応型訪問介護**のサービス内容の記述である。なお，夜間対応型訪問介護には「定期巡回」と「随時対応」の2種類がある。

4 ○ 小規模多機能型居宅介護は，**地域密着型サービス**に位置づけられている。

5 × 小規模多機能型居宅介護は，地域密着型サービスである。地域密着型サービスの利用には，**事業者がある同じ市町村に居住していることが条件**となっている。

問題 10	正解 1	重要度 ☆☆☆
		難易度 ★★★

苦情受付・解決を行う第三者機関

1 ○ 福祉サービスに関する利用者等からの苦情の適切な解決をはかる目的で，社会福祉法第83条に基づき，**全国の都道府県社会福祉協議会に設置**されている。

2 × 市町村審査会は，**障害支援区分に係る審査判定業務**を行う。また，支給要否決定に当たり必要に応じて意見を述べる。

3 × 基幹相談支援センターは，地域の相談支援の拠点として身体障害・知的障害・

精神障害に係る**総合的な相談業務**を行う。

4　×　保険者である市（区）町村が行った介護保険における「保険給付」及び「要介護（要支援）認定」などに係る行政処分に対する**不服申立て（審査請求）の審理・裁決**を行う第三者機関であり，各都道府県に設置されている。

5　×　福祉事務所は，生活保護法をはじめとした**福祉六法**（児童福祉法，母子及び父子並びに寡婦福祉法，老人福祉法，身体障害者福祉法及び知的障害者福祉法）**に定める援護**を行う。都道府県及び市（特別区を含む。）は設置が義務付けられているが，町村は任意設置である。

問題 11　正解　2

重要度 ☆☆☆　難易度 ★★★

認知症基本法の基本理念

1　×　家族ではなく，「**認知症の人の意向**を十分に尊重する」とある。

2　○　「自己に直接関係する事項に関して**意見を表明する機会**及び社会のあらゆる分野における**活動に参画する機会**の確保を通じてその個性と能力を十分に発揮することができるようにすること」とある。

3　×　「認知症の人が，**自らの意思によって**日常生活及び社会生活を営むことができるようにすること」とある。

4　×　「**国民**が，共生社会の実現を推進するために必要な認知症に関する正しい知識及び認知症の人に関する正しい理解を深めることができるようにすること」とある。

5　×　教育，地域づくり，雇用，保健，医療，福祉その他の各関連分野における**総合的な取り組み**として行われる。

問題 12　正解　5

重要度 ☆☆☆　難易度 ★★

学生納付特例制度

1　×　老齢基礎年金の**受給資格期間**に含まれる。ただし，老齢基礎年金の額の計算の対象となる期間には含まれない。

2　×　学生納付特例の承認後，5年ではなく**10年以内**であれば，追納ができる。

3　×　対象となる学生は，**大学・短期大学**に加え，**高等専門学校，専修学校に在学する者**も対象となる。なお，修業年限が1年以上の課程に在学していることが条件である。

4　×　収入の減少や失業等により国民年金保険料を納めることが**経済的に困難な者**を対象とする制度である。なお，学生はこの制度は利用できず，**学生納付特例制度**を利用することとなっている。

5　○　障害基礎年金の受給は，「障害の原因となった病気やけがの初診日の前日に，初診日がある月の前々月までの被保険者期間のうち保険料納付済期間（保険料免除期間を含む）が3分の2以上あること」または「障害の原因となった病気やけがの初診日の前日に，初診日がある月の前々月までの1年間に保険料の未納がないこと」が要件となっている。学生納付特例制度は，保険料納付済期間同様に要件の対象期間となる。

問題 13　正解　4

重要度 ☆☆☆　難易度 ★

生活保護における保護の原則

生活保護における保護の原則は，「申請保護の原則」「基準及び程度の原則」「必要即応の原則」「世帯単位の原則」の4つである。

1　×　アウトリーチとは，**支援を必要としている人のもとに出向き**，必要な情報やサービスを提供するなどの働きかけを行うことをいう。

2　×　支給の基準は，「要保護者の年齢別，性別，世帯構成別，所在地域別その他保護の種類に応じて必要な事情を考慮した最低限度の生活の需要を満たすに十分なもの」という「**基準及び程度の原則**」がある。

3　×　支給では，要保護者の年齢別，性別，健康状態等その個人又は世帯の実際の必要の相違を考慮される「**必要即応の原則**」がある。

4 ○ 保護は，原則**世帯を単位**としている。ただし，これによりがたいときは，個人を単位として支給することもできる。

5 × 生活保護は，**金銭給付**と**現物給付**の２種類がある。

問題 14	正解 4	重要度	☆☆☆
		難易度	★★

成年後見制度

1 × 緊急小口資金は，生活福祉資金貸付制度にあり，**緊急かつ一時的に生計の維持が困難となった場合**に貸付ける少額の費用（上限は10万円）である。実施主体は都道府県社会福祉協議会となっている。

2 × 日常生活自立支援事業とは，認知症高齢者，知的障害者，精神障害者等のうち**判断能力が不十分な者**に対して，契約に基づき，日常的金銭管理，福祉サービスの利用援助等を行うものである。

3 × 生活扶助とは，**生活保護制度における保護**の種類である。

4 ○ 成年後見制度は，判断能力が十分でない者に対して，**成年後見人が生活及び財産管理を行う制度**である。なお，対象者の判断能力等によって，後見，保佐，補助がある。

5 × 生活支援費とは，都道府県社会福祉協議会が実施する生活福祉資金貸付制度の総合支援資金の中に含まれ，**生活再建までの間に必要な生活費用**を貸付ける。

問題 15	正解 3	重要度	☆☆☆
		難易度	★★★

日本の高齢者の動向

1 × 「2022（令和４）年　国民生活基礎調査」によれば，単独世帯1785万２千に対し**高齢者の単独世帯は873万**であり，最も多いとは言えない。

2 × 「令和５年版高齢社会白書」によれば，2022（令和４）年10月の時点で高齢化率は，**29.0%**となっている。

3 ○ 「令和５年版高齢社会白書」によれば，75歳以上の者の就業率は，2022（令和４）年では**11.0%**であり，2012（平成24）年**8.4%**、2017（平成29）年**9.0%**と、**増加傾向**にある。

4 × 「令和５年版高齢社会白書」によれば，65歳以上の者の**８割以上が持家に居住**している。

5 × 「令和４年人々のつながりに関する基礎調査（結果の概要）」によれば，孤独感が「しばしばある・常にある」と回答した人の割合が最も高いのは，**30歳代で7.2%**となっている。一方，その割合が最も低いのは，**80歳以上で2.3%**となっている。

問題 16	正解 1	重要度	☆☆☆
		難易度	★

後期高齢者制度の医療給付費の財源構成

1 ○　2～5 ×

後期高齢者医療制度の医療給付費の財源は，**公費５割**（国４:都道府県１:市町村:１），**保険料１割，現役世代からの支援金**（若年者の保険料）**４割**の構成となっている。ただし，現役並み所得者については公費負担がなされないため，保険料（約１割）と支援金（約９割）という財源構成となる。

問題 17	正解 2	重要度	☆☆☆
		難易度	★

合理的配慮

「障害を理由とする差別の解消の推進に関する基本方針」では，合理的配慮は，行政機関等及び事業者の事務・事業の目的・内容・機能に照らし，必要とされる範囲で本来の業務に付随するものに限られること，事業の目的・内容・機能の本質的な変更には及ばない範囲で行われることが述べられている。

1 × 飲食店が食事介助を事業の一環として行っていないことから，合理的配慮の提供義務は**生じない**。

2　○　車いすで食事ができる席の準備は，**合理的配慮の範囲**であると考えられる。

3　×　飲食店が食事介助を事業の一環として行っていないことから，合理的配慮の提供義務は**生じない**。

4　×　合理的配慮の提供の前提として，事務・事業の目的・内容・機能の本質的な変更には及ばないこととなっている。閉店時間の延長は，**事業の内容の変更が伴う可能性がある**ため，合理的配慮の提供義務は生じない。

5　×　上記と同様の理由から，合理的配慮の提供義務は**生じない**。

問題 18	正解 5	重要度	☆☆☆
		難易度	★★

日常生活自立支援事業

1　×　支援計画書の作成は，**専門員**が行う。なお，専門員は，支援計画書の作成のほか，契約締結業務，生活支援員の指導等を担う。生活支援員は，専門員の指示を受け，実際に利用者宅で支援を行う。

2　×　**都道府県社会福祉協議会**又は**指定都市社会福祉協議会**が実施主体である。窓口は市町村社会福祉協議会が担っている。

3　×　対象者は，**認知症高齢者**，**知的障害者**，**精神障害者等で判断能力が不十分な者**であり，かつ本事業の契約の内容について判断し得る能力を有していると認められる者である。よって，65 歳以上の高齢者と限定されていない。

4　×　財産管理を行うのは成年後見制度においてである。日常生活自立支援事業は，福祉サービスの利用援助，苦情解決制度の利用援助，行政手続に関する援助，預金の払い戻し，預金の預け入れ等の**日常的金銭管理**を行う。

5　○　利用には，実施主体と契約を結んだうえで，**利用ごとに料金を支払う**必要がある。

＜領域：こころとからだのしくみ＞

こころとからだのしくみ

問題 19	正解 4	重要度	☆☆
		難易度	★

マズローの欲求階層説

1　×　自己実現欲求は，欠乏欲求ではなく**成長欲求**に該当する。欠乏欲求には，生理的欲求，安全欲求，所属・愛情の欲求，承認欲求が当てはまる。

2　×　自己実現欲求は，最も高次の欲求と考えられており，**承認欲求**の次の階層に位置している。承認欲求の一つ下の階層に，所属・愛情欲求がある。

3　×　**基本的欲求**とは，一次的欲求とも呼ばれる生理的欲求，安全欲求が該当する。生理的欲求は，食事，水，空気といった**生命維持**のための本能的な欲求である。

4　○　**自己実現**欲求は人間的成長や能力，可能性を追求したいという**成長欲求**に該当する。自己実現欲求以外の，生理的欲求，安全欲求，所属・愛情欲求，承認欲求は欠乏欲求に該当する。

5　×　他者からの**承認欲求**は，自己実現欲求の一つ下の階層に位置し，他者から認められたい・評価されたい，あるいは自分自身が自分を認めていきたい（自尊心）欲求である。

問題 20	正解 4	重要度	☆☆☆
		難易度	★★

心的外傷後ストレス障害

1　×　心的外傷後ストレス障害は，生命の危険を伴うような衝撃的な出来事の後，その直後より少し経ってから起こり，**1か月以上**の長期にわたり症状が持続する。

2　×　心理的な症状だけでなく，身体的にも**動《どう》悸《き》**，**発汗**，めまい，呼吸困難，手の震えなどが生じる。また，物事への興味関心が薄れたり**感情が鈍麻**したりする。

3　×　自分が体験したことに対して生じることが多いが，**体験していなくて**も衝撃的な光景を見たり，家族や身近な人の体験によっても生じる。

4 ○ 苦痛は何度も何度も**繰り返し**よみがえり，恐怖や苦痛にさらされたり（**フラッシュバック**），緊張が続いて眠れなくなったり，物音に敏感に反応したり集中力が低下したりする。

5 × 性格的なことでの起こりやすさはないと考えられており，**誰にでも起こりうる**症状といえる。

問題 21	正解 1	重要度 ☆☆
		難易度 ★★

交感神経・副交感神経

1 ○ **交感神経**は身体を緊張させて活動・闘争の状態に向かわせる神経であり，**血管収縮**は交感神経によって起きる。血管が収縮すると，**血圧は上昇**し活動に有利である。

2 × **気道弛《し》緩《かん》**は**交感神経**の働きによる。身体を活動・闘争状態にする時（交感神経）には酸素をたくさん取り込みたいので，気道は弛《し》緩《かん》し拡張している。

3 × **消化促進**を行っているのは**副交感神経**である。緊急時（交感神経）には消化活動を抑制し，リラックスしている時（副交感神経）には胃腸の働きは促進される。

4 × **瞳孔散大**は**交感神経**の働きによる。瞳孔が開くことで，外部の視覚情報をたくさん取り入れることができるので，緊急状態を乗り切ろうとしている。

5 × **心拍数減少**は**副交感神経**の働きによる。心身が常に緊張状態では自律神経のバランスが崩れるので，心拍数，呼吸数を下げて休息・回復モードにしている。

問題 22	正解 5	重要度 ☆☆☆
		難易度 ★★

骨《こつ》粗《そ》鬆症《しょうしょう》

1 × 女性は閉経後に，**女性ホルモン**（エストロゲン）が減少してホルモンバランスが崩れ，骨の破壊が亢進し骨量が減少しやすい。男性ホルモンは関与していない。

2 × 骨をつくる**カルシウムの吸収**を助けるためには，**ビタミンD**が必要である。**日光浴**によって紫外線を浴びるとビタミンDがつくられる。

3 × **ビタミンK**は，骨をつくる**骨芽細胞**のはたらきを促進する栄養素であるため，ビタミンKが多く含まれる**納豆**，ブロッコリーなどは摂取する方がよい。

4 × 骨を強くする（**骨密度をあげる**）ためには，歩行や運動を行い骨に刺激を与えることが必要である。転倒に注意をしながら**ウォーキング**や散歩が効果的である。

5 ○ 骨《こつ》粗《そ》鬆症《しょうしょう》は骨量の減少から骨密度が減少して起こる。骨量を増やすためには**カルシウム**の摂取が大切であるので，カルシウムを多く含む小魚，牛乳，**乳製品**の摂取が重要である。

問題 23	正解 3	重要度 ☆☆
		難易度 ★★★

音の聞こえるしくみ

1 × Aは外耳にある**耳介**である。音は空気の振動（圧の変化）によって聞こえており，耳介は空気の振動を効果的に**集める**はたらきをしている。

2 × Bは中耳にある**鼓膜**である。耳介で集められた空気の振動は，外耳道を通りながら増幅されて鼓膜を振動させる。

3 ○ Cは中耳にある**耳小骨**（**ツチ骨**→キヌタ骨→アブミ骨）である。耳小骨は，鼓膜に伝わってきた**振動を増幅**させ（20～30倍になる），それを内耳に伝えていくはたらきをする。

4 × Dは内耳にある**蝸牛**である。蝸牛にはリンパ液が入っており，耳小骨から伝えられた振動によって，リンパ液が揺れ，その揺れを有毛細胞（感覚細胞）がとらえて**電気信号**に変えていく。

5 × Eは内耳にある**三半規管**である。三半規管は**平衡感覚**をつかさどっており，頭が回転する動きや頭の傾きなどを感知し，その情報を脳に伝えて**身体のバランス**を正常に維持する。

問題 24	正解 2	重要度 ☆
		難易度 ★★

爪のケア

1 × **爪半月**や爪の付け根は，爪の新生・成長が起こる部分である。そのため，クリームを塗る時に優しくマッサージすることは，爪の健康を守る上でも効果的である。

2 ○ 爪の主成分は，ケラチンという**たんぱく質**で，髪の毛や皮膚の角質層もケラチンでできている。たんぱく質の多い食品には，鶏肉や大豆製品などがある。

3 × 爪を長く伸ばしておくと，すき間に**ばい菌**が入ったり，ぶつかって**はがれたり**，皮膚を掻いた時に**傷をつける**おそれがあるので，指先より長くなったら切るようにする。

4 × 爪の成長速度は，1日に**約 0.1 ～ 0.15mm**，一週間で 0.5 ～ 1mm 程度である。高齢になると血行が悪くなり爪の伸びは遅くなったり，肥厚してきたり褐色調となってくる。

5 × 爪の下にある**爪床**は薄いので，爪の下の真皮の毛細血管が透けて見えるためピンク色である。血行がよく血液中の酸素量が正常であれば，きれいなピンク色となる。

問題 25	正解 4	重要度 ☆☆☆
		難易度 ★★★

摂食・嚥下《えんげ》のプロセス

1 × 誤嚥《ごえん》の防止のために**先行期（認知期）**には，あごを引き，**頸部《けいぶ》前傾姿勢**に調整する。身体が左右に傾かないように，また両足が床につくような安定した体勢を整える。

2 × **準備期（咀嚼《そしゃく》期）**は，食べ物を口の中に入れ咀嚼《そしゃく》し（噛《か》み砕《くだ》い）て，唾液と混ぜて**食塊《しょっかい》**を形成する時期である。眼鏡を準備して食事を認識してもらうのは，先行期である。

3 × **口腔《こうくう》期**は，飲み込める状態になった食《しょっ》塊《かい》を，**口腔《こうくう》から咽頭へ移動**させる時期である。舌で食べ物を硬口蓋《こうこうがい》に押し付けながら移行させる。義歯は咀嚼《そしゃく》する時期に重要である。

4 ○ **咽頭期**は，食塊《しょっかい》が咽頭を通過する時期で，軟口蓋《なんこうがい》が鼻腔《びくう》を閉鎖し，**咽頭蓋**が気道をふさぎ，誤嚥《ごえん》を予防している。この時期は鼻腔《びくう》・気管が閉鎖され**嚥下性無呼吸状態**となっている。

5 × **食道期**は，**蠕動《ぜんどう》運動**によって食塊《しょっかい》が食道を通り胃に移動する時期である。食道期の運動は自分の意思にはよらない不随意的な運動である。**窒息**や誤嚥《ごえん》が起きるのは咽頭期である。

問題 26	正解 3	重要度 ☆☆☆
		難易度 ★★

入浴の影響

1 × 湯船に入ると**浮力**がかかり，「身体が軽く」感じられる。肩まで水に浸《つ》かると浮力によって体重は**約 1/9** になる。身体を支える力が少なくなるため，緊張した筋肉がほぐれていく。

2 × **温熱**作用によって皮膚の毛細血管の血液が温まり，それが全身を巡って身体全体が温まり「ぽかぽか」してくる。血液によって酸素や栄養が運ばれ，**内臓のはたらき**も促進させる。

3 ○ **ヒートショック**とは急激な温度変化によって心臓や血管の疾患が起こることである。寒い脱衣所では血圧は上昇し，温かい湯に入り**血圧低下**が起こり，「**めまいやふらつき**」が生じやすい。

4 × **水圧**がかかると，皮下の血液やリンパ液は心臓に戻りやすくなり，心臓の動きが活発になって血液循環を促進する。しかし，肺も圧迫されて「少し**呼吸が苦しく**」感じられる。

5 × 湯に浸かることは，毛穴が開き，皮膚の表面に付着している汚れや皮脂を流れ出させる**清浄作用**があるため，「肌がすべすべ」になる。

問題 27	正解 4	重要度 ☆☆
		難易度 ★★

尿路感染症

1 × **尿路感染症**とは細菌が尿道口から侵入し，膀胱《ぼうこう》や腎臓等に炎症が起きる感染症である。**女性の高齢者**が罹《かか》りやすいのは，女性の**尿道が短く**直線的なため細菌が入り込みやすいためである。

2 × **寝たきり**の人は**おむつ**をしている場合が多く，陰部が不衛生になり細菌が増殖しやすいことと，残尿が多くなり膀胱《ぼうこう》に尿が溜《た》まりやすいことで尿路感染症に罹《かか》りやすい。

3 × 高齢者は**複数の薬**を服用しており，尿路感染症のリスクを増加させる可能性もある。たとえば，免疫抑制剤や抗生物質の長期使用は，免疫機能の低下や細菌耐性形成が起きリスクが高まる。

4 ○ 脱水状態は，水分が不足した状態のため**尿量が減少**してしまう。尿量が減少すると，尿道から入り込もうとする細菌を尿で流し出すことができなくなって，尿路感染症に罹《かか》りやすい。

5 × **骨盤底筋群**や**尿道括約筋**の筋力低下によって尿失禁は起こりやすい（**腹圧性尿失禁**）が，そのことによってすぐに尿路感染症を発症するとは限らない。

問題 28	正解 5	重要度 ☆☆
		難易度 ★

熟睡するための生活習慣

1 × 飲酒によって寝つきがよくなることもあるが，**2～3時間で覚醒**《かくせい》し，その後は浅い睡眠になる。また，アルコールの**利尿作用**によってトイレに行く回数が増えて熟睡できない。

2 × 睡眠薬は睡眠障害を改善する薬であるが，高齢者の場合，副作用が生じることもあるので注意も必要である。翌朝まで薬効が残ったり，夜間にふらついて**転倒**のおそれもある。

3 × **長時間の昼寝**により，夜に眠れなくなったり，寝だめもあくまでも不足している睡眠を補っているにすぎず効果的な方法ではない。

4 × 睡眠の前に夜食を食べることは熟睡を妨げる。食べた物を**消化**するためには**3時間**必要で，消化活動をしている間は身体は休まらず，浅い眠りにしかならない。

5 ○ 就寝前に**好きな音楽**を聴くことは，**リラックス**することにつながり，副交感神経のはたらきを促すことになるため，効果的な方法といえる。

問題 29	正解 4	重要度 ☆☆☆
		難易度 ★★

キューブラー・ロスの心理過程

1 × キューブラー・ロスの心理過程の第5段階「**受容**」の状態である。死の近いことを客観的に受け止められるようになり，死んでいくことは自然なことだと感じ，**心が穏やかになり**，「ありがとう」と伝えることができている。

2 × 第1段階「**否認**」の状態である。診断を受けても事実ではない，**信じられない**という気持ちから否定し，夫からも距離をとってしまう。

3 × 第3段階「**取り引き**」の状態である。この病気から**逃れられるなら**何でもするという気持ちが強い。

4 ○ 第4段階「**抑うつ**」の状態である。自分の状況について認めざるを得なくなり，悲観と絶望を感じ**憂鬱な気分**となっている。虚無感にとらわれ，食事も食べられなくなっている。

5 × 第2段階「**怒り**」の状態である。**なぜ，私が**死ななければならないのかという怒りの感情から，周囲の者にも怒りを爆発させてしまう。

問題 30　正解 2　重要度 ☆☆☆　難易度 ★★

終末期の多職種連携

1 × **デスカンファレンス**とは死別した利用者との体験について，家族も含めた，すべての**多職種**によって振り返りを行うこと。関わったすべての者のグリーフケアにもつながる。

2 ○ **疼痛《とうつう》緩和**のために**モルヒネ**などの麻薬を使用することもある。血圧の低下や**呼吸状態**の観察や痛みの強さの評価法などを介護職も医療職と**情報共有**し理解しておく必要がある。

3 × 終末期の苦痛は**全人的苦痛**（トータルペイン）といわれていて，身体的苦痛，不安などの精神的苦痛，他者との関係などの社会的苦痛，死の恐怖などの**スピリチュアルペイン**がある。

4 × **臨終期**とは死を迎える直前の**危篤**の状態をさす。家族は看取りに対する不安や身体的・精神的な負担も増えてくるので**家族への支援**も大切である。家族の支えとなることを意識して関わる。

5 × 終末期は様々な多職種が関わり合うため，**カンファレンス**はすべての**職種**が集まり，利用者の意向や全身状態，家族の心理状況や身体的負担など，充分な情報共有と**連携**が必要である。

発達と老化の理解

問題 31　正解 2　重要度 ☆☆　難易度 ★★

人間の成長と発達

1 × **スキャモンの発育曲線**は各臓器の発達時期や速度を示しており，**生殖器系**は**14 歳**頃まではわずかに成長するだけで，14 歳から急激に発達し大人のレベルに達する。

2 ○ スキャモンの発達曲線によると，**脳**や**神経系**，感覚器系は，生後最も**早い時期**から一気に発達し，4 歳頃までに 80%，12 歳頃には 100% の状態になる。

3 × 成長・発達にとって決定的に重要な時期を**臨界期**という。キャッチアップ現象とは，何らかの病気や障害が起きても，その後，成長の速度を速めて追いつく（**回復**する）現象である。

4 × **ブリッジスの情緒分化**によると，生後すぐの感情は「**興奮**」しかないが，3 か月頃には「**不快**」の感情があらわれ，次第に「**快**」→「得意」「愛」という感情があらわれてくる。

5 × 人間の成長・発達の**4 原則**によると，速度に個人差はあるものの**順序性**と**方向性**はほとんど同じで，①頭から足の方向へ，②身体の**中心から末梢《まっしょう》へ**，③粗大運動から微細運動へと進む。

問題 32　正解 1　重要度 ☆☆☆　難易度 ★★

生理的老化

1 ○ 生理的老化の特徴における「**内在性**」とは，誕生や成長と同じように老化も**遺伝的にプログラム**されていて，個体に内在するものであると考える。

2 × 「**進行性**」とは，生理的老化が進んだら元に戻ることはなく，**不可逆性**があり，回復の可能性はないと考える。

3 × 「内在性」により，老化はもともと遺伝的にプログラムされていると考えるため，環境によって生じているとは考えない。**環境を改善しても限界**がある。

4 × 「**有害性**」とは，人間にとって老化現象は**機能低下**の状態であって，有益なものとはいえず，有害なものであると考える。

5 × 「**普遍性**」とは，老化現象は機能低下のスピードには差があったとしても，生あるものすべてに共通して**必ず起こる**現象であると考える。

問題 33	正解 5	重要度	☆☆☆
		難易度	★★

エイジズム

1 × **老性自覚**とは加齢によるさまざまな変化によって起こりうる，本人の**老いの自覚**のことである。Kさん自身はその役割をできると感じていたので，当てはまらない。

2 × **プロダクティブ・エイジング**とは，老年期においてもできるだけ**生産的な活動**（セルフケアを含む）や**役割**を持ち続けることがよいとする考え方であり，当てはまらない。

3 × **社会情動的選択理論**とは，高齢期には情動的に満足するような目標や活動を選択すると，**幸福感**を保つことができるという考え方であり，当てはまらない。

4 × **サクセスフル・エイジング**とは老化を受容し他人からの評価ではなく，自分らしく生きるといった本人の**主観的な幸福感**や満足感による生き方を指しており当てはまらない。

5 ○ **エイジズム**とは**バトラー**によって提唱された言葉で，高齢を理由に，**偏見**をもたれたり**差別**されることを指しており，Kさんが受けたできごとに当てはまる。

問題 34	正解 1	重要度	☆☆
		難易度	★★★

心疾患

1 ○ 通常は激しい胸痛を訴える心筋梗塞を発症しても，**高齢者**の場合には自律神経障害などにより痛みを訴えない，**無痛性心筋梗塞**となる場合がある。

2 × **左心不全**の場合には，左心房が肥大しているので肺静脈にうっ血が起こり，酸素が不足するために**呼吸困難**や**チアノーゼ**，咳《せき》や痰《たん》といった呼吸器系の症状が出現する。

3 × **狭心症**とは心臓の血管（**冠状動脈**）が**一時的**に閉塞し，心筋の血流が悪くなる状態で，胸痛発作は**10分**程度でおさまる。**ニトログリセリン**の舌下投与で胸痛は軽減する。

4 × 呼吸苦がある場合，仰《ぎょう》臥《が》位《い》よりも**座位姿勢**の方が，重力により**横隔膜**《おうかくまく》が下がり肺が拡がりやすくなり，また，心臓に戻ってくる血液が減少するために，**呼吸が楽**になる。

5 × **心筋梗塞**は冠動脈が閉塞した状態になるので，心臓の筋肉に酸素や栄養が届けられずに壊死を起こし，**死に至る恐れ**があるため，すぐに**救急車**にて病院へ搬送しなければならない。

問題 35	正解 3	重要度	☆☆
		難易度	★★★

高齢者の心身の健康

1 × **ロコモティブシンドローム**とは運動器の障害により**移動機能**（座る，立つ，歩く）が**低下**した状態をいう。加齢に伴う筋量と筋力の低下は**サルコペニア**という。

2 × WHOは**健康の定義**について「健康とは完全に**身体**的，**精神**的及び**社会**的により良い状態（福祉）であり，単に疾病《しっぺい》または虚弱の存在しないことではない」としている。

3 ○ 健康の状態から**フレイル**という段階を経て要介護状態にいたる。フレイルの段階にある高齢者を早期に発見し，適切な介入を行うと**再び健全**な状態に戻る。

4 × 2023（令和5）年の**平均寿命は84.3歳**（男性81.5歳，女性86.9歳）で，**健康寿命は74.1歳**（男性72.6歳，女性75.5歳）であるので，どちらも**女性**の方が長い。

5 × **健康寿命**とは健康上の問題なく日常生活が送れる期間のことであり，健康寿命から平均寿命までの期間は，**介護等を必要とする**日常生活に制限のある期間である。

問題 36　正解 2　重要度 ☆☆☆　難易度 ★★

前立腺肥大症

1 × 尿意があったら**我慢せずにすぐトイレ**に行くことが大切である。尿意があるのに我慢すると膀胱《ぼうこう》の収縮力（尿を押し出す筋肉の力）が弱くなり，排尿困難をさらに悪化させる。

2 ○ **便秘**により便が尿道を圧迫するので排尿困難が悪化する。また，排便時のいきむ動作は前立腺を圧迫するので，**野菜**中心の食事で便秘を予防していく。

3 × 身体を冷やすことは**血流を悪く**することになり，症状を悪化させる。また，寒さでトイレが近くなるので，ぬるめのお風呂にゆっくり浸《つ》かって血行をよくする。

4 × 長時間座り続けることは骨盤内の**血流を悪く**して，前立腺を充血させ尿道への圧迫が強くなるため，**こまめに立ち上がったり**ウォーキングなどの運動習慣を身につける。

5 × 頻尿が心配で水を控える人が多いが，水分不足は腎機能低下や尿路感染の原因になるため，**適度な水分摂取**を心がける。

問題 37　正解 3　重要度 ☆☆☆　難易度 ★★

パーキンソン病

1 × **すくみ足**は足がすくんで前に出せなくなる状態で，**一歩目**や**方向転換**時，**狭い場所**などで出やすい。「いちに，いちに」と声をかけたり床に目印をつけると歩き出しやすい。

2 × 腸の蠕動《ぜんどう》運動の機能低下や，腹筋力の低下が生じ，いきむ力も弱くなり**便秘**になりやすい。意識的に水分を取り，**食物繊維**の多い食品を食べるように促す。

3 ○ **小刻み歩行**とは狭い歩幅でチョコチョコ歩くようになることで，**転倒**しやすくなるので，リラックスして腕を大きく振ったり，歩幅を大きく広げる気持ちで歩くよう促す。

4 × 廊下やトイレ，浴室などに**手すり**や福祉用具を設置したり，転倒時の**ケガ防止**のために，床マットや家具の角にクッションをつけるなどするとよい。

5 × 身体が思うように動かせなくなるので，衣服の着脱が難しくなったり，嚥下障害が生じて誤嚥《ごえん》や窒息を起こしやすくなるため，**日常生活動作すべて**において支援は必要になる。

問題 38　正解 5　重要度 ☆☆☆　難易度 ★★

糖尿病

1 × **低血糖症状**には，**生あくび**，発汗，**手指の振戦《しんせん》**，動悸《どうき》，顔面蒼白，不安感などの症状がある。**口渇**，**多飲**，**多尿**，全身倦怠感《けんたいかん》などは糖尿病の**高血糖**による症状である。

2 × 起床後や食前の運動は**低血糖**になるおそれがあるため，**運動は食後1時間頃**に行うのが効果的である。また，食事は朝，昼，夕と規則正しくバランスの取れた食事とする。

3 × 血糖値を下げる薬を一度に２回分服用すると**低血糖**を起こしてしまう。薬の飲み忘れに気づいたら，自分で判断せずにすぐに医療職に相談する。

4 × 糖尿病は**膵臓**のランゲルハンス島から分泌される**インスリン不足**により，高血糖になる疾患である。若年者に多い**Ⅰ型**と，中高年以降に多い**Ⅱ型**があり，空腹時血糖値の検査を行う。

5 ○ 三大合併症に神経障害があり**足壊疽《えそ》**を起こしやすいので，足の観察や清潔保持等の**フットケア**が必要である。他の合併症には**網膜症**（失明）や**腎症**（透析）がある。

認知症の理解

問題 39　正解 2　重要度 ☆☆　難易度 ★★★

高齢者の自動車運動免許

1　×　**70歳から74歳**の高齢者は運転免許証の更新時に，**高齢者講習**を受けることが義務づけられている。高齢者講習とは講義を受講し，動体視力や夜間視力・視野を測定したり，**実車走行**を行う。

2　○　**道路交通法**では，**70歳以上を高齢者**と規定し，70歳以上の運転者は高齢者マーク（**もみじマーク**）を表示することが努力義務とされている。

3　×　**75歳以上**の高齢者が免許更新時に，過去３年間に信号無視，速度超過等の**違反行為**があった場合は，**運転技能検査**に合格しなければ運転免許証の更新はできない。

4　×　**75歳以上**の高齢者が免許更新をするには，まず最初に，**認知機能検査**を受け，その後で，高齢者講習を受講しなければならない。認知機能検査では判断力や記憶力の状態を確認する。

5　×　**サポートカー限定免許**への変更は年齢の制限はなく，何歳でも取得することができる。サポートカーとは**衝突被害軽減ブレーキ**やペダル踏み間違い時，加速抑制装置などがついている。

問題 40　正解 1　重要度 ☆☆☆　難易度 ★★

アパシー，うつ

1　○　**うつ状態**が続くと，海馬の神経細胞が減り，**記憶障害**が引き起こされる。そのため，うつ病では認知症のように記憶障害が起きやすい。うつ病が軽減すれば記憶障害も改善する。

2　×　**アパシー**は無気力の自覚が乏しく，**うつ**は無気力の自覚がある。よって，うつ病では現実と理想のギャップに絶望し葛藤する。アパシーは無感情，無関心，無気力の状態となる。

3　×　**もの盗られ妄想**や嫉妬妄想（たとえば，配偶者が浮気をしていると思い込む）は**認知症**の症状として出やすい。うつ病の人の妄想は，少しの体調の変化を重病だと思い込んでしまう**心気妄想**などがある。

4　×　**アパシー**の状態は**感情の起伏がなく**，何事に対しても**関心を示さない**状態であり，気持ちが落ち込んだり悩んだりイライラしたり，自分を責めたりという状態ではない。

5　×　抗うつ薬は**うつ病**に対して効果的な薬であり，認知症の進行を抑えることはない。抗認知症薬も開発されているが**副作用**等もあるので，十分に注意しながら使うべきである。

問題 41　正解 4　重要度 ☆☆☆　難易度 ★

せん妄

1　×　**前頭側頭型**《ぜんとうそくとうがた》**認知症**の症状は，社会性の欠如，周囲に配慮ができず暴力をふるったり，同じ行動を繰り返すなどの行動が**ゆるやか**にあらわれてきて，状態の変化なども急激には起きない。

2　×　**うつ病**は認知症と間違えられやすい症状であるが，うつ病は**朝方**に症状が出やすく，頭痛や食欲低下，めまいといった**身体症状**の訴えが多い。夜間に多いのはせん妄である。

3　×　**正常圧水頭症**とは，髄液が異常に増加して脳室にたまり，脳が圧迫されてしまうことによって，記憶障害，歩行障害，尿失禁などがあらわれる病気である。手術によって**症状は改善**する。

4　○　**せん妄**は，環境の変化や**体調の変化**によって起きやすい。突然発症し**意識がもうろう**としたり注意機能が低下したり，１日の中でも症状は**変化**する。特に夜間に多く見られる（**夜間せん妄**）。

5　×　**軽度認知症（MCI）**は，認知症になる一歩手前の状態で，基本的な日常生活に支障はなく，設問のような症状もなく，**記憶力低下**の訴えが聞かれるようになる状態である。

問題 42　正解 5　重要度 ☆☆☆　難易度 ★★★

前頭側頭型《ぜんとうそくとうがた》認知症

1　×　小刻み歩行やすくみ足，姿勢反射障害，突進歩行などの**パーキンソン症状**が出現するのは，**レビー小体型認知症**である。前頭側頭型《ぜんとうそくとうがた》認知症は，歩行障害はほとんど見られない。

2　×　**前頭側頭型《ぜんとうそくとうがた》認知症**は，記憶力は比較的保たれており，初期の特徴は**人格変化**である。また，症状は**ゆるやかに**進行する。初期に記憶障害が急に出現するのは**血管性認知症**である。

3　×　前頭側頭型《ぜんとうそくとうがた》認知症は，社会の規範が守れない**身勝手**な行動，**反社会的**な行動（突然殴る，物を盗む）を起こす。家族だけで対応しようとせず地域の人や各種**福祉サービス**を利用した方がよい。

4　×　はっきりと具体的な人や小動物，虫などが見える**幻視**は，**レビー小体型認知症**の症状である。本人にとっては現実に見えているので否定ではなくゆっくりと話を聞き受け止めていく。

5　○　前頭側頭型《ぜんとうそくとうがた》認知症は同じことを繰り返す**常同行動**や**こだわり**の強さがあらわれる。症状の特徴を生かして「困った習慣」を「**問題のない習慣**」に変えてルーティン化することが有効的である。

問題 43　正解 4　重要度 ☆☆☆　難易度 ★

カンファレンスで重視すること

1　×　医療職による認知症の重症度の確認は必要ではあるが，最も重視すべきことではない。**A さんの気持ち**に寄り添うことを重視して対策を立てることが大切である。

2　×　状況の確認は必要ではあるが，対応のせいにするのではなく，A さんの状況について**多職種間で意見**を述べあい，相互理解をしていくことが大切である。

3　×　利用者の日中の過ごしかたやレクリエーションの方法について検討していくことは大切であるが，まずは，**A さんの状態**や**気持ちの変化**等についての検討を行っていく必要がある。

4　○　A さんが，なぜ，急に怒りの感情や悲しい気持ちを表出したのか，不安なことや気がかりなことがあるのか，**理由を検討**していくためにも，他の場面に関する**情報共有**などもしていく。

5　×　テーブルを拭くという役割が問題であるというよりも，A さんが**何か伝えたい気持ち**や**不安**なことがあるのかもしれないので，まずは **A さんの気持ち**に焦点を当てて議論すべきである。

問題 44　正解 3　重要度 ☆☆☆　難易度 ★★

認知機能障害と生活への影響

1　×　**遂行《すいこう》機能障害**とは，**手順**を踏んで行ってきた一連の動作ができなくなることである。たとえば，歯ブラシを準備し，歯磨き粉のキャップをとり歯磨き粉を出して磨くといったことができなくなる。

2　×　**視空間認知障害**とは，自分と物との**距離感**や空間的**位置関係**の把握が難しくなることである。たとえば，階段を下りる時や車から降りる時，恐怖心を感じたり，服を着る動作ができなくなったりする。

3　○　失認とは，視覚や聴覚に障害がないにもかかわらず，知覚しているものを把握することができない状態で，**相貌失認**はよく知っている家族の顔を見ても誰だかわからなくなる状態である。

4　×　**見当識障害《けんとうしきしょうがい》**とは，今いる**場所**，今の**時間**，日付，季節，自分と**周囲の人**との関係を認識する機能が低下する状態。たとえば，自分の部屋やトイレへの場所などがわからなくなる。

5 × 記憶とは情報を覚え（**記銘**），保存し（**保持**），思い出す（**想起**）ことである。これらに障害が起き**記憶障害**となる。たとえば午前中のレクリエーションに参加したことを思い出せなくなるなどである。

問題 45	正解 2	重要度 ☆☆☆
		難易度 ★★★

バリデーション

1 × **アイコンタクト**とは，B さんの正面に座って B さんと目を合わせながらコミュニケーションをとることである。B さん**を受け止めている**という意思表示になり安心感を与えることになる。

2 ○ **カリブレーション**とは，B さんの気持ちや感情に共感していくために，B さんの悲しそうな**表情**やまわりを見回している**動作**を介護職も同じように行い**一致**させていく方法である。

3 × **リフレージング**とは，B さんの発した**言葉を反復**していく方法で，B さんの話すトーンや話し方にも合わせることで，B さんの気持ちにより近づくことができる。

4 × **センタリング**とは，B さんに対して**意識を集中**させながら接していく方法である。他のことに気が散っていると，B さんのかすかな表情やしぐさを見落としてしまうので集中して対面する。

5 × **レミニシング**とは，B さんを知りたいという気持ちから，**過去のことについて質問**することである。昔の話をすることで，**さまざまな感情を表出**することになり B さんをより理解できる。

問題 46	正解 4	重要度 ☆☆☆
		難易度 ★★

リロケーションダメージ

1 × **リロケーションダメージ**とは，**急激な環境の変化**に適応できずに心身に不調をきたす状態であるため，慣れ親しんできた日用品を持ち込んでもらい，**見慣れた環境**にすることが予防になる。

2 × 共有スペースで見知らぬ利用者が大勢いると緊張したり**混乱し不安**が増強されるので，少人数の環境や個室を準備して，**落ち着ける居場所**で安心して過ごせるように工夫する。

3 × 急激に環境が変わってしまうと，それに**適応**することがなかなかできなくなるので，物の置き場所や位置を変えてしまうと，今までできていたこともできなくなり混乱してしまう。

4 ○ 環境の変化は物理的環境だけでなく，介護職員の関わりによっても生じるので，なるべく**同じ介護職員**が担当しケアを行い，なじみの関係になって安心感を得られる関わりを行う。

5 × 環境を変えないことが大切であるが，どうしても変えなければならない時は，急に一気に変えるのではなく，**徐々に**変えていき**少しずつ慣れて**いけるよう配慮していく。

問題 47	正解 5	重要度 ☆☆☆
		難易度 ★★

看護小規模多機能型居宅介護

1 × 認知症のある要介護者が 1 ユニット **9 人以下**の少人数で，共同生活を送ることができるサービスは，**認知症対応型共同生活介護（グループホーム）**である。自立した日常生活を目指す。

2 × 看護小規模多機能型居宅介護の対象は，**要介護 1 ～ 5** の要介護者で，**医療処置**の必要な人や**認知症**，**看取り**，機能訓練，家族に対するレスパイトケア等を行う。要支援者は対象外である。

3 × 看護小規模多機能型居宅介護は，居住**市町村**が指定・監督・実施を行う**地域密着型**サービスである。医療依存度の高い人でも在宅生活を継続していくことを目指してつくられている。

4 × **24 時間 365 日**何回でも利用できるこ

とがメリットである。新しい環境になじむことが苦手な利用者にとっては，**顔なじみのスタッフ**がさまざまなサービスに常に関わるため安心できる。

5　○　看護小規模多機能型居宅介護は，医療行為も含めた**訪問看護**と小規模多機能型居宅介護（**訪問介護，デイサービス，ショートステイ**）を組み合わせた複合型サービスを提供する施設である。

問題 48　正解 2　重要度 ☆☆☆　難易度 ★★

若年性認知症の家族への支援

1　×　若い年齢で発症するため，これからの生活の見通しが立たないことから**家族の不安**は大きい。配偶者や子ども，あるいは高齢の親が**介護**することになり，生活状況も大きく変化する。

2　○　記憶障害や見当識障害《けんとうしきしょうがい》などが生じるので，異常に気づくことは早いが，年齢が若いことや社会的認知度がまだ低いことから，**疲れ**，更年期障害，**うつ状態**等と診断され治療が遅れやすい。

3　×　若年性認知症は**18歳〜65歳**未満という若年期・初老期に発症する認知症である。前期高齢者とは65歳〜74歳までの年齢を指しているので適切ではない。

4　×　若年性認知症は介護保険制度の**特定疾《しっ》病《ぺい》**であり，**40歳以上**であれば**第2号**被保険者となる。若年性認知症は18歳から発症しうるので，39歳以下の場合は**障害福祉サービス**を利用できる。

5　×　50歳代という仕事をしている時期に発症するので，本人だけでなく配偶者も介護のために休職，退職をせざるをえない状況になり，**経済的困窮**に陥りやすい。支援体制は整っていない。

障害の理解

問題 49　正解 1　重要度 ☆☆☆　難易度 ★★

ICF 概念

1　○　ICFの**環境因子**には，物的な環境（家や学校などの**建物**）や社会的環境（さまざまな場での**人々との関係性**），社会制度に基づく環境（**法律**，就労環境，交通制度，人々の社会的態度）がある。

2　×　ICFは医学モデルと社会モデルの**統合モデル**である。個人因子には，年齢，**性格**，**価値観**，習慣，生育歴，困難への対処方法，職業，特質などがあり考慮する。

3　×　生活機能には，①**心身機能・身体構造**（心と身体のはたらき），②**活動**（日常生活動作など），③**参加**（社会的役割，地域への参加，交流など）の3要素が含まれる。

4　×　**ICIDH**は医学モデルの考え方で治療やリハビリによる治癒を目的とし，**ICF**は医学モデルと社会モデルの**統合モデル**で，**環境改善**によりQOLの向上を目的としている。

5　×　ICFは，健康状態，生活機能，背景因子が**双方向的に相互に**影響を受け合い，ICIDHは，疾患→①機能・形態障害→②能力障害→③社会的不利へと，**一方的に**影響を受けると考える。

問題 50　正解 3　重要度 ☆☆☆　難易度 ★★

成年後見制度

1　×　**任意後見制度**は元気なうちに**自分で**，将来，認知症などによって判断力が低下した際に，財産管理をしてもらうために信頼できる後見人を選任しておく制度であり，選任は自分である。

2　×　**法定後見人**の選定は，**家庭裁判所**が行う。障害や認知症の程度に応じて，**補助人，保佐人，成年後見人**を選び，本人の代理として契約などの法律行為などを行い，本人を保護・支援する。

3 ○ 成年後見人は判断力が不十分な人の**代理**として，**財産管理**や**契約等の手続き**を行い，本人の権利を保護する。また，**日常生活の買い物を除いて**，本人の行った取引を取り消すことができる。

4 × 成年後見制度は日常生活自立支援事業の一部ではない。**日常生活自立支援事業**とは認知症，知的・精神障害者に対する**福祉サービス**で，実施主体は都道府県等の**社会福祉協議会**である。

5 × **成年後見人**は，不動産や預貯金などの財産管理，身のまわりの世話や介護に関するサービスや施設への**入所に関わる契約**などの**身上監護**を代理で行うことができる。

問題 51　正解 2　重要度 ☆☆☆　難易度 ★

ストレングス

1 × **リハビリテーション**の考え方である。障害者が一人の人間として社会の中で充実した生活を営めるよう，自分らしく生きる権利を回復（**全人間的復権**）する考え方である。

2 ○ **ストレングス**とは，その人の持っている**能力**や**強み**，意欲，良さ，可能性に着目して，その潜在的な力を見つけ，活用しさらに伸ばしていくこと。長所と考えるとわかりやすい。

3 × **バリアフリー**の考え方である。生活や行動の妨げとなる**物理的・社会的・心理的な障壁**を取り除き，障害者，高齢者，子ども等誰にとっても暮らしやすい，行動制限されない環境を目指す。

4 × **エンパワメント**の考え方である。本来持っている力を最大限発揮できるように**権限**（**役割**）を与えることで，自分らしさを取り戻し，**主体的**に課題を解決していけるように支援する。

5 × **インクルージョン**（**包含**）の考え方である。**一人ひとりのニーズ**に合った適切な**合理的配慮**を行うことで，障害や違いに関係なくあらゆる人を包み込む**共生社会**が実現していくと考える。

問題 52　正解 5　重要度 ☆☆☆　難易度 ★★

統合失調症

1 × 症状が悪化しているといった**診断**や，薬の量を増やしましょうといった**治療方針**を決めるのは**医師**であり，介護福祉職が判断することではないので安易な発言をすべきではない。

2 × 本人はそれが妄想だとわからず「真実である」と思い込んでいるので，**否定**したり，**説得**したりしようとすると，介護者への不信感だけが生じ**関係性が悪化**してしまうので，適切ではない。

3 × C さんは不安な感情があり介護福祉職に話してきているので，その言葉を無視して違う話題を話す対応は適切ではない。C さんの**不安な気持ちに寄り添う**ことが大切である。

4 × 「言わないようにしましょう」などと，C さんの**行動を制限**することは不適切な対応である。言えない状況になることはC さんにとって**ストレス**を感じ，症状を悪化させてしまう。

5 ○ 統合失調症の特徴的な症状には，**被害妄想**や誇大妄想が多い。本人はその考えが妄想だとは認識できないので，**否定も肯定もせず**，不安な気持ちに共感し**安心感**を与えることが重要となる。

問題 53　正解 4　重要度 ☆☆　難易度 ★★

糖尿病三大合併症

1 × **糖尿病性神経障害**は，糖尿病が重症化することで**神経**（運動神経，知覚神経，自律神経）に障害が及び，**足のしびれ**や痛みが続いたり，**立ちくらみ**，**下痢《げり》**や便秘などの症状があらわれる。

2 × 腎臓は血液を**ろ過**して老廃物（尿）を

身体の外に排出する働きがあり，糖尿病によって腎機能が低下する（尿が適切に排泄《はいせつ》されない）と，**むくみ**，だるさ，**貧血**が生じる。

3 × 糖尿病合併症の一つである**糖尿病性腎症**は，高血糖の状態が長く続くことで，血管が詰まったりして破れてしまい，腎機能の低下が起こる。さらに症状が進行し，**腎不全**になると，血液透析治療が必要になる。

4 ○ **糖尿病性網膜症**は，網膜の毛細血管が詰まったり眼底出血をおこし，血液の流れが悪くなって，網膜に酸素や栄養素が不足する状態で，進行すると大出血がおこり**失明**の原因になる。

5 × 糖尿病合併症によって，足の血管が詰まり神経機能の低下（**糖尿病性神経障害**）が起こると足に潰瘍ができたり，組織が死んでしまう**足壊疽**の状態になることがあり，足を切断することもある。

問題 54　正解 5　重要度 ☆☆　難易度 ★★★

心臓ペースメーカー

1 × 心臓は血液を循環させる**ポンプの役割**をしており，血液（水分）量が多いと心臓に負担がかかる。塩分を摂りすぎると水分を溜《た》め込もうとして水分量が増えるので，**減塩**が必要である。

2 × 外出を控える必要はない。活動を制限することは筋力低下にもつながり，**廃用症候群**（生活不活発病）の誘因となる。旅行も自動車，電車，旅客機，客船など自由にできる。

3 × 通常の日常生活や運動，スポーツは問題ないが，**激しい運動**や身体がぶつかり合うスポーツはペースメーカーにダメージを与えたり，心臓に負担をかけるので控えた方がよい。

4 × 入浴することは問題ないが，長時間熱い湯に入ることは脈拍を上昇させ心臓に負担がかかるので，入浴は**短め**（10～20分），湯の温度はぬるめが良く，**40℃以下**がよい。

5 ○ 心臓ペースメーカーを装着している人は，異常がないかどうか**自己管理**をすることが重要である。日頃から**自分で脈拍**を測ったり，**血圧**や**体重**も毎日測定し記録していく必要がある。

問題 55　正解 2　重要度 ☆☆☆　難易度 ★★

障害者アート

1 × 障害者にとって**自分の感性**を使ってアートを表現する方が**可能性**が拡がり，精神的な満足感につながるので，皆で同じ作業をするよりも自分の**好きなもの**，興味をもったものに自由に取り組んでもらう方法がよい。

2 ○ 障害者アートは，言葉で表現できない感情をアウトプットしてもらい，一人ひとりの**才能**が発揮されることを目指しているので，一人ひとりには**自由な発想**で**好きなように表現**してもらう。

3 × アート作品はつくっている時の高揚感，精神的満足感も大切であるが，作り終えてから職員と**一緒に振り返る**ことで，自分の気持ちを客観的にみることができ，**心の整理**につながる。

4 × 自分の内面に触れる作業ではあるが，同じ場所で一緒に活動する連帯感は**安心感**につながり，また職員や他の障害者，家族などと**会話**をし**交流**することで一人ひとりの世界が拡がる。

5 × 障害者アートの目的は，芸術的に高いレベルの作品を残すというよりも，**自分自身を表現し**精神的な安定や充実感を得て，自分を癒すものであるため，アドバイスは**最小限**がよい。

問題 56　正解 2　重要度 ☆☆☆　難易度 ★★★

改正障害者総合支援法

1 × 希望する生活を安心して送れる支援体

制の充実として，グループホームで生活をしていても一人暮らしを希望している場合には，**一人暮らしへの移行支援**を行うことが盛り込まれている。

2　○　**障害者雇用**を向上させる支援サービスとして，就労選択支援が盛り込まれ，**働きたい職場選択**の支援，**短時間**労働や障害者雇用調整金などの見直しが盛り込まれている。

3　×　精神障害者の医療保護入院（本人の同意がなくても入院可能）を見直し，家族などの意思表示がなくても**市町村長**の同意で可能にした。**入院者訪問支援員**を創設し虐待防止対策の強化を図る。

4　×　**難病**患者と**小児慢性特定疾病《しっぺい》児童**に対する**医療**の充実と療養生活支援が盛り込まれている。医療費支給を円滑に受けられる仕組みや，就労支援として障害者雇用促進法の対象に入る。

5　×　適切な支援を進めるための**データベースの整備**として，障害者（児），難病，小児慢性特定疾病《しっぺい》児童に関する**情報収集**と国への**情報提供義務**を規定し，安全管理措置の規定を新設している。

問題 57	正解 1	重要度 ☆☆ / 難易度 ★★★

相談支援専門員

1　○　相談支援専門員は**サービス等利用計画書**を作成し地域での生活を継続するために，さまざまな**社会資源**（グループホーム，療養介護，生活介護，自立訓練，就労移行支援）と結びつける。

2　×　主な働き場所は，**基幹相談支援センター**や障害者施設である。基幹相談支援センターは，**相談支援専門員**，**社会福祉士**，精神保健福祉士，保健師がおり，相談支援を行っている。

3　×　サービス等利用計画に基づいた支援サービスが適切に提供されているかの**定期的なモニタリング**は，相談支援専門員が行う。モニタリング報告書は管轄の**市町村**に提出する。

4　×　相談支援専門員は，**障害者**が地域で自立した日常生活，社会生活を送るための**相談支援**を行う。障害福祉サービスをうまく利用し**地域生活へ移行**・定着できるようにサポートする。

5　×　相談支援専門員は，**障害者やその家族**の相談に応じる仕事である。直接的な介護は行わない。相談に対する情報提供や助言，福祉サービスの利用につなげる支援，**連絡調整**を行う。

問題 58	正解 1	重要度 ☆☆ / 難易度 ★★

家族介護力のアセスメント

1　○　Fさんの趣味も**闘病意欲**を図る上では大切な視点ではあるが，家族介護力をアセスメントする際の項目の中では，優先順位としては**最も低い**と考えられる。

2　×　在宅介護を継続していくためには，Fさん，Gさん，そして高齢の父や5歳の子どもの健康状態（**家族全員の健康状態**）は，家族介護力をアセスメントする上でとても重要になる。

3　×　家族の人間関係についてアセスメントすることはとても重要である。介護力が十分にあっても関係性の問題があり困難になることもあるので，**関係性を総合的**にアセスメントしていく。

4　×　**キーパーソン**である妻のGさんの介護に対する考え，思いといった介護ニーズは，介護力のアセスメントにとっては重要である。さらには，高齢の父親や5歳の子どもも含め，家族全体のニーズを把握していくようにする。

5　×　在宅介護を行う場合，家族だけで支えることは不可能であるため，**地域とのつながり**や**福祉サービス**をいかに活用していけるかが重要である。広い視野でアセスメントすることが必要となる。

＜領域：医療的ケア＞

医療的ケア

問題 59	正解　5	重要度	☆☆☆
		難易度	★★

医療職との連携体制

1　×　**介護職**は吸引の実施**前**，**中**，**後**に，利用者の顔色，表情，**呼吸状態**や全身状態等を比較しながら観察し記録する。異常がある場合にはすぐに医療職に報告し観察を依頼する。

2　×　経管栄養は食事の援助ではあるが，**医師の指示書**に基づく医行為である。指示書によって，利用者氏名，**栄養剤の種類と量**，注入時間，**注入速度**などを確認して，**報告**・記録を行う。

3　×　経鼻経管栄養チューブが**胃内**に適切に挿入《そうにゅう》されていることの確認は，毎回，栄養剤の注入前に**医療職**が行う。介護職は，医療職が確認しているかどうかを，その都度確認してから実施する。

4　×　胃ろう栄養チューブを挿入されている人の入浴援助は，**医療職**でも**介護職**でも問題ない。そのまま浴槽に入ってもらい，胃ろうの周囲を石鹸《せっけん》できれいに洗う。

5　○　介護職が喀痰吸引《かくたんきゅういん》を実施する際には，**医師の指示書**に基づいて行う。医師の指示書から，**吸引圧**，吸引チューブの**太さ**，吸引の**時間**，留意点を，その都度，確認して実施する。

問題 60	正解　3	重要度	☆☆☆
		難易度	★★

喀痰吸引《かくたんきゅういん》実施後の留意点

1　×　吸引チューブの清潔を保つために，吸引後まずは，チューブの**外側を清浄綿等で拭いて**汚れを取り除いてから，次に洗浄水を吸引し**チューブ内側**の汚れを洗い流す。

2　×　吸引は疼痛《とうつう》や恐怖心を伴う援助であるため，吸引後はねぎらいの言葉をかけ，緊張を解いてリラックスしてもらうためにも**本人の希望の姿勢**に整える。

3　○　**鼻腔**《びくう》内は粘膜が薄く，鼻腔《びくう》の入り口には毛細血管が多く出血しやすい**キーゼルバッハ部位**があるため，血液が口腔《こうくう》や鼻腔に流れ込んでいないか確認することが大切である。

4　×　**気管**カニューレ内部の吸引は，吸引チューブを気管内に挿入《そうにゅう》するため，滅菌手袋を使用し無菌操作で実施する。そのため，使用した吸引チューブも**その都度破棄**して，新しいものを使用していく。

5　×　施設内の全ての利用者・職員，自分を**感染症**から守るため，口腔内・鼻腔内・気管内吸引の全てにおいて，吸引前も吸引後も**流水**と**石鹸**《せっけん》で丁寧に手洗いを行う必要がある。

問題 61	正解　2	重要度	☆☆☆
		難易度	★★

喀痰吸引《かくたんきゅういん》実施上の留意点

1　×　吸引に対して不安や恐怖心が生じるからこそ，不安を取り除くように丁寧な**説明**を行い，**同意**を得てから行う必要がある。利用者の**協力**を得られた方が短時間で安全に行うことができる。

2　○　気管カニューレ内部は**無菌**的に痰をとる必要があるので，口腔《こうくう》用や鼻腔《びくう》用とは区別する。気管カニューレの吸引では，基本的に１回の吸引ごとに新しい滅菌チューブを取り出して使う。

3　×　吸引中に出血が見られたら，直ちに**吸引を中止**し医療職に連絡し，相談する。医療職が来るまでの間に，**呼吸機能の観察**やパルスオキシメーターで**酸素飽和度**（**SpO_2**）**の測定**を行う。

4　×　吸引中に顔色が悪くなったり，呼吸状態が悪くなったら，直ちに**吸引を中止**し，気道を確保して医療職に連絡する。医療職が来るまで**呼吸状態**や**パルスオキシメーター**で状態把握をする。

5　×　医師が材質や太さなど，利用者に適したものを選定しているため，吸引チューブは**医師の指示書**に記載してあるものを使用しなければならない。

問題 62　正解　5　重要度 ☆☆　難易度 ★★★

液状栄養剤と半固形化栄養剤

1　×　**液状**の栄養剤は胃に貯留せず速く通り抜けてしまうので，食道に**逆流**しやすい。そのため，**嘔吐**《おうと》したり，誤嚥《ごえん》性肺炎や逆流性食道炎も起こしやすい。

2　×　**半固形化**栄養剤の方が，ゼリー状の個体が胃の中に入るので，胃が膨らみ，胃の**蠕動**《ぜんどう》**運動**が促進され，消化活動が液体よりも活発になる。

3　×　半固形化栄養剤の方が**短時間**で注入することはできるが，注入時の体位は腹部の緊張を緩和するために**上半身を 30 ～ 45 度**程度起こして行う。短時間で終了するので褥瘡《じょくそう》予防になる。

4　×　半固形タイプの栄養剤は液状ではないので腸管への**流入は速くなく**，また腸の蠕動運動を改善させるが，**短時間**で注入するため，やはり**下痢**《げり》等の危険性はあり注意が必要である。

5　○　経口的に食事を摂取せず経管栄養を行っている場合には，**唾液分泌が減少**し口《こう》腔《くう》内の清潔は保ちにくくなり，誤嚥《ごえん》性肺炎になるおそれがあるため**口腔**《こうくう》**ケア**は必要である。

問題 63　正解　4　重要度 ☆☆☆　難易度 ★

経管栄養における滴下速度

1　×　栄養剤の滴下速度が速いことで**発熱**は起きない。発熱は，使用物品の消毒・管理を適切に行っていなかったり，介護職の手洗いが不十分であったり，不潔な操作によって，**感染**を起こすことで生じる。

2　×　栄養剤を注入し血糖値が急激に上昇すると，インスリンが過剰に分泌するため低血糖になることはあるが，この現象は実施中には起きず，注入後 **2 ～ 3 時間**経ってからである。

3　×　**胃ろう**経管栄養法の場合は，滴下速度が速いことによって注入液がもれ出してきて不潔な状態になり，**スキントラブル**になりやすい。経鼻経管栄養では滴下速度が速いことでは起きにくい。

4　○　滴下速度が速いと**腸蠕動**《ぜんどう》**の亢進**が起こり**下痢**《げり》を引き起こしやすい。介護職は指示どおりの滴下速度であるのか，頻回に訪室し確認する必要がある。

5　×　滴下速度が速いと，短時間で多量の栄養剤が胃に入るために，**逆流**が起こることで**誤嚥や窒息**を起こし，**呼吸困難**となることも考えられる。しかし，H さんは顔色の変化もなく**穏やかな表情**をしているので，呼吸困難を起こしているとは考えにくい。

合格によく効く!!

完全予想模試 ①午後 解答・解説

正解一覧

チェック欄	番号	正解番号				
	介護の基本					
□	問題 64	❶	②	③	④	⑤
□	問題 65	❶	②	③	④	⑤
□	問題 66	❶	②	③	④	⑤
□	問題 67	①	②	③	④	❺
□	問題 68	❶	②	③	④	⑤
□	問題 69	①	②	❸	④	⑤
□	問題 70	①	②	③	④	❺
□	問題 71	①	②	③	❹	⑤
□	問題 72	①	②	❸	④	⑤
□	問題 73	①	❷	③	④	⑤
	コミュニケーション技術					
□	問題 74	①	②	③	④	❺
□	問題 75	①	❷	③	④	⑤
□	問題 76	①	②	③	❹	⑤
□	問題 77	①	②	❸	④	⑤
□	問題 78	①	②	③	④	❺
□	問題 79	①	②	③	❹	⑤
	生活支援技術					
□	問題 80	①	②	③	❹	⑤
□	問題 81	❶	②	③	④	⑤
□	問題 82	①	❷	③	④	⑤
□	問題 83	①	❷	③	④	⑤
□	問題 84	①	②	③	④	❺
□	問題 85	①	②	③	❹	⑤
□	問題 86	①	❷	③	④	⑤
□	問題 87	❶	②	③	④	⑤
□	問題 88	①	②	③	④	❺
□	問題 89	①	②	③	④	❺
□	問題 90	①	②	③	④	❺
□	問題 91	❶	②	③	④	⑤
□	問題 92	①	❷	③	④	⑤
□	問題 93	❶	②	③	④	⑤
□	問題 94	①	②	③	❹	⑤
□	問題 95	①	②	③	④	❺
□	問題 96	❶	②	③	④	⑤
□	問題 97	①	②	③	④	❺
□	問題 98	①	②	❸	④	⑤
□	問題 99	❶	②	③	④	⑤
□	問題100	①	②	③	④	❺
□	問題101	❶	②	③	④	⑤
□	問題102	①	②	③	❹	⑤
□	問題103	❶	②	③	④	⑤
□	問題104	①	②	❸	④	⑤
□	問題105	①	②	③	④	❺
	介護過程					
□	問題106	①	②	③	④	❺
□	問題107	❶	②	③	④	⑤
□	問題108	①	❷	③	④	⑤
□	問題109	①	②	③	④	❺
□	問題110	❶	②	③	④	⑤
□	問題111	①	②	③	④	❺
□	問題112	❶	②	③	④	⑤
□	問題113	❶	②	③	④	⑤
	総合問題					
□	問題114	❶	②	③	④	⑤
□	問題115	①	②	❸	④	⑤
□	問題116	❶	②	③	④	⑤
□	問題117	①	❷	③	④	⑤
□	問題118	①	②	③	❹	⑤
□	問題119	①	②	③	❹	⑤
□	問題120	①	②	③	④	❺
□	問題121	①	②	❸	④	⑤
□	問題122	①	②	③	④	❺
□	問題123	①	②	③	④	❺
□	問題124	①	②	③	❹	⑤
□	問題125	①	❷	③	④	⑤

☆及び★印は次のような基準でつけました。

重要度	難易度
☆ ……… 注　意	★ ……… 普　通
☆☆ …… 重　要	★★ …… 　難
☆☆☆ … 最重要	★★★ … 超　難

＜領域：介護＞

介護の基本

問題 64　正解 1　重要度 ☆☆☆　難易度 ★★★

「2022（令和 4）年　国民生活基礎調査」

1　○　要支援または要介護と認定された者（要介護者等）のうち，在宅の者のいる世帯を世帯構造別にみると「**核家族世帯**」が 42.1％で最も多く，次いで「**単独世帯**」が 30.7％，「その他の世帯」が 16.4％となっている。

2　×　要介護者等の年齢層をみると，**男性**は「**85 ～ 89 歳**」の 23.7％，**女性**は「**90 歳以上**」の 30.9％が最も多くなっている。

3　×　介護が必要となった主な原因を現在の要介護度別にみると，要介護者では「**認知症**」が 23.6％で最も多く，次いで「**脳血管疾患**《しっかん》」（脳卒中）が 19.0％となっている。一方，要支援者では「**関節疾患**」が 19.3％で最も多く，次いで「高齢による**衰弱**《すいじゃく》」が 17.4％となっている。

4　×　同居の主な介護者の介護時間を要介護度別にみると，「**要介護 3**」以上では「**ほとんど終日**」が最も多くなっている。一方，「要支援 1」～「要介護 2」までは「必要なときに手をかす程度」が多くなっている。

5　×　同居の主な介護者は，要介護者等の「**配偶者**」が 22.9％で最も多く，次いで「**子**」が 16.2％となっている。

問題 65　正解 1　重要度 ☆☆　難易度 ★★

EPA に基づく介護福祉士候補者の受入れ

1　○　EPA に基づく介護福祉士候補者の在留期間の上限は**原則 4 年**であり，その間に**介護福祉士国家試験**に合格しなければ，帰国することになる。ただし，在留期間中に介護福祉士国家試験に合格し，介護福祉士として介護業務に従事するならば，その後も日本で生活することが可能である。

2　×　EPA に基づく介護福祉士候補者の受入れの対象国は，**インドネシア，フィリピン，ベトナムの 3 か国**である。

3　×　EPA に基づく介護福祉士候補者の受入れは，日本と相手国の**経済活動の連携**を強化するために公的な枠組みで特例的に行われる制度である。介護人材の不足を補うことが目的ではない。

4　×　EPA に基づく介護福祉士候補者の受入れ施設の要件は，常勤介護職員の **4 割以上**が介護福祉士であることである。他にも，法令に基づく職員の配置基準を満たしている**定員 30 人以上**の施設であること，適切な**研修体制**が確保できること等が挙げられている。

5　×　EPA に基づく介護福祉士候補者の受入れ施設には，訪問介護事業所は**含まれていない**。受入れ可能な施設には，法令に基づく職員の配置基準を満たしている定員 30 人以上の**介護保険施設（介護老人福祉施設，介護老人保健施設，介護医療院）**や**障害者支援施設**等がある。

問題 66　正解 1　重要度 ☆☆☆　難易度 ★★★

社会福祉士及び介護福祉士法

1　○　**社会福祉士及び介護福祉士法**の第 46 条には「社会福祉士又は介護福祉士は，正当な理由がなく，その業務に関して知り得た人の**秘密**を漏らしてはならない。社会福祉士又は**介護福祉士**でなくなった後においても，同様とする」と，介護福祉士としての業務を辞めた後も，**秘密保持義務**が課せられることが明記されている。

2 ×　社会福祉士及び介護福祉士法の第47条の2には「社会福祉士又は介護福祉士は，社会福祉及び介護を取り巻く環境の変化による業務の内容の変化に適応するため，相談援助又は介護等に関する**知識**及び**技能**の向上に努めなければならない」と，**資質向上の責務**が明記されている。ただし，研修の受講やその義務については**定められていない**。

3 ×　社会福祉士及び介護福祉士法の第42条には「介護福祉士となる資格を有する者が介護福祉士となるには，介護福祉士登録簿《とうろくぼ》に，氏名，生年月日その他厚生労働省令で定める事項の**登録**を受けなければならない」と明記されている。つまり，「介護福祉士」と名乗るためには，介護福祉士国家試験合格後，**厚生労働大臣**の指定登録機関である公益財団法人社会福祉振興・試験センターに**登録**する必要がある。

4 ×　介護福祉士の業《ぎょう》として，**心身**の状況に応じた介護に加え，介護者等に対して介護に関する**指導**を行うことが含まれている。一方，家族介護者の**介護離職防止**は，行政や企業等も含めて社会的な課題として対応すべきものである。

5 ×　1987（昭和62）年の社会福祉士及び介護福祉士法の制定時には「**信用失墜《しっつい》行為の禁止**」（第45条）と「**秘密保持義務**」（第46条）と「**連携**」（第47条）が義務等として明記された。2007（平成19）年の法改正により，これらに「**誠実義務**」（第44条の2）と「**資質向上の責務**」（第47条の2）が追加された。

問題 67　正解 5　重要度 ☆☆　難易度 ★★

リハビリテーションと介護予防

1 ×　1968年にWHO（世界保健機関）が示したリハビリテーションのうち，教育リハビリテーションでは障害のある子どもに対して特別支援教育を行う等，教育の機会を提供する。一方，**リワークプログラム**は**復職支援プログラム**とも呼ばれ，**うつ病**等の精神疾患《しっかん》が原因で休職している人を対象とした職場復帰に向けた一連の活動を意味し，**職業リハビリテーション**に含まれる。

2 ×　**医学的**リハビリテーションには**急性期**リハビリテーション，回復期リハビリテーション，生活期（維持期）リハビリテーションがある。このうち急性期リハビリテーションは，**障害**が固定してからではなく，脳卒中等の疾病《しっぺい》発症後，できる限り**早期から**リハビリテーションを実施する。

3 ×　体力が低下している高齢者等の場合，機能訓練は実施回数を**複数回**に分けて，1回の量を**少なく**して行う。無理して1回の量を多くすれば，身体的な負担が**増し**，リハビリテーションへの意欲を低下させるおそれもある。

4 ×　**社会リハビリテーション**では所得保障や住宅確保のための法整備、**ユニバーサルデザイン**による環境整備等、**社会参加**の促進や社会生活力の向上を図る**社会的な条件を整える**。一方、利き手交換訓練は**医学的リハビリテーション**に該当する。なお，利き手交換訓練とは，例えば右利きの人が右手に障害を負った場合，作業療法士が中心となって左手を利き手に変える訓練を指す。

5 ○　訪問介護での**見守り的援助**では，利用者の自立生活支援・重度化防止を図るため，訪問介護員が利用者と一緒に掃除や調理等を行う。この見守り的援助は，介護保険制度における訪問介護では生活援助ではなく，**身体介護**に位置づけられる。

問題 68　正解　1　重要度 ☆☆　難易度 ★★

介護保険法におけるサービス

1　○　短期入所療養介護は**介護老人保健施設，病院，診療所**のほか，**介護医療院**に短期間入所して提供されるサービスも含まれる。

2　×　特定施設入居者生活介護は，**居宅サービス**の１つに位置づけられ，介護保険法で指定を受けた**養護老人ホーム，軽費老人ホーム（ケアハウス），有料老人ホーム，サービス付き高齢者向け住宅**でサービスが提供される。これらの特定施設に入居できるのは要介護１以上の利用者となる。一方，**老人福祉法**を根拠とする特別養護老人ホームは，介護保険法の指定を受けると**介護老人福祉施設**として原則要**介護３以上**の利用者に施設サービスを提供する。

3　×　「介護・看護**一体**型」と「介護・看護連**携**型」の２種類があるのは，**定期巡回・随時対応型訪問介護看護**である。定期巡回・随時対応型訪問介護看護では**日中・夜間**を通じて，**定期**巡回または**随時**対応によって訪問**介護**と訪問**看護**のサービスが一体的に，または密接に連携して提供される。一方，看護小規模多機能型居宅介護は，**小規模多機能型居宅介護**に**訪問看護**を組み合わせて提供されるサービスである。

4　×　看護師が居宅を訪問し，必要な診療の補助または療養上の世話を行うのは**訪問看護**である。**居宅療養管理指導**とは**医師**，歯科医師，**薬剤師，管理栄養士**，歯科衛生士等が通院困難な利用者の居宅を訪問して，**療養上の管理および指導**を行うサービスである。

5　×　小規模多機能型居宅介護では，利用者の状況を踏まえて，「通い」（デイサービス）と「**短期間**の宿泊」（ショートステイ）と「訪問」（ホームヘルプサービス）を組み合わせてサービスを提供している。つまり，小規模多機能型居宅介護は，長期間の宿泊を目的としていない。

問題 69　正解　3　重要度 ☆☆☆　難易度 ★★

多職種連携に基づく利用者への支援

1　×　多職種連携では，医師を含めて多くの異なる専門職や異なる背景をもった関係者がチームとなって，互いの役割を果たしつつ，連携しながら利用者支援を展開する。よって，多職種連携に基づくチームを主導するのは，**医師とは限らない**。その利用者の状況や支援内容・方法等によって**適任者が選ばれる**ことになる。

2　×　多職種連携は，介護福祉職に加え，利用者に関わる**多くの職種や関係者**がチームとして連携することを意味する。一方，介護福祉職からみた場合，**他職種連携**は介護福祉職**以外**の職種との連携を指す。

3　○　多職種連携には，医師や看護師，介護福祉士等の専門職のほか，**家族やボランティア，民生委員等の関係者**も含まれる。

4　×　多職種連携に基づくチームメンバーの職種やその人数は，固定されているわけではなく，利用者の状況や生活課題（ニーズ）の変化等に対応して適切に**変更**する必要がある。必ずしも４～６人程度が望ましいわけではない。

5　×　多職種連携によるチームアプローチでは，単に**ADL**（Activities of Daily Living：日常生活動作）の改善を図るだけでなく，利用者の**QOL**（Quality of life：生活の質）の向上を目指す。つまり，ADL（日常生活動作）の改善も重要であるものの，必ずしもそれだけを優先して多職種連携を展開するわけではない。

問題 70　正解 5　重要度 ☆☆☆　難易度 ★★★

育児・介護休業法

1　×　2021（令和 3）年 6 月に成立した改正**育児・介護休業法**に伴い，出生時育児休業（産後**パパ**育休）が創設され，2022（令和 4）年 10 月から男性労働者が子どもの出生後**8 週間以内に最大 4 週間まで**育児休業を取得できるようになった。

2　×　2021（令和 3）年 6 月に成立した改正育児・介護休業法に伴い，2022（令和 4）年 10 月から育児休業を男女とも**分割して 2 回まで**取得可能となった。

3　×　2021（令和 3）年 6 月に成立した改正育児・介護休業法に伴い，2023（令和 5）年 4 月から常時雇用する労働者が **1,000 人**を超える事業主は，育児休業等の取得状況を**年 1 回公表**することが義務づけられた。

4　×　介護休業は，対象家族 1 人につき，**通算 93 日まで 3 回**を上限として**分割**して取得可能である。

5　○　介護休業における対象家族とは，疾病《しっぺい》や障害等により **2 週間以上**の期間にわたって常時介護を必要とする状態にある家族を指す。

問題 71　正解 4　重要度 ☆☆　難易度 ★★

介護福祉職の腰痛予防

1　×　「職場における腰痛予防対策指針」（厚生労働省）に基づき，介護に従事する労働者（**介護福祉職**）については，配置の際およびその後**6 か月以内ごとに 1 回**，定期的に医師による腰痛の健康診断を受けることが要請されている。

2　×　ストレッチングには**動的**ストレッチングと**静的**ストレッチングがある。動的ストレッチングは反動を利用して筋肉を刺激するため，ある程度身体を動かしてから実施するのが良いとされている。一方，静的ストレッチングは反動をつけずに**ゆっくり**と筋肉を伸ばすため，筋肉への負担が少なく，安全性に優れている。よって，腰痛予防のため，**勤務前**には**静的**ストレッチングを行うのが効果的である。

3　×　前屈《まえかが》みの姿勢のまま介護を行うと腰痛になりやすい。シーツ交換等を行う際は腰部への負担がかからないように**ベッドの高さを調整する**必要がある。

4　○　「職場における腰痛予防対策指針」（厚生労働省）には、満 18 歳以上の男性労働者が人力のみにより取り扱う物の重量は、体重のおおむね **40%以下**となるように努めることが明記されている。よって，腰痛予防のため，男性の介護福祉職が人力のみで取り扱う重量は体重のおおむね **40%以下**となるようにする。

5　×　**腰部保護ベルト**（コルセット）が必要な場合には，一律《いちりつ》に使用させるのではなく，**医師**等と相談して，一人ひとりの介護福祉職の状況を踏まえ，効果を確認してから使用の**適否**を判断する。

問題 72　正解 3　重要度 ☆☆☆　難易度 ★

介護老人福祉施設における感染対策

1　×　手洗いは，**流水**と**石鹸**《せっけん》で行う。石鹸は，細菌が繁殖しやすい固形石鹸よりも**液体**石鹸を使用することが望ましい。手洗いの際は，手のひら（手掌《しゅしょう》）だけでなく，手の甲（手背《しゅはい》）や指，爪等も含めて丁寧《ていねい》に**もみ洗い**する。

2　×　「指定介護老人福祉施設の人員，設備及び運営に関する基準」第 27 条によれば，感染対策のための委員会をおおむね **3 か月に 1 回以上**開催することが義務づけられている。ただし，緊急時には**随時**開催する必要がある。

3　○　2021（令和 3）年度の介護報酬《ほうしゅう》改定に伴い，**介護老人福祉施設**等の施設系サービスについては，2024（令和 6）年 4 月から感染症予防のための研修を**年 2 回以上**実施することが義務づけられた。

4　×　モップや雑巾《ぞうきん》が濡《ぬ》れたままでは**カビ**や**細菌**が繁殖し，感染症のリスクを高める。よって，モップや雑巾は使用後，十分に**乾燥**させておく必要がある。

5　×「高齢者介護施設における感染対策マニュアル改訂版」（2019 年 3 月）によれば，同一の感染症や食中毒の患者，またはそれらが疑われる者が **10 名以上**または全利用者の**半数以上**発生した場合，施設長は**保健所**と**市町村**の高齢者施設主管部局に**報告**することになっている。

問題 73　正解 2　重要度 ☆☆☆　難易度 ★★★

安全対策と災害対策

1　×　消防法において，介護保険施設（介護老人福祉施設，介護老人保健施設，介護医療院）等には，**年 2 回以上**の**消火訓練**および**避難訓練**が義務づけられている。

2　○　2021（令和 3）年度から転倒や誤嚥《ごえん》等の介護事故の発生・再発防止を強化するため，介護老人福祉施設や介護老人保健施設等の介護保険施設において**安全対策担当者**の配置が義務づけられた。

3　×　災害対策基本法では，**市町村長**に対して避難行動要支援者名簿《めいぼ》の作成が**義務づけ**られている。**避難行動要支援者名簿**とは，自ら避難することが困難な者のうち，特に支援を要する者を把握するための名簿である。

4　×　画一的なサービスの提供は，かえって利用者の安全を**脅《おびや》かす**おそれがある。例えば，誤嚥しやすい利用者にも通常の食事形態で食事を提供すれば，誤嚥の危険性を高めることになる。よって，施設の介護における安全確保を図るためにも，一人ひとりの利用者の状況に応じた**個別ケア**を展開する必要がある。

5　×　災害救助法では，避難所の開設期間を原則として災害発生の日から **7 日以内**と定めている。ただし，甚大《じんだい》な被害を受けた**大災害**の場合は，被災者が短期間で新しい住まいや生活基盤を確保することが困難であるため，避難所の開設期間を**延長**することができる。

コミュニケーション技術

問題 74　正解 5　重要度 ☆☆☆　難易度 ★★★

失明した人とのコミュニケーション

1　×　A さんのように**中途**失明の場合は，点字を習得していないケースもある。A さんの場合も，失明後，意欲を喪失《そうしつ》し，自宅に引きこもりがちであったことを踏まえれば，**点字を習得していない**ことが予測される。

2　×　A さんの話をうなずきながら聞くこと自体に問題はない。ただし，A さんは失明しているため，相手がうなずいている様子が**見えない**。よって，A さんとのコミュニケーションにおいて，うなずきながら聞くことが最も適切な方法とはいえない。

3　×　視覚障害のある利用者にとって、「あそこ」「こちら」「そこに」等の**抽象的な表現**では、それらが示す場所や方向が**わからない**。視覚障害のある人に対して場所や周囲の状況を説明する際は,「これ」「それ」「あれ」「どれ」等の「こそあど言葉」の使用は避け，右か左か，あと何m先か，目印となる物は何か等，**具体的な表現**で説明する。

4　×　A さんは失明しており，相手の姿が見えないため，声をかける前に身体に触れると驚いてしまう。よって，身体に触れる前に，誰かわかるように**名前**を名乗りながら**声かけ**を行う必要がある。

5　○　日常生活では文字から多くの情報を得ている。よって，失明した A さんのように文字が見えない視覚障害のある人に代わって，文書を読み上げる**代読**は重要である。代読の際は，書かれている内容を**正確**に読むことが求められる。

問題 75　正解 2

重要度	☆☆☆
難易度	★★★

運動性失語症のある利用者への対応

1 × **運動性失語症**の場合は，伝えたい言葉がうまく出てこなかったり，言い間違えたりするため，実物を提示して選んでもらうのは適切な方法といえる。ただし，Bさんには**右片麻痺**《みぎかたまひ》があるため，**右手**で行いたいものを示すのは**困難**である。

2 ○ 運動性失語症の場合は思うように**言葉**が出ず、上手く話すことができない。よって、**写真，図，イラスト**等を用いて選べるように工夫するのは適切である。

3 × 運動性失語症になると伝えたい**言葉**が出てこなかったり，言葉を**言い間違えた**りする。よって，ゆっくり尋ねたとしても，行いたいゲーム名を**言葉**にして相手に伝えることが**難しい**場合もある。

4 × 運動性失語症の場合，他の人が話す内容はおおむね**理解**できるため，「囲碁《いご》をしませんか」のように,「はい」または「いいえ」で答えられる**閉じられた**質問を用いることは適切である。ただし，事例には「囲碁，将棋，チェス，オセロのうち，どれを行うのかを決めてもらうことにした」とあるため，囲碁のみを確認するのは**不十分**といえる。

5 × 運動性失語症の場合，漢字よりも**仮名**を間違えやすい。例えば「囲碁」「将棋」と漢字で書くよりも，「いご」「しょうぎ」と**ひらがな**で記すほうが**わかりづらい**。さらに運動性失語症が重度になるにつれて，**文章**を組み立てて伝えることが**困難**となる。よって，運動性失語症の場合，五十音表でひらがなを指してコミュニケーションを図る方法は**適切とはいえない**。

問題 76　正解 4

重要度	☆☆☆
難易度	★★★

客観的事実を表す介護記録

1 × Cさんは「天井《てんじょう》の隅《すみ》に監視カメラがあって，俺のことを見張っている」「早くカメラを外してほしい」と発言しているものの，「監視カメラが仕掛《しか》けられている」とは発言していない。「監視カメラが仕掛けられている」は，訪問介護員の判断でCさんの発言を**省略**したものであり，**客観的事実を表していない**。

2 × 実際には存在しない監視カメラがCさんには見えて，「天井の隅に監視カメラがあって，俺のことを見張っている」「早くカメラを外してほしい」と発言はしているものの，それらを幻視《げんし》の症状と解釈するのは**訪問介護員の主観**となる。さらに訪問介護員は**医師ではない**ため，自らの判断で幻視と決めつけるのも**適切ではない**。

3 × 「早くカメラを外してほしい」と先に訴えたのではなく，Cさんは**最初**に「天井の隅に監視カメラがあって，俺のことを見張っている」と大声を出している。訪問介護員の判断によってCさんの発言の**順番**を変えて記載することは**客観的事実とはならない**。

4 ○ 訪問介護員に対してCさんは実際に「天井の隅に監視カメラがあって，俺のことを見張っている。早くカメラを外してほしい」と言っている。よって，この記録は実際にあった事実を記載した**客観的事実を表す**介護記録に該当する。

5 × 「天井の隅に監視カメラがあって，俺のことを見張っている」と大声を発したことは事実だが，それを奇声をあげたと解釈するのは**訪問介護員の主観**となる。

問題 77　正解 3

重要度	☆☆
難易度	★★

統合失調症のある利用者への対応

1 × 実際には監視カメラが存在しないにもかかわらず，「天井《てんじょう》の隅《すみ》に監視カメラがあって，俺のことを見張っている」というCさんの発言は，**統合失調症**による**被害妄想**であると考えられる。**妄想**とは，非現実的なことや現実にはあり得ないことを信じ込むことである。よって，監視カメラで見張られていると信じ込んでいるCさんに対し，監視カメラが存在しないと説明することは**適切な対応とはいえない**。場合によっては「自分のことを**信じてくれない**」という思いをCさんに抱《いだ》かせるおそれもある。

2　×　たとえ統合失調症による妄想で**支離滅《しりめつ》裂《れつ》な発言**をしていたとしても，利用者の話は**誠実に聞く**ようにする。

3　○　実際には監視カメラが存在しないにもかかわらず，「天井の隅に監視カメラがあって，俺のことを見張っている」というCさんの発言は，統合失調症による**被害妄想**であると考えられる。この場合，話の内容が理解できなくても，**否定も肯定もせず**，非審判的な態度で関わることが基本となる。

4　×　「天井の隅に監視カメラがあって，俺のことを見張っている」というCさんの発言は，統合失調症による被害妄想であると考えられる。妄想の内容を詳しく聞くことは，その妄想をかえって**助長**させるおそれがある。

5　×　「天井の隅に監視カメラがあって，俺のことを見張っている」というCさんの発言は，統合失調症による被害妄想であると考えられる。事実，訪問介護員が目視で部屋を確認するかぎり，監視カメラは存在しない。よって，Cさんの**妄想**を肯定し，実際には存在しない監視カメラを外すという提案は**不適切**といえる。仮に嘘《うそ》をついて訪問介護員が「監視カメラを外した」とCさんに伝えても，それによってCさんの妄想がなくなるかどうかは**わからない**し，かえって症状を**悪化**させるおそれもある。

問題 78　**正解　5**　重要度 ☆☆　難易度 ★★

介護福祉職と利用者の家族との関係づくり

1　×　利用者の意向は重要だが，利用者を支える**家族**の意向も大切にしなければならない。介護福祉職には，利用者と家族それぞれの**意向**を個別に把握した上で**調整**を図ることが求められる。

2　×　家族が間違った方法で介護を行っていたとしても，すぐに**否定したり訂正したりしてはならない**。**家族の思いや考え**等も聴きながら，**一緒に**より良い方法を検討していく姿勢が介護福祉職には求められる。

3　×　介護福祉の仕事に限らず，どのような仕事であっても，仕事を行う上では**身だしなみ**を整えることは重要である。乱れた服装や不潔な姿は，利用者やその家族に**マイナス**の印象を抱《いだ》かせ，その後の**関係形成**に**悪影響**を及ぼすおそれがある。

4　×　日頃から利用者の家族とは利用者に関する情報を**共有**するように努める。利用者を看取る家族に対して，利用者の死が近づいてきたことやそれに伴う身体上の**変化**について丁寧《ていねい》に説明するといった**情報提供**が重要となる。

5　○　利用者と関わる家族の様子は，あくまでもその家族の**一面**にすぎない。その様子だけで，理解できたと**思ってはいけない**。

問題 79　**正解　4**　重要度 ☆☆☆　難易度 ★★★

介護福祉職が行う報告等

1　×　事故やトラブル，苦情などは，すぐに対応しなければならない緊急性の高いものもあるため，まずは**上司**に報告するのが基本である。

2　×　事故の大小にかかわらず，事故が発生した場合は**すぐに報告**する。なお，アメリカのハインリッヒ（Heinrich,H.）は1つの重大事故の背後には29件の**軽微《けいび》**な事故があり，その背景には300件のヒヤリハットが存在することを明らかにし（**ハインリッヒの法則**），軽微な事故や**ヒヤリハット**も軽視してはならないことを指摘している。

3　×　事故が発生した場合，すぐに上司に口頭で報告する。その際は，要点を押さえながら，いつ，どこで，誰に対して，どのような事故が発生したのか等，**結論**から先に伝える必要がある。

4　○　指示を受けた業務内容に不明な点があった場合，その場で指示した職員に質問する等，**業務前**に必ず**確認**しておく。

5　×　事故報告書には，事故の状況といった**客観的事実**だけでなく，事故が発生した要因として何が考えられるか，再発防止に向けて何が必要かといった**介護福祉職の判断や考え**等も記載する必要がある。その際は，客観的事実と介護福祉職の判断や考え等を**分ける**ようにする。

生活支援技術

問題 80	正解 4	重要度	☆☆☆
		難易度	★★

高齢者に配慮した住環境整備

1　×　浴槽《よくそう》への出入りを行いやすくするため，洗い場から浴槽縁《よくそうふち》までの高さを **40cm** 程度とするのが一般的である。

2　×　トイレのドアは**引き戸**が望ましい。開き戸となる場合は，緊急時に備え，**外開き**とする。もしもトイレ内に人が倒れていた場合，内開きだと，その人に戸がぶつかり，戸を開けられないおそれがある。

3　×　自走用標準型車いすの多くは，その幅が **62 ～ 63cm** 程度であるため，60cm 程度の廊下幅では**自走用標準型車いす**が通行することは**困難**である。この場合，廊下の幅を最低でも **85 ～ 90cm 以上**とする必要がある。

4　○　廊下に手すりを設ける場合，床からの高さを **75 ～ 80cm** 程度とする。または**大腿骨大転子**《だいたいこつだいてんし》の位置に手すりを設置する。

5　×　階段には**両側**に手すりを設置することが望ましい。手すりを片側しか設置できない場合は，**下りる時**に**利き手**または**健側**となる側に取り付ける。

問題 81	正解 1	重要度	☆☆☆
		難易度	★★★

介護保険制度の給付対象となる住宅改修

1　○　介護保険制度では，①取り外しできない**手すり**の設置，②**段差**の解消，③滑りにくい**床材**《ゆかざい》への変更，④開き戸から**引き戸**への扉の取り替え，⑤和式便器から**洋式便器**への取り替え，⑥①～⑤の住宅改修に**付帯**して必要となる工事等に対して，**住宅改修**の給付が適用される。これら①～⑥のうち，滑りにくい床材に変更するための**下地**《したじ》補修は，⑥に該当する。

2　×　トイレの増設は，介護保険制度の給付**対象外**となる。トイレに間に合わないケースでは，トイレに近い部屋を寝室に変更したり，場合によっては夜間だけポータブルトイレを使用したりする方法もある。

3　×　**取り外し**が可能なスロープの設置は，介護保険制度における**福祉用具貸与**《たいよ》の対象である。一方，取り外しが**できない**ように**スロープ**を設置する場合は，介護保険制度の住宅改修の**給付対象**となる。

4　×　車いすを乗せて上下に動くことで段差を乗り越える**段差解消機**は，介護保険制度における**福祉用具貸与**《たいよ》の対象種目の1つである。

5　×　現在使用している洋式便器に**暖房**機能や**洗浄**機能を付加する場合は，介護保険制度の住宅改修の給付**対象外**となる。

問題 82	正解 2	重要度	☆☆
		難易度	★★

標準型車いすを用いた移動の介護

1　×　車いすでスロープを下りる時や**下り坂**では，**後ろ向き**で**ゆっくり**と進む。スロープを下りるときや，下り坂などで車いすを**前向き**にして進むと，利用者に**恐怖感**を与えるとともに，車いすから**転落**するおそれもある。

2　○　段差を上がる時は，**前輪**（キャスター）を上げ，**駆動輪**（後輪）が**段差**に接するまで前進する。その後，段上に**前輪**（キャスター）を下ろし，グリップを押し上げながら段上に**駆動輪**（後輪）を乗せる。

3　×　安全確保のため，**ブレーキ**の利き具合や駆動輪（後輪）の**空気圧**等の車いすの点検は，車いすの**使用前**にその都度行う。

4　×　砂利道《じゃりみち》では，揺れや衝撃《しょうげき》を軽減するため，**前輪**（キャスター）を**持ち上げた**状態で**駆動輪**（後輪）のみで進む。ただし，乗り心地や安全性からは，できる限り砂利道等の**悪路**での車いすの移動は**避けたほうがよい**。

5　×　片麻痺《かたまひ》のある利用者が片足こぎを行う場合は，健側の足の動作を妨《さまた》げないようにするため，**レッグサポートは外しておく**。その際，健側の足底が床につくようにし，患側（麻痺側）の足は**フットサポート**に乗せる。

問題 83　正解 2　重要度 ☆☆☆　難易度 ★★★

右片麻痺《みぎかたまひ》の利用者に対する杖歩行時の介護

1　×　3動作歩行とは，①**杖**→②**患側**（**麻痺側**）の足→③**健側**の足の順に動かす杖歩行を指す。この時，利用者は**患側**（**麻痺側**）斜め後方に転倒しやすいため，介護福祉職は利用者の**患側**（**麻痺側**）**斜め後方**に位置して転倒防止を図る。よって，右片麻痺のDさんの場合は，Dさんの**右斜め後方**に位置して見守る。

2　○　片麻痺の利用者が杖歩行で階段を**上がる**場合は，**杖**→**健側**の足→**患側**（**麻痺側**）の足の順に行うのが基本である。よって，右片麻痺のDさんには，**杖**→**左足**→**右足**の順に声かけを行う。

3　×　片麻痺の利用者が杖歩行で階段を**下りる**場合は，**杖**→**患側**（**麻痺側**）の足→**健側**の足の順となる。その際，万が一の転倒・転落を防ぐため，介護福祉職は利用者の**患側**（**麻痺側**）**前方**に位置する。よって，右片麻痺のDさんには，右前方に位置して見守る。

4　×　杖歩行で段差や溝《みぞ》をまたぐ際は，杖は段差や溝の手前ではなく，**段差や溝の先**（**向こう側，奥**）に突《つ》く。

5　×　溝や段差を越える際は，**杖**→**患側**（**麻痺側**）の足→**健側**の足の順に出し，健側の足は患側の足に**そろえる**。その際，足は**杖よりも前に出さない**。足が杖よりも前にあると後方に**重心**が移り，後方への転倒につながるおそれがある。

問題 84　正解 5　重要度 ☆☆☆　難易度 ★★

視覚障害のある利用者の支援

1　×　足元の状況を含めて安全を確認するため，バスや**電車**に乗る際は**介護福祉職**が先に乗って誘導する。一方，自動車やタクシーに乗る際は，視覚障害のある利用者が先に乗る。

2　×　視覚障害者用誘導ブロックには進行方向を示す**線状**ブロック，危険箇所を示す**点状**ブロック，駅のホーム側を示す**内方線付き点状**ブロックがある。駅で電車を待つ際，点状ブロックの上に立っていることは非常に**危険**であるため，介護福祉職は視覚障害のある利用者を点状ブロックより**内側**のホームの安全な場所に誘導する。

3　×　視覚障害のある利用者への**ガイドヘルプ**では，介護福祉職の**肘の上**を視覚障害のある利用者に握ってもらい，利用者よりも**半歩前**で介護福祉職が誘導するのが基本である。

4　×　視覚障害のある利用者が**白杖**《はくじょう》（盲人安《もうじんあん》全杖《ぜんづえ》）を使用している場合，介護福祉職は白杖《はくじょう》（盲人安全杖《もうじんあんぜんづえ》）とは**反対側**に位置し，利用者よりも半歩前で誘導する。

5　○　狭い通路・場所を歩く際，介護福祉職は握られている腕を**背後**に回し，視覚障害のある利用者が介護福祉職の**真後ろ**に入り，**一列**となって進むようにする。

問題 85	正解　4	重要度 ☆☆
		難易度 ★

和式寝衣《しんい》をベッド上で交換する際の介護

1　×　片麻痺《かたまひ》の利用者に対する衣服の着脱介護では，**脱健着患**《だっけんちゃっかん》の原則に基づき**健側**のほうから衣服を脱ぐ。左片麻痺の利用者が和式寝衣をベッド上で臥床《がしょう》したまま交換する際，介護福祉職は利用者の健側である**右側**に立つ。

2　×　袖《そで》を抜く際は，襟元《えりもと》を緩め，**肩**関節→**肘**《ちゅう》関節→**手**関節の順で行う。

3　×　皮膚から剥《は》がれた**落屑**《らくせつ》や汚れ等がシーツや新しい寝衣に飛散したり付着したりしないよう，脱いだ寝衣は肌に触れていた面が**内側**になるように丸めて，利用者の身体の下に入れる。

4　○　**患側**（麻痺側）を下にした側臥位《そくがい》の場合，血液の**循環**障害が生じたり，**負傷**してもすぐに気づけなかったりする危険性がある。そのため，左片麻痺の場合は**健側**を下にした右側臥位とし，脱いだ寝衣を引き出す。

5　×　**左**前**身**頃《まえみごろ》が**右**前**身**頃の**上**になるように重ね，向かって正面から「ソ」の形に見えるように着る。

問題 86	正解　2	重要度 ☆☆
		難易度 ★★

総義歯（全部床《しょう》義歯）の取り扱い

1　×　口腔《こうくう》内の清潔を保ち，誤嚥《ごえん》性肺炎を予防するためにも，**毎食後**，義歯を外し，流水で**義歯専用ブラシ**を用いて洗浄する。

2　○　総義歯（全部床《しょう》義歯）は，**脱健着患**《だっけんちゃっかん》の考え方を参考とし，動く**下顎**《かがく》（下の顎《あご》）から取り外し，動かない**上顎**《じょうがく》（上の顎）から装着する。よって，総義歯を入れる際は，**上顎**《じょうがく》**→下顎**《かがく》の順に装着する。

3　×　上顎《じょうがく》用の総義歯（全部床《しょう》義歯）は，**後方を下げる**ようにすると簡単に取り外せる。

4　×　熱湯を用いた場合，義歯が**変形**してしまう。義歯を洗浄する際は，**流水下**で義歯専用ブラシを使う。その際は義歯の**摩**《ま》**耗**《もう》やキズにつながるため，研磨剤が含まれた**歯磨剤**《しまざい》（歯磨き粉）を使わない。

5　×　義歯を保管する際は，義歯の**全部**が浸《つ》かるように浸け置きタイプの**義歯洗浄剤**または清潔な**水**を保管容器に入れる。義歯が浸かっていない部分があると，その部分が**乾燥**し，**ひび割れ**や変形につながるおそれがある。

問題 87	正解　1	重要度 ☆☆☆
		難易度 ★★★

利用者の状態・状況に応じた食事支援

1　○　嚥下《えんげ》障害がある場合，食べ物の温度が**人肌**の温度（**37℃程度**）であるとむせが生じやすい。一方，冷たい食べ物や温かい食べ物は喉《のど》の感覚を刺激し，**嚥下**《えんげ》**反射**が起こりやすくなる。よって，**冷たい食べ物は冷たく，温かい食べ物は温かく**して提供し，嚥下《えんげ》を促すようにする。食べ物に適した温度とすることは，美味しく食べることにもつながる。

2　×　片麻痺《かたまひ》がある場合，**食物残渣**《ざんさ》は患側（麻痺側）に残りやすい。よって，右片麻痺《みぎかたまひ》の場合には**健側**である**左側**から食事介護を行いつつ，**右側**の口腔《こうくう》内に食べ物が残っていないかを確認する。

3　×　**左半側空間無視**《ひだりはんそくくうかんむし》とは視力自体に問題はないものの，左側にある物に注意が向かず，左側が認識しづらくなることである。この場合，トレーの左側に**目立つ印**をつけたり，左側を**意識**するような声かけを行ったりする等，認識しづらい**左側**に注意が向くような支援が大切となる。一方，**クロックポジション**は，視覚障害のある人が食事等を行う際，どこに何が置いてあるかを時計の**文字盤**にたとえて説明する方法である。

4　×　会話をしながらの食事は**誤嚥**《ごえん》の危険性を高める。特に**構音**《こうおん》**障害**の場合は，うまく話せないだけでなく，摂食や嚥下がうまくできないケースも多い。誤嚥《ごえん》を防ぐためにも，食事中は**過度の会話を控え**，できる限り食べることに集中する。

5 × むせているときにすぐに水分を摂取すると，**誤嚥**の危険性を高めるので，食事中にむせた場合は，しっかりと**咳**《せき》をして食べ物を排出し，食べ物が**気管**に入らないようにする。

問題 88　正解 5　重要度 ☆☆☆　難易度 ★★★

慢性閉塞性肺疾患《まんせいへいそくせいはいしっかん》のある利用者の食事

1 × 慢性閉塞性肺疾患（COPD）の症状には**息切れ**，**咳**《せき》，**痰**等がある。痰には水分とたんぱく質が含まれるため，痰が多く出る場合には水分に加え，**たんぱく質**の多い食事を意識して摂取する。筋力低下を防ぐためにも，たんぱく質の摂取は有効である。

2 × **繊維質**が多い芋類等を摂取した場合，胃が膨《ふく》れ，**横隔膜**《おうかくまく》が圧迫されて呼吸しづらくなる。よって，呼吸機能が低下する慢性閉塞性肺疾患（COPD）の場合，胃が膨《ふく》れる繊維質の多い食品の摂取は**控える**。

3 × 慢性閉塞性肺疾患（COPD）の場合，一気に水分や食べ物を摂取すると胃が膨れ，呼吸しづらくなる。よって，水分や食べ物を摂取する際は1回の量を**減らし**，その代わりに回数を**増やす**とよい。

4 × 慢性閉塞性肺疾患（COPD）の場合，息切れで呼吸に**エネルギー**を使うほか，咳や痰で体力を消耗しやすい。よって，**高カロリー**の食事を摂取する。

5 ○ 炭水化物やたんぱく質が体内で燃焼される際，**二酸化炭素**を多く発生させるため，息を吐き出す力が**低下**している慢性閉塞性肺疾患（COPD）のある利用者には負担につながるおそれがある。一方，脂質は排出される二酸化炭素の量が**少なく**，**肺への負担が軽い**。よって，**脂質**を加え高カロリーの食事を効果的に摂取することが望ましい。

問題 89　正解 5　重要度 ☆☆　難易度 ★★

介護福祉職が利用者に行う手浴・足浴

1 × 手浴を行う際は，肘を手より**高く**し，手が肘よりも下となる姿勢とする。肘が手より低い状態で手浴を行うと，肩や腕に**負担**がかかる。

2 × 個人差があるものの，手浴は**5～10分**程度，お湯に手首まで浸《ひた》す。30分程度お湯に浸すと，利用者によっては**疲労感**が高まるおそれがある。

3 × 一般的に足浴には，血行を**促進**したり，爽快感《そうかいかん》を得られたりするほか，**眠気**を催《もよお》し，**快眠**につなげる効果もある。

4 × 足を洗う際は，利用者の**踵**《かかと》を支えながら行う。つま先を持った場合，足関節が**安定せず**，洗いにくくなる上，足の指の関節に**負担**がかかる。

5 ○ 糖尿病がある場合，血糖値が上がって皮膚の**水分**が失われ，**乾燥肌**になりやすい。皮膚が乾燥すると**傷つきやすく**なる上，**感染症**になる危険性も増す。よって，皮膚の乾燥を防ぐためにも，足浴後に足の**保湿**を行うことが大切である。

問題 90　正解 5　重要度 ☆☆　難易度 ★★

ケリーパッドを使用して行うベッド上での洗髪

1 × ケリーパッドとは，臥床している利用者の洗髪時に使用する洗髪用具の一つで，利用者の後頭部がケリーパッドの**中心**となるように当てる。その際，頸部《けいぶ》に負担がこないよう，**頸部**《けいぶ》はケリーパッドの**縁**《ふち》にのせる。

2 × ベッド上でケリーパッドを使用して行う洗髪は，できる限り負担のかからない**安楽**な姿勢を保つことが重要である。そのため，利用者の**膝**を曲げ，その膝下に**クッション**等を入れることが望ましい。

3 × 爪を立てて洗うと頭皮が**傷つく**。よって，**爪**を立てず，指の**腹**で髪の毛の**生**《は》**え際**《ぎわ》から**頭頂部**に向けて**頭皮**をマッサージするように洗うとよい。

4 × ブラッシングには，髪の**ほつれ**をとったり，頭皮に付着した**汚れ**を取り除きやすくしたりする効果がある。そのため，洗髪前のブラッシングを**控える必要はない**。

5 ○ 髪の毛の根元は頭皮に近く，そこが湿ったままの状態では**寒気**《さむけ》を感じるほか，**雑菌**の増殖にもつながる。しかし，髪の毛が集中している根元ほど乾きづらいので，洗髪後，まずタオルで十分に**水分**を拭き取り，次にドライヤーを使って髪の毛の**根元**から乾かしていくことが大切である。

問題 91	正解 1	重要度 ☆☆
		難易度 ★

要介護高齢者に対する入浴支援

1 ○ 衣服を脱いだ時に寒さを感じないよう，脱衣室は**24℃前後（22～26℃程度）**に調整する。また，**ヒートショック**予防のため，浴室との温度差が生じないようにすることも大切である。

2 × 浴槽《よくそう》への出入りにシャワーチェアーを用いる際は，事前に浴槽とシャワーチェアーの高さを**同じ**に調整しておく。高さが異なっていた場合，シャワーチェアーから浴槽へ，または浴槽からシャワーチェアーへの**移乗**が難しくなる。

3 × 片麻痺《かたまひ》の場合，浴槽《よくそう》には利用者の**健側**から入る。よって，右片麻痺の場合，利用者は健側の**左**から浴槽に入り，介護福祉職は**患側（麻痺側）**である利用者の**右側**を支える。

4 × 片麻痺の利用者が浴槽内《よくそうない》から立ち上がる際は，利用者の**健側**の膝を立てて，健側の**踵**《かかと》を臀部《でんぶ》に引き寄せるとともに，健側の手で**手すり**をつかんで**前傾姿勢**をとり，**臀部**《でんぶ》を浮かせるようにする。それにより**重心移動**が円滑に行われ，立ち上がりやすくなる。左片麻痺の場合，**右手**で手すりをつかむのは問題ないが，身体を真上に上げるのは**立ち上がり**の動作として不適切である。

5 × 入浴は**体力**を消耗しやすいため，入浴時間は**10～15分**程度とし，お湯に浸《つ》かる時間は**5分**程度とすることが望ましい。

問題 92	正解 2	重要度 ☆☆
		難易度 ★

清拭《せいしき》

1 × 清拭を行う際は，使用する**蒸しタオル**が冷めてしまうことも考慮し，**55～60℃**程度のお湯を準備する。

2 ○ 全身清拭は時間がかかり，体力を消耗しやすい。よって，**全身倦怠感**《けんたいかん》が強い場合や**体力**が低下している場合には，一度に全身清拭を行うのではなく，**数日**に分けて**部分清拭**を実施する。

3 × 末梢《まっしょう》血管を刺激して血液循環を促すため，清拭は**末梢**から**中枢**《ちゅうすう》に向かって行う。よって，上肢の清拭は，**手先→前腕→上腕**の順に実施する。

4 × 目から鼻にかけての涙の通り道である**鼻涙管**《びるいかん》から細菌が入って感染症を起こさないよう，**目頭**から**目尻**に向けて拭く。

5 × 全身清拭の際，手関節（手首）を支えるだけでは，**上腕**が安定しない。よって，上腕を拭く際は，**肘**《ちゅう》**関節**から下を支える。

問題 93	正解 1	重要度 ☆☆
		難易度 ★★

乾皮症《かんぴしょう》がある高齢者への入浴介護

1 ○ **乾皮症**とは皮膚に含まれる水分量が減り，皮膚が乾燥してしまう疾患《しっかん》を指し，**保湿剤**の使用が有効である。保湿剤には皮膚の**水分**を逃がさず，蓋《ふた》をする役割がある。よって，入浴後，皮膚が**湿っているうちに**保湿剤を塗る。皮膚が乾いてしまってから保湿剤を塗っても，十分な効果は**得られない**。

2 × 乾燥した肌は皮脂量や角質の水分量が**減少**し，刺激に**弱い**。よって、石鹸《せっけん》を**泡**

立て，**こすらないよう**泡で**やさしく**洗う。

3 × **アルカリ性**の石鹸《せっけん》は皮膚への刺激が**強く**，さらに皮膚の乾燥が悪化してしまう。乾皮症がある高齢者には，刺激が少なく，皮膚の pH に近い**弱酸性**の石鹸を使用する。

4 × 硫黄《いおう》を含む入浴剤は，皮膚のバリア機能を低下させ，ダメージを与えるおそれがある。乾皮症がある高齢者には，**硫黄**を含まず，**保湿**効果がある入浴剤を使用するとよい。

5 × 素肌に羊毛素材が直接触れると皮膚を刺激し，**かゆみ**（**掻痒《そうよう》感**）が強まるおそれがある。よって，乾皮症がある場合，**羊毛**やチクチクするもの等，肌を刺激する素材の衣類の着用は**控える**。

問題 94	正解 4	重要度 ☆☆
		難易度 ★

便秘の症状がある利用者への支援

1 × 便秘の際は，腸の**蠕動《ぜんどう》運動**を高めるため，**上行《じょうこう》**結腸→**横行《おうこう》**結腸→**下行《かこう》**結腸→**S状**結腸の順に「の」の字を描くように**時計回り**でマッサージするとよい。

2 × 便秘の場合は，**温罨法《おんあんぽう》**によって腹部を温めるとよい。温罨法には**大腸**の動きを促進し，自然排便を促す効果がある。一方，外傷により熱を伴った炎症状態が起きた際は，**冷罨法《れいあんぽう》**で冷やして痛みを緩和するケースが多い。

3 × 便座に座る際は，**足底**を床につけ，ロダンの「考える人」のような**前傾姿勢**をとると**腹圧**をかけやすく，**直腸**と肛門の角度がまっすぐとなり，便が排出しやすい。背筋を伸ばした場合，腹圧をかけにくく，排泄《はいせつ》に適した姿勢とはいえない。

4 ○ オリーブオイルやゴマ油等の油には便の滑りを良くして排便しやすくする**滑腸《かっちょう》**作用がある。よって，便秘傾向がある場合は，**油**の摂取も有効である。

5 × ごぼう，寒天，きのこ，海藻類など**食物繊維**を多く含む食品は，**腸の蠕動運動**を促進させるため，便秘の症状がみられる場合には有効である。

問題 95	正解 5	重要度 ☆☆
		難易度 ★★

差し込み便器による排泄《はいせつ》介護

1 × 便器を差し込む際は，下着を**膝**まで下ろしておく。「大腿部まで」とした場合，便器が差し込みづらくなるほか，下着を**汚す**おそれもある。

2 × 差し込み便器を使用する際，両脚を伸ばしたままでは便器を差し込むことが難しく，腹圧をかけづらい。腰上げをしやすいように**膝を曲げて**足底をベッドにしっかりとつけると腹圧をかけやすくなり，排泄《はいせつ》しやすくなる。

3 × **仙骨部**に差し込み便器が当たらないようにするとともに，**肛門**が便器の中央に位置するように調整する。

4 × ベッドをギャッチアップして**上半身**を起こし，腹圧をかけやすくする。

5 ○ 男性の場合，**排便は差し込み便器**を使用し，**排尿は尿器**を使用する。一方，女性の場合は排便も排尿も差し込み便器で可能である。ただし，その際は，尿の飛び散りを防ぐため，**トイレットペーパー**を恥骨《ちこつ》部から会陰《えいん》部に当てて，差し込み便器の底に垂《た》らしておく。

問題 96	正解 1	重要度 ☆☆☆
		難易度 ★★★

立位に一部介助が必要な右片麻痺《みぎかたまひ》のある利用者がトイレで排泄を行う際の支援

1 ○ 片麻痺の場合，利用者の**健側**を活用して移乗できるようにするため，原則として**健側**に便座が位置するように車いすを置く。よって，右片麻痺のあるＦさんが車いすから便座に移乗する際は，**健側**の**左側**に便座が位置するように**車いす**を置くのが基本となる。

2 × 片麻痺の場合，立位時や歩行時に**患側**（**麻痺側**）後方に倒れるおそれがある。

よって，右片麻痺のあるＦさんが車いすから便座に移乗する際は，患側（麻痺側）の**右側**に位置して支える。

3　×　背もたれに寄りかかるように座ると，**腹圧**をかけにくく，排泄《はいせつ》時に力むことができない。便座での座位姿勢を安定させ，排泄しやすい姿勢とするためには，**足底**を床につけ，腹圧をかけやすくするため，**前傾姿勢**をとる必要がある。

4　×　排泄終了後，すぐに立ち上がるのではなく，先に下着とズボンを**大腿部**まで上げておくと，立位後にスムーズに下着とズボンを着ることができ，Ｆさんの負担の軽減につながる。

5　×　片麻痺の場合，利用者は**健側**の手を使って**患側（麻痺側）**の手は洗えるが，**健側の手**を自分で洗うのは難しい。よって，右片麻痺のあるＦさんは健側の**左手**で患側（麻痺側）の**右手**は自分で洗えるため，介護福祉職はＦさんの**右手**を洗う必要はない。ただし，**健側**の**左手**はＦさん自身では洗いにくいため，介護福祉職が手洗いを支援する。

問題 97	正解 5	重要度 ☆☆
		難易度 ★★

自己導尿

1　×　自己導尿は，**腹圧**をかけやすくするため，利用者が**座位**姿勢で行うのが基本である。

2　×　常にカテーテルが膀胱《ぼうこう》に留置されている**膀胱留置《ぼうこうりゅうち》カテーテル**とは異なり，**自己導尿**は排尿障害が原因で残尿感がある場合等に，**利用者**が自らの手でカテーテルを尿道から入れて尿を体外に排出する。自己導尿は**医行為**となるため，**介護福祉職**がカテーテルを挿入《そうにゅう》することはできない。

3　×　自己導尿により排出された尿の量・色・性状等の尿の観察は**介護福祉職**が行うことも**できる**。尿量の減少や尿の混濁《こんだく》，血《けつ》尿《にょう》等の異常が確認された時には速《すみ》やかに**医師**や看護師に報告する。

4　×　感染症予防のため，自己導尿を行った後は，**その都度《つど》**，尿道口を**清浄綿《せいじょうめん》**で清拭《せいしき》する。

5　○　自己導尿のカテーテルには１回ずつの**使い捨て**タイプと**再利用**できるタイプがある。再利用できるタイプの場合，使用後は**水道水**で内外をしっかりと洗った後，**消毒液**入りの専用ケースに入れて保管する。

問題 98	正解 3	重要度 ☆☆
		難易度 ★★

疾病《しっぺい》と利用者の食生活

1　×　**骨粗鬆症《こつそしょうしょう》**の予防には，①骨をつくる**カルシウム**（乳製品，豆類，卵黄等），②カルシウムの吸収を促進する**ビタミンＤ**（干ししいたけ，魚等），③骨の健康維持を図る**ビタミンＫ**（納豆，青汁等）の摂取が重要となる。**カリウム**は体内の余分な塩分を排出して血圧を下げるため，高血圧症の予防に有効である。

2　×　心臓機能障害によって血の塊《かたまり》である**血《けつ》栓《せん》**ができやすい場合は，血液をさらさらにするワルファリンという**抗凝固薬《こうぎょうこやく》**を服用することがあるが，**青汁**や**納豆**，**クロレラ**等，ビタミンＫを多く含む食品を摂取すると，抗凝固薬の効果が**弱く**なってしまう。よって，抗凝固薬を服用している場合は**ビタミンＫ**を多く含む青汁等の摂取は控える。

3　○　果物や生野菜には**カリウム**が多く含まれている。本来，カリウムは腎臓から尿の中へと排泄《はいせつ》される。しかし，**人工透析**をしている利用者は腎機能に障害があるため，カリウムが排泄されずに血液中に蓄積し，**高カリウム血症**を引き起こすおそれがある。よって，人工透析をしている利用者は**果物**や**生野菜**の摂取を控える必要がある。特に，**ドライフルーツ**，**果汁100%ジュース**，**バナナ**等はカリウムを多く含むため、それらの摂取は避ける。

4　×　**高血圧症**の治療においては食塩制限が重要であり，日本高血圧学会では男女ともに**1日6g未満**の**塩分制限**を推奨している。

5　×　逆流性食道炎は，食道に逆流した**胃酸**によって食道に炎症が起きる疾患《しっかん》である。脂肪を多く含む高脂肪食品を摂取した場合，食道と胃のつなぎ目にある**下部**《かぶ》**食道括約筋**《しょくどうかつやくきん》が緩み，胃酸が**逆流**しやすくなる。その結果，逆流性食道炎の症状を悪化させるおそれがある。

問題 99　正解 1　重要度 ☆☆　難易度 ★

ノロウイルスによる感染症とその対策

1　○　ノロウイルスはカキ等の**二枚貝**に付着していることが多い。そのため，ノロウイルスの主な感染経路は，そうした食品を摂取することによる**経口**感染である。なお，ノロウイルスによる経口感染を防ぐためには，二枚貝等の食品の中心部温度が**85～90℃以上**の状態で**90秒間以上加熱**する。

2　×　**ノロウイルス**は様々な消毒剤に対して高い抵抗力がある。例えば，**アルコール**やアルコールの一種である**エタノール**を用いても除菌効果は**得られない**。ノロウイルスによる感染症予防を図るには，**次**《じ》**亜塩素酸**《あえんそさん》**ナトリウム**を用いる。

3　×　ノロウイルスに汚染された部分を強くもみ洗いすると，空気中にウイルスが飛び散り，**飛沫**《ひまつ》感染の危険性が高まる。そのため，ほかの洗濯物とは**別**にし，**静かに**もみ洗いをする。

4　×　ノロウイルスが付着したシーツを加熱して消毒する場合は，**85℃以上**で**1分間以上**の**熱水**洗濯を行う。

5　×　ノロウイルスが含まれる嘔吐物《おうとぶつ》が乾燥した場合，ノロウイルスを含んだ埃《ほこり》が空気中に飛び散り，**飛沫**感染する危険性が高まる。嘔吐物は，**次亜塩素酸ナトリウム**を染み込ませたペーパータオルを用いて速《すみ》やかに拭き取り，ビニール袋に入れて**密閉**し，所定の場所に**廃棄**《はいき》する。

問題 100　正解 5　重要度 ☆　難易度 ★★★

2022（令和4）年「家計調査」（総務省統計局）における65歳以上の単身無職世帯の家計収支

1　×　65歳以上の単身無職世帯における**可処**《かしょ》**分所得**《ぶんしょとく》は**122,559円**であり，消費支出の143,139円を**下回っ**ている。なお，**可処分所得**とは実収入《じっしゅうにゅう》から非消費支出を引いたものである。

2　×　65歳以上の単身無職世帯における非消費支出は**12,356円**であり，1万円を**超えている**。

3　×　65歳以上の単身無職世帯における1か月の実収入は**134,915円**であり，15万円を**超えていない**。

4　×　65歳以上の単身無職世帯における主な支出は「**食費**」であり，支出全体の**26.2%**を占めている。なお「保健医療費」の支出全体に占める割合は5.7％となっている。

5　○　65歳以上の単身無職世帯における主な収入源は「**社会保障給付**」（**121,496円**）であり，実収入（134,915円）の**約9割**を占めている。

問題 101　正解 1　重要度 ☆☆　難易度 ★★

安眠に向けた支援

1　○　安眠のためには，季節によって寝室の室温を調整する。個人差はあるものの，例えば，**夏場**であれば**25℃**前後，**冬場**であれば**16～19℃**程度が望ましい。

2　×　安眠のためには，年間を通して湿度を**50～60%**程度に調整する。

3　×　夕食ではなく，**朝食**で牛乳，ヨーグルト，豆腐，納豆等の**トリプトファン**を含む食事を摂取する。その結果，日中には精神安定を図る**セロトニン**に変化し，夜には睡眠を促す**メラトニン**が生成されて安眠につながる。

4 × 就寝前に熱めのお風呂に入ると，**交感神経**が活発になって**血圧**が上がり，**覚醒**《かくせい》してしまう。さらに**深部**《しんぶ》体温（身体の中心部の温度）が上がったままの状態となり，寝つきが悪くなる。

5 × 個人差はあるものの，寝床内（布団の中）の温度が 22℃程度では寒すぎて**熟眠できない**ため，**33℃**程度に調整する。

問題 102 正解 4

重要度 ☆☆☆
難易度 ★★★

デスカンファレンス（death conference）

1 × **デスカンファレンス**は，主に亡くなられた利用者に関わったスタッフがこれまでの支援を振り返り，**今後の支援**に活かすために開催される。デスカンファレンスは利用者の死後のケアや家族への対応が終わり，他の業務にも支障がない時間帯に行う。また，時間の経過によって新たな気づきが生まれることもあるため，看取りから 1 か月程度後に実施される場合もある。いずれにしても，利用者が亡くなった直後は，利用者へのケアを振り返る**時間的な余裕はない**。

2 × デスカンファレンスは個人の責任を追及したり，反省を促したりする場**ではない**。他のスタッフの意見を**尊重**しながら，故人との関わりやケア内容・方法を**振り返り**，今後の支援につなげるという前向きな姿勢が大切となる。

3 × 亡くなられた利用者の家族の**希望**があれば，デスカンファレンスには**家族**も参加し，介護福祉職を含めたスタッフとともに故人への**関わりを振り返る**ことも可能である。

4 ○ 亡くなられた利用者に対する**悲しみ**や**思い出**等を共有する中で，スタッフ自身が**悲嘆**《ひたん》している状況を乗り越え，チームとして次に向かう力を得られる等，デスカンファレンスには**グリーフケア**（grief care）としての意味合いもある。

5 × デスカンファレンスは，亡くなられた利用者へのケアの全体像を**振り返る**中で，スタッフ一人ひとりの**精神面**を支えることも重要な役割となる。具体的には一人ひとりのスタッフが亡くなられた利用者に対する感情を表出する中で互いの**悲嘆**感情を共有し，ともに**支え合う**姿勢を再確認することができる。

問題 103 正解 1

重要度 ☆☆☆
難易度 ★★★

グリーフケア（grief care）

1 ○ グリーフ（grief）とは**悲しみ**や**悲嘆**《ひたん》を意味する。つまり，**グリーフケア**（grief care）とは大切な人を亡くした後の悲嘆している状況から立ち直れるように支援していくことを指すが，亡くなる前からの**関係性**も重視する。利用者が亡くなった際の家族等のショックや苦痛が過大なものとならないよう，利用者が亡くなる前から家族等を支えていく必要がある。よって，グリーフケアは死別後のみでなく，利用者の**生前**から死別後まで継続的に行われる。

2 × グリーフケアは，介護福祉職が主に担うのではなく，利用者の人生に携わったスタッフや関係者等による**多職種連携・多職種協働**で進めていく。

3 × 遺族が泣いていた場合，それは利用者が亡くなった**悲しみ**を表わす。こうした悲しみは，抑えるのではなく，むしろ表出することで，死別後の悲嘆している状況からの**立ち直り**につながる。よって，グリーフケアでは，遺族が十分に悲しみを**表出**できるように，その悲しみの内容を**よく聴き**，遺族の思いを**受け止める**姿勢が求められる。「寝ると気持ちが楽になりますよ」という声かけは遺族の悲しみを受け止めた発言とはいえない。

4 × 家族等と**相談**し，亡くなった利用者が親しかった人たちに集まってもらい，故人の**思い出話**をすることも，利用者が亡くなった悲しみから家族等が立ち直る取り組み（**グリーフワーク**：grief work）の一つとなる。

5　×　利用者が亡くなった後，グリーフケアとして遺族との**面談**や遺族への**電話**，自宅への**訪問**等が行われることもある。ただし，遺族によっては，面談や電話，訪問に**抵抗**がある人もいる。そのような場合にはスタッフが遺族宛《あ》てに**手紙**を書き，死別後の悲嘆している状況にある遺族を支えていく姿勢を示すことも**グリーフケア**の一つの方法となる。

問題 104　正解　3　重要度 ☆☆☆　難易度 ★★★

「人生の最終段階における医療・ケアの決定プロセスに関するガイドライン」

1　×　医療・ケアチームの対象に**介護従事者**が含まれることを明確化している。

2　×　通常は，心身の状態の変化等に応じて，本人の意思は変化していくものである。医療・ケアの方針や，どのような生き方を望むか等を，日頃から**繰り返し**話し合うこと，つまり**アドバンス・ケア・プランニング**（Advance Care Planning：**ACP**）の取り組みの重要性が強調されている。

3　○　**アドバンス・ケア・プランニング**（Advance Care Planning：**ACP**）に基づき繰り返し話し合った内容をその都度《つど》**文書**にまとめておき，本人，家族等と医療・ケアチームで**共有**することの重要性が記載されている。

4　×　本人が自らの意思を伝えられない状態になる**前**に，本人の意思を推定《すいてい》する者について，家族等の信頼できる者を**前もって**定めておくことの重要性が指摘されている。

5　×　今後，**単身世帯**が増えることを踏まえ，信頼できる者の対象を，家族から**家族等**（親しい友人等）に拡大した。

問題 105　正解　5　重要度 ☆☆　難易度 ★

福祉用具の使用

1　×　**固定型**歩行器は**両手**で持ち上げて使用するため，肩関節や肘《ちゅう》関節に**可動域制限**のある利用者に加え，**握力が低下**している利用者も使いにくい。

2　×　前腕**固定型**杖（ロフストランドクラッチ）は前腕を支えるカフが備わっており，**握力**が弱い利用者でも使用することができる。ただし，**関節リウマチ**等，関節に痛みがある利用者には**不向き**といえる。肘から手首までを支える**前腕受け**があり，手首に変形や痛みがみられる**関節リウマチ**のある利用者に適しているのは前腕**支持型**杖（プラットホームクラッチ）である。

3　×　**スライディングシート**（スライディングマット）は，身体を滑らせやすい素材や構造をもっており，**ベッド**上での移動で使用する。ボード上で臀部《でんぶ》を滑らせ，ベッドから車いす等への移乗を座位姿勢のまま行う際に用いるのは**スライディングボード**である。

4　×　入浴台のうち**バスボード**は，**両端**を浴《よく》槽縁《そうふち》にかけて使用する。一方の端を浴槽《よくそう》縁《ふち》にかけ，もう一方の縁を脚部で支えて使用する入浴台は**移乗台**である。

5　○　**段差解消機**は，利用者や車いすが乗るテーブルが**垂直**方向に昇降して段差を乗り越える福祉用具である。段差が **1m 以内**で**スロープ**の使用が**困難**な場合に使用することが多い。

介護過程

問題 106　正解　5　重要度 ☆☆☆　難易度 ★★★

介護過程を展開する目的

1　×　直感的な判断に基づく介護ではなく，介護過程を展開することで**根拠**（**エビデンス**：**evidence**）に基づく支援を行うことができる。

2　×　**介護過程**はアセスメント→介護計画の作成→実施→評価という流れで行われる。その流れの中で介護福祉職は**介護計画**を作成し，それに基づく支援を行う。一般的に**ケアプラン**はケアマネジャー（介護支援専門員）が作成する。

3　×　医師や看護師等の医療職との連携ももちろん重要だが，介護過程の展開では，医療職だけでなく，利用者や家族，同じ介護福祉職，介護支援専門員や管理栄養士等，多くの関係者と**多職種連携**を図ることが求められる。

4　×　利用者の家族の意思も重要であるが，介護過程を展開する目的は，家族の意思を代弁することではない。介護過程では，**利用者の望む生活**の実現に向けて，利用者自身の**意思**（思いや希望等）を第一義的に考慮する。その際，利用者が自らの意見を表明できない場合は，利用者の意思を**代弁**することが求められる。

5　○　介護過程では，画一的な対応をとるのではなく，Aさんには○○の支援，Bさんには□□の支援といった，一人ひとりの利用者の状況に応じた**個別ケア**を展開する必要がある。

問題 107　正解　1

重要度	☆☆☆
難易度	★★★

介護過程におけるアセスメント

1　○　**アセスメント**は，情報収集→情報の整理・統合・解釈→生活課題の明確化という流れで展開される。よって，アセスメントの目的は，利用者の**生活課題**を明らかにすることである。

2　×　アセスメントでは，収集した個々の情報を整理して**関連**づけ，**統合**して解釈していく必要がある。

3　×　情報には，利用者への支援に直接関係ない**不必要**な情報もある。よって，アセスメントでは，より多くの情報収集を行うことが目的ではなく，**必要**な情報であるかどうかを判断しながら意図的に**情報収集**を行い，そこから生活課題を見出すことが重要となる。

4　×　情報の**解釈**では利用者それぞれにどんな援助が必要かを検討し，**個別化**を図る。

5　×　達成できる目標（**長期**目標と**短期**目標）の設定は**介護計画の作成**で行われる。

問題 108　正解　2

重要度	☆☆☆
難易度	★★★

情報収集を行う際の留意点

1　×　情報収集は利用者の**全体像**を把握し，**生活課題**を見出すためにアセスメントの中で行われる。その上で生活課題に沿って**介護計画**が作成され，支援が展開されることになる。それに対し，実践したい支援に沿った情報収集は，まだ利用者の生活課題が抽出されていないにもかかわらず，**介護福祉職**が勝手に支援内容を先に決めて行うものである。こうした「支援内容先にありき」は**利用者本位の支援とはいえない**。

2　○　他の介護福祉職や他の専門職，家族，**記録**等から得られた情報は，**間接的な情報**として取り扱う。一方，利用者との会話等，介護福祉職自身が直接**利用者**と関わって得た情報は**直接的な情報**となる。

3　×　主観的情報には，**利用者の発言や思い，考え**等が該当する。よって，家族から聞いた利用者の生活歴は，利用者の過去を知る上で重要な情報ではあるが，**主観的情報ではない**。

4　×　アセスメントは，情報収集→情報の整理・統合・解釈→生活課題の抽出というような流れで行われる。つまり，情報収集は，介護過程におけるアセスメントの一環ではあるが，**アセスメント**自体を意味するものではない。

5　×　利用者本人の希望も重要だが，利用者の希望のみに沿った情報収集をすると，情報が**偏《かたよ》り**，**生活課題**を適切に抽出することができなくなる。**日常生活動作**

（ADL）で困難な部分や，家族や他の利用者との関係性，使用している福祉用具等，**ICF**（国際生活機能分類）に基づき**総合的に**情報収集する必要がある。

問題 109　正解　5　重要度 ☆☆☆　難易度 ★★★

介護計画における目標

1　×　介護保険制度では，**介護支援専門員**（ケアマネジャー）が作成した**ケアプラン**（居宅サービス計画や施設サービス計画等）に沿って介護過程が展開される。そのため，ケアプランと**介護福祉職**が作成した介護計画は，**整合性**がなければならない。よって，**介護計画**の目標（**長期**目標と**短期**目標）がケアプランと関連しないとするのは不適切である。

2　×　生活課題や長期目標に加え，短期目標を記述する際も主語は**利用者**とする。なぜならば，介護福祉職ではなく，利用者自身が解決する**生活課題**であり，利用者自身が達成する**長期目標**と**短期目標**となるからである。ここでいう長期目標と短期目標は，「介護福祉職がどのような目標のもとで利用者への介護を展開するのか」という**介護目標とは異なる**ことに注意する。

3　×　**長期**目標の期間は，その利用者の**生活課題**が解決する時期や生活課題が満たされる時期を予測して設定するため，利用者ごとに異なる。一般的に**6か月～1年**程度の期間を長期目標として設定することが多いものの，あくまでも，その**利用者**に応じた期間を設定する必要がある。よって，長期目標の期間を「3か月とする」と**断定**するのは**不適切**といえる。

4　×　長期目標と短期目標は，ともに**具体的**でわかりやすい表現を用いる。特に**短期**目標を記載する際は「居室から食堂までの20 mを自分の力で4点杖を使って歩くことができる」というように**数字**を用いて測定可能な目標を設定するのもよい。

5　○　**長期**目標は，生活上の課題（**生活課題**）が解決した状態や最終的に実現したい生活像，最終到達目標を表現する。

問題 110　正解　1　重要度 ☆☆☆　難易度 ★★★

Gさんへの再アセスメント

1　○　再アセスメントは順調に経過している時ではなく，拒否されて**介護計画**を実施できなくなった時や**目標**の達成度が低い時等，**順調に経過していない時の状況**を分析する。特にGさんの事例のように拒否によって介護計画が実施できなくなった場合は**拒否**が始まった前後の**情報**を収集し，拒否される前と後で何か変化はなかったかという点に注視しながら検討する必要がある。

2　×　Gさんは一人でベランダに行こうとした際に転倒し，次の日の朝以降，野菜の様子を見に行くことに対して「今は行きたくない」と拒否している。それまでは**毎朝**，野菜を見に行っていたことを考えれば，時間帯ではなく，ベランダに行く際に**転倒**した出来事に注視して検討していく必要がある。

3　×　**介護福祉職**の思いではなく，誘われた際に「今は行きたくない」と強い口調で断った**Gさんの思い**を解釈する必要がある。Gさんは，転倒後，「職員の皆さんに迷惑をかけたくない」と言っている。「また転倒したくない」という**思い**とともに，もしまた転倒した場合，「職員に迷惑がかかってしまう」と考え，野菜を見に行かなくなったと**解釈**することができる。

4　×　事例を読んだ限りでは，Gさんは**介護福祉職**と一緒に野菜の様子を見に行くことに**抵抗がなかった**ことがうかがえる。また，妻と一緒に野菜を見に行きたいというような要望は**聞かれていない**。

5　×　Gさんは転倒後，「職員の皆さんに迷惑をかけたくない」と発言している。このことから「また**転倒**したくない」という思いとともに，それによって「職員に**迷惑**がかかってしまう」と考え，G さんは野菜を見に行かなくなったと解釈することができる。G さんは長年**野菜農家**を営んでいたこと，転倒するまでは**毎朝，野菜の様子を見に行っていた**ことから，野菜の様子を見に行くことが面倒になったとは**考えにくい**。

問題 111　正解　5　重要度 ☆☆☆　難易度 ★★★

再アセスメント後の介護計画の目標

1 × 長期目標と短期目標は，ともに誰にでも当てはまる**一般的**な内容ではなく，その利用者の思いや希望，状況等が反映された**個別的**な内容でなければならない。また，目標の中に「安全」「自立」「安心」といった抽象度《ちゅうしょうど》が高く，様々な**解釈**ができてしまう**ビッグワード**（Big Word）を用いた場合，目指すべき目標が曖昧《あいまい》になるだけではなく，目標を達成できたかどうかの**評価**も行いづらい。

2 × 介護過程における目標（**長期**目標と**短期**目標）で「～できるように支援する」と記述した場合，主語が**介護福祉職**となってしまう。目標（長期目標と短期目標）の達成を目指すのは，利用者自身となるため，生活課題と同様に主語は**利用者**とする。

3 × G さんには**右片麻痺**《みぎかたまひ》があるため，**右手**でジョーロを持っての水やりは困難であると考えられる。目標は，ともに**利用者が実現可能**な内容でなければならない。

4 × 「G さんが歩く動線上に障害物がないことを確認する」のは，**介護福祉職**が行うべき介護上の**留意点**である。ただし，「自分が歩く通路に障害物がないことを確認することができる」というように G さんを**主語**にして表現すれば，短期目標の一つとなり得る。

5 ○ **短期**目標は，**長期**目標を達成するために，**段階的**に目指す目標となる。よって，目標設定を行う際は，一つの短期目標を達成すれば，すぐに長期目標も達成できるというように安易《あんい》に考えてはならない。一般的には一つの**長期**目標を達成するためには**複数**（2 つ以上）の**短期**目標を設定する。G さんの場合も他に「4 点杖を使って，ふらつくことなく自分の力で歩くことができる」等の**短期**目標を設定する必要がある。

問題 112　正解　1　重要度 ☆☆☆　難易度 ★★

H さんへの支援と ICF（国際生活機能分類）の視点で最も考慮すべき要素

1 ○ ICF（国際生活機能分類）における環境因子には**本人以外の人，物，建物，制度，サービス**等が含まれる。H さんは，電車に乗る際に他の乗客から怒鳴《どな》られたことをきっかけに会社を休みがちになった。また「朝の通勤時の混雑によってストレスがたまり，仕事に行く気になれない」とも話している。つまり，ストレスがたまり，仕事に行く気になれない要因は，怒鳴った**乗客**や電車での通勤時の混雑という**環境因子**にある。よって，H さんが勤務する**会社**と相談し，通勤ラッシュを避ける等，環境因子に働きかけて支援内容を検討することが求められる。

2 × ICF（国際生活機能分類）における健康状態には**疾病**《しっぺい》**，けが，妊娠，ストレス**等が含まれる。H さんは「朝の通勤時の混雑によってストレスがたまり，仕事に行く気になれない」と話していることから，ストレスという**健康状態**も考慮する必要がある。ただし，そのストレスは怒鳴った乗客という**環境因子**の影響を受けて発生したものである。よって，今後の支援を検討する際，最も考慮すべきは健康状態よりも環境因子となる。

3 × ICF（国際生活機能分類）における**心身機能・身体構造**とは，精神や身体の働き，身体の一部分の状態を指す。Hさんには**左片《ひだりかた》麻《ま》痺《ひ》**があるものの，それが直接影響して出勤意欲の低下につながったわけではない。

4　×　ICF（国際生活機能分類）における個人因子には，**年齢，性別，生活歴，生活習慣，嗜好《しこう》，思い**等が含まれる。事例からはHさんの**個人因子**が直接影響して出勤意欲の低下につながったとはいえない。

5　×　ICF（国際生活機能分類）における参加とは，社会的な出来事への**関与**や生活上の役割等を指す。Hさんは最初から出勤できなかったわけではなく，「しばらくは順調に出勤していた」とあるため，参加自体に問題があったわけではない。この事例では，**参加**を制約する要因となった**環境因子**である，怒鳴った乗客の一言や，通勤時の混雑に焦点を当てて解決策を検討する必要がある。

問題 113	正解　1	重要度	☆☆☆
		難易度	★★

利用者への支援とチームアプローチ

1　○　**訪問看護**や**訪問リハビリテーション**等，利用者が保健医療系のサービスを希望した場合には，主治医（担当の**医師**）に意見を求める必要がある。

2　×　チームアプローチでは，特定の専門職の視点に合わせるのではなく，**各専門職の幅広い観点**を活かし，それぞれの専門性を十分に発揮することが求められる。特定の専門職の視点に無理に合わせようとすれば，それぞれの職種の専門性の良さが活かされない上，幅広い観点から利用者を捉えられず，支援の幅が広がらない等，利用者への支援の質の低下を招《まね》くおそれもある。

3　×　利用者への各専門職のアプローチ（支援内容・方法）は，専門職ごとに異なるため，**各専門職**が決める。例えば、介護老人保健施設に入所する利用者への支援をみた場合，**介護支援専門員**が作成した施設サービス計画に沿って，**介護福祉職**は介護計画，**看護師**は看護計画，**理学療法士**や作業療法士等はリハビリテーション計画というように個別の支援計画を作成し，それぞれの専門性を活かした**アプローチを展開**することができる。よって，利用者への各専門職のアプローチについてまで介護支援専門員が決定することはない。

4　×　**サービス担当者会議**では，介護支援専門員が作成したケアプランの原案について，専門職だけでなく，利用者や家族も一緒に検討するのが基本である。利用者の状態によっては利用者が参加できないこともあり得るが，その際は**家族**から利用者の思いや希望を確認する。なお，サービス担当者会議で**利用者**や家族，各専門職等を招集《しょうしゅう》するのは，担当の介護支援専門員の役割となる。

5　×　各専門職は**情報交換**を行い，互いに**情報共有**を図る必要がある。特に**介護福祉職**は利用者への生活支援を直接担う中で利用者の状況を把握しやすい立場にあるため，利用者から得られた**情報**を他職種にも正確に提供する役割が求められる。

＜総合問題＞

総合問題

（総合問題 1）

問題 114	正解　1	重要度	☆☆☆
		難易度	★

レビー小体型認知症の主な症状

1　○　幻視とは，実際にはないものが，本人には**実在するものとして生々しく見える症状**であり，レビー小体型認知症の特徴的な症状である。見えるものは人により異なるが，虫や小動物，人などがある。

2　×　感情失禁とは，些細なことで激怒したり大喜びしたりするなど，**感情を抑えることができないこと**をいう。認知症の行動・心理症状の一つで血管性認知症の人に多く見られる。

3 × 見当識障害《けんとうしきしょうがい》とは，自分がおかれている状況（年月日，時間，季節，場所，人物などの状況等）を**正確に認識できなくなること**をいう。認知症の中核症状の一つである。

4 × 遂行《すいこう》機能障害とは，**計画を立てて段取りをすることができないこと**をいう。認知症の中核症状の一つである。

5 × 記憶障害とは，自分の体験した出来事や過去についての**記憶（体験の全体）が抜け落ちてしまう障害**のことであり，通常の物忘れとは違い，自覚がなく日常生活に支障がでてくる。認知症の中核症状の一つである。

問題 115	正解 3	重要度 ☆☆ / 難易度 ★★

介護保険の全体像

1 × Jさんは，年齢が 80 歳であることから第 1 号被保険者である。第 1 号被保険者の保険料の徴収は，直接**市町村に納付する普通徴収**と**年金から天引きの特別徴収**がある。第 2 号被保険者は，医療保険と合わせて納付する。

2 × 介護認定の結果に不服がある場合は，その要介護認定の妥当性について**介護保険審査会に対し審査請求**を行うことができる。介護認定審査会は，要介護度の審査判定を行う。

3 ○ 居宅サービス計画とは，居宅介護支援において介護支援専門員が作成するケアプランのことである。このケアプランには，利用者のニーズや総合的な介護方針，必要なサービスについて記入されている。居宅サービス計画の作成にあたっては，**利用者負担はない**。

4 × 介護保険サービスは利用者が**利用した分のサービス費を支払う**。ただし，利用者負担は原則 1 割負担であり第 1 号被保険者で一定所得以上は 2 割または 3 割負担となっている。

5 × 要介護・要支援の認定には**有効期間**がある。要介護認定の有効期間は，新規申請の場合，原則として **6 か月間**である。申請者の状態によっては，介護認定審査会の判断により 3 か月から 12 か月の範囲内で有効期間が設定される場合がある。

問題 116	正解 1	重要度 ☆☆ / 難易度 ★★★

国際生活機能分類（ICF）

1 ○ 訪問介護員（ホームヘルパー）が意図した関わりは，レビー小体型認知症による幻視に対し，その原因の一つとなる自宅内の環境を整え見間違いを防止することを目的としている。幻視は ICF の視点では**心身機能**に該当する。自宅内の環境は**環境因子**となる。したがって，訪問介護員の働きかけは，心身機能への影響を意図して，環境因子に働きかけているといえる。

2 × **個人因子**は，個人の人生や生活の特別な背景であり，**健康状態**は，疾患だけではなく，高齢や妊娠，ストレスなどを含む広い概念である。したがって不適切である。

3 × **健康状態**は，疾患だけではなく，高齢や妊娠，ストレスなどを含む広い概念であり，**心身機能**は，身体系の生理的機能（心理的機能を含む）である。したがって不適切である。

4 × **参加**は，生活，人生場面への働きかけであり，**環境因子**は，物的な環境や社会的環境などを構成する因子である。したがって不適切である。

5 × **活動**は，課題や行為の個人による遂行《すいこう》であり，**身体構造**は，器官，肢体とその構成部分などの解剖学的な部分である。したがって，不適切である。

（総合問題 2）

問題 117　正解　2　重要度 ☆☆☆　難易度 ★★

脳性麻痺の特徴

1　×　麻痺や運動障害がないにもかかわらず，目的に沿った動作ができないといった症状を失行という。着衣失行は，**服を着るときに表裏・上下などを間違え，服をうまく着られないこと**をいう。K さんの脳性麻痺の特徴として不適切である。

2　○　K さんはアテトーゼ型の脳性麻痺である。アテトーゼ型は，**不随意運動が生じるといった特徴**がある。K さんの脳性麻痺の特徴として適切である。

3　×　ものに手を伸ばすと振戦が起こるといった特徴は，**失調型の脳性麻痺の特徴**である。失調型の特徴にはその他にも協調運動障害による筋力の低下や素早い動きや細かい動きが困難となるといったものがある。K さんの脳性麻痺の特徴として不適切である。

4　×　動作が緩慢《かんまん》で表情が乏しくなるといった特徴は，**パーキンソン病の症状**の一つである**動作緩慢《かんまん》**，**仮面様顔貌《かめんようがんぼう》**といえる。パーキンソン病の主な症状にはそのほかにも，安静時振戦《しんせん》，筋固縮《きんこしゅく》，姿勢保持障害（姿勢反射障害）がある。K さんの脳性麻痺の特徴として不適切である。

5　×　強い筋緊張から，四肢のつっぱりが強いといった症状は，**痙直型・固縮型の脳性麻痺**の特徴である。K さんの脳性麻痺の特徴として不適切である。

問題 118　正解　4　重要度 ☆☆　難易度 ★

適切な福祉用具の選択

入浴用のシャワーチェアは，肢体不自由の状態によって適切なものを使用する。K さんのように筋緊張のコントロールに不自由さがある脳性麻痺では，**頭部まで支えがあり**急に体が動いてもずり落ちないように**ベルトのついたもの**を選択するようにする。

1　×　1のシャワーチェアは**移動用のタイヤ**がついたもので，主に下肢に不自由さがある**頸髄損傷《けいずいそんしょう》**の人に適している。

2，3　×　2と3のシャワーチェアは，高さのある立ち上がりやすいものとなっており，主に歩行はできるが立ち上がりに不自由さがある**片麻痺《かたまひ》**の人に適している。また，3のシャワーチェアには，**肘掛け**があり，**安定した座位姿勢**をとることができる。

4　○　4のシャワーチェアは，**頭部までの支え**や身体がずり落ちないようにするための**ベルト**等がある。したがって，K さんが使用するシャワーチェアとして適切である。

5　×　5の福祉用具は，**浴槽内《よくそうない》いす**という。主に，浴室の踏み台や，浴槽内でのいすとして使用する入浴補助用具である。浴槽が深く，足が届かない場合や，浴槽をまたぐときに足を高く上げなければならない場合などに使用する。

問題 119　正解　4　重要度 ☆☆☆　難易度 ★★

障害者総合支援法における介護給付

1　×　行動援護とは，**障害支援区分 3 以上の知的障害または精神障害により行動上著しい困難を有する者**等を対象に，行動する際に生じ得る危険を回避するために必要な援護，外出時における**移動中の介護**等を行うサービスである。K さんが利用するサービスとして不適切である。

2　×　同行援護とは，**視覚障害者**の外出時に同行し，移動に必要な情報を提供するとともに，移動の援護など**外出する際の必要な援助**を行うサービスである。対象者は視覚障害により移動に著しい困難を有する者となるため，K さんが利用するサービスとして不適切である。

3　×　就労移行支援とは，**就労を希望する障害者**で，通常の事業所に雇用されることが可能と見込まれる者に対して，生産活動，職場体験，**就労に必要な訓練**などを行うサービスである。Kさんが就労を希望するといった情報はないため，Kさんが利用するサービスとして不適切である。

4 ○ 移動支援とは，**外出時に移動の支援が必要な障害者**に対し，社会生活上必要不可欠な外出および余暇活動等の社会参加のための外出の際の**移動の支援**を行うサービスである。Kさんは脳性麻痺により移動の際に支援が必要であることや，音楽鑑賞会といった余暇活動等の社会参加を希望していることから，Kさんが利用するサービスとして適切である。

5 × 療養介護とは，病院等への長期の入院による医療的ケアに加え，**常時の介護を必要とする者**を対象に，主として昼間，病院において行われる**機能訓練**，療養上の**管理**，**看護**，医学的管理の下における**介護および日常生活上の世話**をいう。実施される場所は**病院**であること，医学的管理の下における介護等とあることから，Kさんが利用するサービスとして不適切である。

（総合問題3）

問題 120	正解 5	重要度	☆☆☆
		難易度	★★

高次脳機能障害の症状とその特徴

1 × 記憶障害とは，認知障害を主たる原因とした高次脳機能障害の一つである。主に，**新しい出来事を覚えていられなくなったりする**といった症状がある。Lさんに記憶障害と思われる様子はないため不適切である。

2 × 実行機能障害とは，**状況に応じた判断ができない**といったものや日常生活や仕事の内容を**計画して実行できない**といった症状が伴う高次脳機能障害である。Lさんに実行機能障害と思われる様子はないため不適切である。

3 × 社会的行動障害とは，欲求，感情をコントロールする力やコミュニケーション能力，意欲などが低下することでみられる高次脳機能障害である。主な症状は，ちょっとしたことで**感情を爆発**させる，**依存**，**固執**，**退行**，**抑うつ**などの行動である。Lさんに社会的行動障害と思われる様子はないため不適切である。

4 × 観念失行とは，道具の使用方法は説明できるが，**実際に使用する際にうまくできない**といったものである。Lさんに観念失行と思われる様子はないため不適切である。

5 ○ 半側空間《はんそくくうかん》無《む》視《し》とは，感覚機能が損なわれていないのに，**対象を認識または同定できないといった失認の一つ**で，脳の損傷の反対側に提示された刺激に反応したり，注意を向けたりできないことをいう。左側にあらわれることが多い。Lさんの病院の様子から最も適切であるといえる。

問題 121	正解 3	重要度	☆☆
		難易度	★★★

各介護サービスの特徴とサービス内容

1 × 介護老人福祉施設とは，**常時介護が必要な人**（原則として**要介護3以上**）に，入浴，排泄《はいせつ》，食事等の**介護**その他の**日常生活上の世話**などを行う施設である。常時介護が必要なため，自宅での介護が困難な方が対象となる。そのため，自宅での生活を目指しているLさんに提案する施設として不適切である。

2 × 介護医療院とは，長期療養が必要な人に，療養上の管理，看護，医学的管理下での介護，その他の世話，その他必要な医療などを行う施設である。長期的な医療と介護の両方を必要とする高齢者が対象となっている。現在回復期リハビリテーションに入院しているLさんに提案する施設として不適切である。

3 ○ 介護老人保健施設とは，居宅における生活を営むことができるようにするための支援が必要である者に対して，看護，医学的管理の下における介護および機能訓練などを行う施設である。**自宅復帰を目指すための施設**であり，Lさんに提案した施設として適切である。

4　×　認知症対応型共同生活介護とは，**認知症のため介護が必要な人**に，家庭的な環境での共同生活の支援を行う施設である。Lさんは認知症ではないため，Lさんに提案する施設として不適切である。

5　×　養護老人ホームとは，**65歳以上**で環境上の理由および経済的理由により**居宅において養護を受けることが困難な人**を入所させ，必要な援助を行う施設である。そのため，Lさんに提案した施設として不適切である。

問題 122	正解　5	重要度	☆☆☆
		難易度	★

障害の受容

リハビリテーションを効果的に実施するためには**利用者自身の意欲向上**が大切となる。しかし，回復の効果を実感できなかったり，障害に対する漠然とした不安があったりすると意欲は低下する。介護福祉職には，Lさんの意欲が向上するための関わりが求められる。介護福祉職は，安易に励ましたり，早急にリハビリテーションに参加するように促したりするのではなく，まずは，Lさんの話す言葉を**傾聴**しその背景にある思いなどを想像することが大切である。そして，その思いを**受容**する姿勢が求められる。

1　×　「決まりなので参加してください」という発言から，Lさんの思いなどを確認しようとせずリハビリテーションへ**早急に参加することを促している**。

2　×　「後でまた来る」「それまでに準備をしてください」という発言から，Lさんの思いなどを確認しようとせず**一方的に準備をするように**伝えている。

3　×　「自宅に退院するのですよ。がんばりましょう」という発言から，詳しくLさんの話を聞かずに「がんばりましょう」と**安易に励ましている**。

4　×　「本日は欠席しますか」という発言から，Lさんの**思いなどを確認しようとせず**リハビリテーションに出席するかどうかのみを確認しようとしている。

5　○　「つまずいてしまったのですね。けがはありませんでしたか」という発言から，Lさんの話す言葉を**傾聴**しその背景にある思いを**受容**しようとしている。

（総合問題 4）

問題 123	正解　5	重要度	☆☆☆
		難易度	★★

アドバンス・ケア・プランニング（ACP）

アドバンス・ケア・プランニング（ACP）とは，自らが望む人生の最終段階における医療・ケアについて，前もって考え，医療・チームケア等を繰り返し話し合い共有する取り組みのことをいう。アドバンス・ケア・プランニング（ACP）の主体は，**本人**である。本人の意思は変化する可能性があるため，一度話し合ったら終わりとするのではなく，繰り返し話し合うことが大切である。

1　×　話し合いの結果を変更できないと伝えているが，アドバンス・ケア・プランニング（ACP）では，一度話し合ったら終わりとするのではなく，**繰り返し話し合う**ことが大切である。

2　×　アドバンス・ケア・プランニング（ACP）の主体は，本人である。家族の考えも大切だが，**本人が主体的に意思決定できるための支援**が求められる。

3　×　アドバンス・ケア・プランニング（ACP）の主体は，本人である。医師や他の専門職は**専門的な立場からの情報や意見を伝え**，本人が**主体的に選択**できるように支援することが大切である。

4　×　介護福祉職は，利用者の生活により近い位置で生活支援を行う。そのため，介護福祉職は，本人の気持ちの変化について**傾聴**し，**受容する姿勢**が求められる。

5　○　利用者の意思が変わった場合には，**話し合い**の場を設け利用者を中心に利用者の思いを共有して**一緒に考える**ことが大切である。

問題 124	正解　4	重要度　☆☆
		難易度　★★

死が近づいた時の日常生活の変化とその介護

1　×　死が近づくと活動量が低下し次第に傾眠傾向になる。臥床して過ごすことが多くなるが，利用者がさびしさや孤独感を感じないようにする配慮が必要である。また，褥瘡《じょくそう》にならないように**体位変換**を行い安楽な姿勢を整えるようにする。

2　×　この時期の余分な栄養や水分補給は，心臓に負担をかけたり，痰の増加や浮腫につながる。そのため，高カロリーの食事を用意する必要はなく，**本人の好むもの，食べられるものを少量摂取**するなど，無理のない範囲で摂取することが望ましい。

3　×　口渇や口唇の渇きには，**少量の水や水で濡らしたガーゼ**，**氷のかけら**などで口を潤す。また，口腔《こうくう》ケアを行い口腔内の清潔を保つようにする。

4　○　呼吸苦があるときは，**上体を起こした無理のない姿勢**にする。この姿勢により横隔膜《おうかくまく》を下げ呼吸面積を広げ呼吸が楽になる。

5　×　四肢の倦怠感《けんたいかん》があるときは冷罨法《れいあんぽう》ではなく，**末梢《まっしょう》を保温する温罨法《おんあんぽう》**などを行う。

問題 125	正解　2	重要度　☆☆
		難易度　★★

死が近づいた時の家族への支援

1　×　終末期に家族が面会を控えると亡くなった後に後悔することがある。施設の面会時間などの制限については，家族とも話し合いできる限り**柔軟に対応**することが望ましい。

2　○　終末期には，**緊急連絡**を行うことが多い。緊急連絡先が一つであるとつながらなかった場合に家族に連絡できない可能性がある。

3　×　家族のみに限定するのではなく，本人に会わせておきたい**親戚・知人**に連絡して会ってもらうように伝える。

4　×　終末期の衣服は浴衣である必要はない。家族に，本人に**着させたい衣服**があれば用意してもらうように伝える。

5　×　聴覚と触覚は最期まで残るといわれている。家族には声かけや手をにぎるなどの刺激は本人に届いていることを伝え**積極的に声かけ**をしてもらうように働きかける。

完全予想模試
②午前

解答・解説

合格によく効く!!

正解一覧

チェック欄	番号	正解番号				
人間の尊厳と自立						
□	問題 1	①	②	❸	④	⑤
□	問題 2	①	②	③	④	❺
人間関係とコミュニケーション						
□	問題 3	①	❷	③	④	⑤
□	問題 4	①	②	❸	④	⑤
□	問題 5	①	②	③	④	❺
□	問題 6	①	②	③	④	❺
社会の理解						
□	問題 7	①	②	❸	④	⑤
□	問題 8	①	❷	③	④	⑤
□	問題 9	①	❷	③	④	⑤
□	問題 10	❶	②	③	④	⑤
□	問題 11	①	❷	③	④	⑤
□	問題 12	①	②	③	④	❺
□	問題 13	①	②	③	❹	⑤
□	問題 14	①	❷	③	④	⑤
□	問題 15	①	②	③	④	❺
□	問題 16	①	❷	③	④	⑤
□	問題 17	①	②	③	❹	⑤
□	問題 18	①	❷	③	④	⑤
こころとからだのしくみ						
□	問題 19	①	②	❸	④	⑤
□	問題 20	❶	②	③	④	⑤
□	問題 21	①	❷	③	④	⑤
□	問題 22	①	②	③	❹	⑤
□	問題 23	❶	②	③	④	⑤
□	問題 24	❶	②	③	④	⑤
□	問題 25	①	②	③	❹	⑤
□	問題 26	①	②	③	④	❺
□	問題 27	①	②	❸	④	⑤
□	問題 28	①	②	③	④	❺
□	問題 29	①	②	③	④	❺
□	問題 30	①	②	❸	④	⑤
発達と老化の理解						
□	問題 31	①	②	③	❹	⑤
□	問題 32	①	②	③	❹	⑤
□	問題 33	①	❷	③	④	⑤
□	問題 34	①	②	③	④	❺
□	問題 35	①	②	❸	④	⑤
□	問題 36	①	②	❸	④	⑤
□	問題 37	❶	②	③	④	⑤
□	問題 38	①	②	③	④	❺
認知症の理解						
□	問題 39	①	❷	③	④	⑤
□	問題 40	①	②	③	④	❺
□	問題 41	①	②	③	❹	⑤
□	問題 42	①	②	③	❹	⑤
□	問題 43	❶	②	③	④	⑤
□	問題 44	①	②	❸	④	⑤
□	問題 45	①	②	③	❹	⑤
□	問題 46	①	❷	③	④	⑤
□	問題 47	①	❷	③	④	⑤
□	問題 48	①	②	③	❹	⑤
障害の理解						
□	問題 49	①	❷	③	④	⑤
□	問題 50	❶	②	③	④	⑤
□	問題 51	①	②	③	❹	⑤
□	問題 52	①	②	❸	④	⑤
□	問題 53	①	②	❸	④	⑤
□	問題 54	❶	②	③	④	⑤
□	問題 55	①	②	③	④	❺
□	問題 56	①	②	③	④	❺
□	問題 57	①	②	③	❹	⑤
□	問題 58	①	❷	③	④	⑤
医療的ケア						
□	問題 59	①	❷	③	④	⑤
□	問題 60	①	②	③	❹	⑤
□	問題 61	①	②	③	④	❺
□	問題 62	①	❷	③	④	⑤
□	問題 63	①	②	③	④	❺

☆及び★印は次のような基準でつけました。

重要度	難易度
☆………注　意	★………普　通
☆☆……重　要	★★……　難
☆☆☆…最重要	★★★…超　難

＜領域：人間と社会＞

人間の尊厳と自立

問題 1　正解 3　重要度 ☆☆　難易度 ★

一人暮らしをしている軽度の認知障害がある利用者への訪問介護員の対応

1 ×　Aさんが入所する施設を探すことを提案することは，訪問介護員の**職務を超えた行為**である。また，Aさんは一人暮らしを望んでいる。

2 ×　Aさん親子に同居を勧めることは，訪問介護員の**職務を超えた行為**である。また，Aさんは一人暮らしを望んでいる。

3 ○　Aさんを**主体**として，どうすれば安全に一人暮らしを続けることができるのか，**課題に対して一緒に考えていく**ことが訪問介護員には求められる。

4 ×　Aさんに確認もせずに，生活の制限につながる対応をするのは，**尊厳を軽視**したものである。

5 ×　Aさんが希望しているわけでもないのに，訪問介護の数を勝手に提案することは**訪問介護員の職務を超えている**。

問題 2　正解 5　重要度 ☆☆☆　難易度 ★★

ノーマライゼーション

1 ×　設問は，**ソーシャル・インクルージョン**の考え方についての説明である。

2 ×　設問は，**ユニバーサルデザイン**についての説明である。

3 ×　設問は，**バリアフリー**についての説明である。

4 ×　設問は，**ウェブアクセシビリティ**についての説明である。

5 ○　**ノーマライゼーション**とは，「社会的な立場が弱い人たちの生活を通常の社会環境に近づけ，一般の人たちと同様の権利を行使すること」である。デンマークの**バンク・ミケルセン**によって提唱された。

人間関係とコミュニケーション

問題 3　正解 2　重要度 ☆☆☆　難易度 ★★

スーパービジョン

1 ×　教育的機能とは，知識・技術についての課題解決のために行われる指導等により**教育的効果**を図る機能である。

2 ○　支持的機能とは，スーパーバイザーに悩みや疑問を共有してもらい，**不安等の軽減**を図る機能である。

3 ×　スーパービジョンに啓発的機能はない。

4 ×　管理的機能とは，自身の**職務や職責に対する役割を理解**できるようになる機能である。

5 ×　スーパービジョンに**ストレス軽減機能はない**。

問題 4　正解 3　重要度 ☆☆☆　難易度 ★★

チームマネジメント

1 ×　**PM型，Pm型，pM型，pm型**の4つのリーダーシップタイプが提示され，PとMが共に高い状態（PM型）のリーダーシップが望ましいとされる。

2 ×　メンバーシップとは，組織に属する**メンバーが自身の役割を果たす**ことで，組織やチーム全体に貢献することである。

3 ○　キャリアパスとは，組織内で社員が**新たなポストや職務に就くために必要な能力や道筋**を示したものである。

4 ×　コンプライアンスとは，法令や社会規範等を守る**法令遵守**のことである。

5 ×　ケアカンファレンスは，**情報共有や共通理解**を促す機能を持ち，チームマネジメントに影響を与える。

問題 5　正解 5　重要度 ☆☆☆　難易度 ★★

コミュニケーションに関係する用語

1 × 共感的態度とは，利用者の立場で考え，**利用者の思考や感情を理解しようとする姿勢**を意味する。利用者を尊重し，そのあるがままの状態を受け容《い》れることは**受容**である。

2 × ラポールとは，介護福祉職が利用者を支援する際に重要となってくる利用者との**信頼関係**を意味する。単なる友人関係を指す言葉ではない。

3 × 感情の反射とは，利用者の言動の中に含まれる感情を介護福祉職がそのまま受け止め，介護福祉職がその感情を**言葉にして利用者にそのまま返すこと**である。

4 × 傾聴では，注意深く利用者の声に耳を傾け，それが**相手にも伝わる**必要がある。もし返答や相槌《あいづち》がなければ，「私の話を真剣に聴いてくれているのか」と利用者を不安な気持ちにさせてしまう。よって，傾聴も含めてコミュニケーションでは適《てき》宜《ぎ》，返答や相槌を行う必要がある。

5 ○ 自己覚知は，自分の物事の捉え方（**認知）の傾向を知ること**であり、人間関係を築くうえで重要である。

問題 6　正解 5　重要度 ☆☆　難易度 ★★

痛みを訴える利用者への介護福祉職の対応

1 × 「暖かくて晴れの日だと良かったですね」という返答は，寒くて雨の日で右足の痛みが強いにもかかわらず，通所リハビリテーションを利用しに来てくれた**Dさんの思いを受け止めておらず**，かえって不快な気持ちにさせるおそれがある。

2 × Dさんは「寒くて雨の日は普段より痛みが強い」と発言しているが，「ベッドで休みたい」という意向を確認することはできない。**Dさんの思いを確認しないまま，介護福祉職の考えを押しつけるような発言は控える**べきである。

3 × Dさんは要介護1で「痛みがなければ，もっと楽に歩けるのに」と発言していることから，移動は歩行であるとわかる。寒い雨の日の歩行については「今日はつらい」と発言しているものの，**車いすを使用する意向はDさんから聞かれていない**。Dさんの思いと身体状況に沿わない車いすの使用は不適切である。

4 × 介護過程の観点からも，介護福祉職は利用者に関する**情報収集**を行い，**根拠に基づいた介護**を行う必要がある。よって，Dさんには腰椎椎間板ヘルニアがあり，右足にしびれや痛みを感じていることも把握した上で支援を行うべきである。通所リハビリテーションを利用し始めてから2年が経過しているにもかかわらず「なぜ，痛いのですか」と聞くことは，Bさんに「自分のことをわかってもらえていない」と思わせるだけでなく，介護福祉職への不信感を増幅させるおそれもある。

5 ○ 介護福祉職には**受容と共感的態度**が求められる。設問のように「痛みが強くて，つらい気持ちなのですね」と，まずはBさんの思いをそのまま受け止め，その気持ちを理解した上で，Dさんに言葉として返すことが必要である。その結果，Dさんは自分自身の思いを再確認できるとともに，介護福祉職に対して「自分の気持ちをわかってくれた」と思えるようになる。このことは利用者と介護福祉職との**ラポール**（信頼関係）を形成する上でも重要である。

社会の理解

問題 7　正解 3　重要度 ☆☆☆　難易度 ★★★

成年後見関係事件の概況（令和5年）

1 × 成年後見人等で，親族以外で選任された職種で最も多いのは，**司法書士**で，次いで弁護士となっている。

2 × 成年後見人等の申立人で最も多いのは，**市区町村長**で全体の約 23.6％である。

3 ○ 成年後見人等の開始原因で最も多いのは**認知症**で，次いで，知的障害，統合失調症となっている。

4 × 成年後見人等の利用者のうち，女性では **80 歳以上**が最も多く，女性全体の約 63.7％を占めている。

5 × 成年後見人等の主な申立ての動機としては，**預貯金等の管理・解約**が最も多く，次いで，身上保護となっている。

問題 8 正解 2

重要度 ☆☆☆
難易度 ★★★

「『地域共生社会』の実現に向けて」

1 × あらゆる住民が，**支え合い**ながら，**ともに創る**「地域共生社会」を目指す。

2 ○ 人と人，人と資源が世代や分野を超えて「**丸ごとつながる**」ことを目指す。

3 × 地域住民や地域の多様な主体が「**我が事**」として参画する。

4 × 複合的課題などへの包括的な支援を行う必要性から，公的支援の「縦割り」から「**丸ごと**」への転換を目指す。

5 × 地域共生社会の実現に向けて，**専門人材の機能強化・最大活用**を図っていく。

問題 9 正解 2

重要度 ☆☆☆
難易度 ★★

利用者のニーズにあった介護サービス

1 × 夜間対応型訪問介護では，**夜間**において，**定期的な巡回**又は**随時通報**によりその者の**居宅を訪問**し，**排泄《はいせつ》の介護**，**日常生活上の緊急時**の対応等を行う。

2 ○ 「訪問看護」と「小規模多機能型居宅介護」を組み合わせたサービスが看護小規模多機能型居宅介護である。退院後の**スムーズな在宅生活への移行**やがん末期等により**医療ニーズが高い人**への介護サービスの提供を行っている。よって，E さんの希望を満たしている。

3 × 定期巡回・随時対応型訪問介護看護では，定期的な巡回又は**随時通報**によりその者の**居宅を訪問**し，入浴，排泄，食事等の介護，日常生活上の緊急時の対応等を行う。

4 × 認知症対応型共同生活介護では，認知症の利用者に対して**共同生活住居**において，家庭的な環境と地域住民との交流の下で入浴，排泄，食事等の介護その他の**日常生活上の世話**を行う。

5 × 通所介護では，**通い**により必要な日常生活上の世話及び**機能訓練**を行うことを目的とした介護サービスを提供する。

問題 10 正解 1

重要度 ☆☆☆
難易度 ★★

地域ケア会議

1 ○ 地域ケア会議の設置・運営は，**地域包括支援センターまたは市町村**が行う。

2 × 介護サービス計画（ケアプラン）を作成するにあたり，介護支援専門員は**サービス担当者会議**に利用者や家族，関係する専門職等を招集する。

3 × 地域ケア会議では，多職種協働による個別ケース（困難事例等）の検討・支援を行うものの，**利用者や家族の参加は義務づけられていない**。寝たきり状態の利用者や認知症のある利用者等，地域ケア会議への参加が困難な利用者もいるため，その時の状況に応じて地域ケア会議への利用者や家族等の参加は考慮されるべきである。

4 × **市町村介護保険事業計画**は，市町村が 3 年を 1 期として策定するものである。地域ケア会議では，多職種協働による個別ケース（困難事例等）の支援を通じ，①地域支援ネットワークの構築，②高齢者の自立支援に資するケアマネジメント支援，③地域課題の把握等を行う。

5 × 介護保険サービスの質を担保するため，都道府県から認証を受けた**第三者評価機関**が第三者評価を行う。地域ケア会議の役割ではない。

問題 11　正解 2　重要度 ☆☆　難易度 ★★

健康保険制度における自己負担割合

1 × 70歳から74歳までの被保険者の自己負担割合は**2割**（現役並み所得者は**3割**）である。

2 ○ 義務教育就学後から70歳未満の被保険者の自己負担割合は3割であるため，13歳の中学生の被保険者の自己負担割合は，**3割**となる。

3 × 義務教育就学前（6歳未満）の被保険者の自己負担割合は，**2割**である。

4 × 義務教育就学後から70歳未満の被保険者の自己負担割合は，**3割**である。

5 × 75歳以上の被保険者の負担割合は，**1割**（現役並み所得者は**3割**）である。なお，2022（令和4）年10月より，負担割合が3割の人以外で一定以上所得のある人は，2割負担となっている。

問題 12　正解 5　重要度 ☆☆☆　難易度 ★★

我が国における国民年金制度

1 × 2017（平成29）年8月から受給資格期間は**10年**に短縮された。

2 × 学生納付特例制度では，10年以内に追納しなければ，猶予期間は老齢基礎年金額には**反映されない**。

3 × 障害基礎年金の2級は，老齢基礎年金と**同額**である。

4 × 国籍に関係なく，**日本に居住する20歳以上の者**は**すべて国民年金に加入**しなければならない。

5 ○ 死亡一時金は，**保険料を3年以上納付した第1号被保険者**が老齢基礎年金・障害基礎年金を受けずに亡くなった時，生計を同じくしていた遺族に支給される。

問題 13　正解 4　重要度 ☆☆　難易度 ★★

生活保護において現物給付である扶助の種類

1 × 出産扶助とは，出産に必要な費用を支給する扶助で原則として**現金給付**である。

2 × 生業扶助とは，仕事に就くために必要な技能を習得する人や高等学校に通っている人に対して支給する扶助の種類である。原則として**現金給付**である。

3 × 生活扶助とは，飲食物費，被服費，光熱水費など，日常生活を送るために必要な費用を支給する扶助である。原則として，**現金給付**である。

4 ○ 介護扶助とは，介護サービスの費用を支給する扶助である。費用は，直接介護事業者に支払われるため，原則として**現物給付**である。他に，原則として現物給付である扶助の種類には，医療サービス費用を支給する医療扶助がある。

5 × 葬祭扶助とは，人が亡くなったときの火葬や納骨などのための費用を支給する扶助である。原則，**現金給付**である。

問題 14　正解 2　重要度 ☆☆☆　難易度 ★★★

育児・介護休業法

1 × 出生時育児休業（産後パパ育休）は，出生日から起算して8週間を経過する日の翌日までに**4週間以内**の期間を定めて行う。2021（令和3）年6月の法改正で，2022（令和4）年10月から施行された。

2 ○ 育児休業は，**2回を上限**として，**分割**して取得ができる。

3 × 育児休業期間は，最長で子が**満2歳**になるまでである。

4 × 子の看護休暇は，かつては**半日単位**での取得であったが，2019（令和元）年12月の法改正により，2021（令和3）年1月から**時間単位**で取得可能になった。

5 × **特別養子縁組**，**養子縁組里親**における子も，育児休業の対象となる。

問題 15　正解 5　重要度 ☆☆☆　難易度 ★★

障害者総合支援法における介護給付

1 × 設問は**行動援護**の説明である。同行援護は，**視覚障害**により移動に著しい困難を有する人を対象に，外出支援を行う。

2　×　設問は**同行援護**の説明である。行動援護は，**知的障害や精神障害**により常時介護が必要な人を対象に危険を回避するために必要な支援や外出支援を行う。

3　×　重度訪問介護は，重度の肢体不自由や重度の知的障害者または精神障害により行動上著しい困難を有する障害者で，常時介護が必要な人を対象に，**自宅で入浴，排泄《はいせつ》，食事の介護，外出時における移動支援**等を実施する。介護の必要性が著しく高い重度の障害がある人を対象に，居宅介護等，複数のサービスを包括的に行うのは，**重度障害者等包括支援**である。

4　×　生活介護は，**障害者支援施設**等において，常時介護が必要な人を対象に，主に昼間，入浴，排泄，食事等の介護や創作的活動等を実施する。医療と常時介護を必要とする障害のある人を対象に，医療機関で機能訓練や療養上の管理，看護，介護等を行うのは，**療養介護**である。

5　○　施設入所支援では，障害者支援施設に入所する人に対して，昼間の生活介護等と連携しつつ，**主に夜間，入浴，排泄，食事の介護**等を行う。

問題 16　正解　2　重要度 ☆☆☆　難易度 ★★

障害者総合支援法

1　×　障害者総合支援法では，障害者の年齢を**18 歳以上**としている。

2　○　補装具（障害者総合支援法第 76 条）のほか，自立支援医療，地域生活支援事業の申請も**市町村**に対して行う。

3　×　利用者の負担が過大なものにならないよう，所得に応じて設定された負担上限額をサービス利用料が上回った場合には，**負担上限額が利用者の負担**となる。**負担上限額に満たない場合**は**1 割負担**とされている。

4　×　障害者総合支援法第 88 条第 1 項，第 2 項，第 89 条第 1 項，第 2 項において，**都道府県・市町村**は，厚生労働大臣の定める基本指針に即して，各年度における指定障害福祉サービス，指定地域相談支援，指定計画相談支援の種類ごとに必要な量の見込みなどを記載した**障害福祉計画**を定めるものとされている。

5　×　障害福祉計画は，介護保険の事業計画と同じく，**3 年**を 1 期として PDCA サイクルの導入，活動目標・成果目標の見直しと明確化を行っている。

問題 17　正解　4　重要度 ☆☆☆　難易度 ★

障害者差別解消法における合理的配慮について

1　×　障害者差別解消法における合理的配慮の提供義務に**反している**。障害者差別解消法に明記されている合理的配慮とは，障害者が他の者と平等にすべての人権及び基本的自由を享有《きょうゆう》し，又は行使することを確保するための必要かつ適当な変更及び調整で，**国**，**地方公共団体**は，その提供が**義務**とされている。なお，**その他の企業**等においても 2024（令和 6）年 4 月より義務化された。

2　×　障害者差別解消法における合理的配慮の提供義務に**反している**。

3　×　障害者差別解消法における合理的配慮の提供義務のため，**判断を仰ぐ必要はない**。

4　○　合理的配慮による**適切な対応**である。

5　×　障害者差別解消法における合理的配慮の提供義務に**反している**。

問題 18　正解　2　重要度 ☆☆☆　難易度 ★★★

「高齢者虐待防止法」と「障害者虐待防止法」

1　×　「高齢者虐待防止法」では，虐待を身体的虐待，ネグレクト（食事を満足に与えない，必要な介護をせずに放置する等），心理的虐待，性的虐待，**経済的虐待**（高齢者本人の財産を無断で処分したり，不当に搾取したりする等）の**5つ**に分類している。

2　○　「高齢者虐待防止法」では，介護保険施設や居宅サービス事業者等に対し，虐待防止に関する**職員研修の実施**や**苦情処理体制の整備**を課している。

3　×　「高齢者虐待防止法」では，虐待を発見した者は**市町村**に速やかに通報する義務がある。

4　×　「障害者虐待防止法」では，通報を受けた市町村は，**被害者の生命にかかわる重大な危険**があると判断した場合，**家族の許可がなくても**家庭内に立ち入って調査することができるとしている。

5　×　**虐待を受けても，その事実を周囲に伝えられない**障害者や，虐待を受けた障害者本人がそれを**虐待と認識できない場合**もある。その際は，障害者本人に代わって支援者や周囲の人々が虐待防止に向けて働きかけていく必要がある。このことは，**アドボカシー（権利擁護）**の視点からも重要となる。

＜領域：こころとからだのしくみ＞

こころとからだのしくみ

問題 19　正解 3　重要度 ☆☆　難易度 ★★

ライチャードの性格類型

1　×　**円熟型**は，過去に対する後悔や未来への不安もなく，**積極的に社会参加**を行う性格である。たとえば，隣人と一緒に社会活動に参加したり，多くの趣味活動を行い有意義に過ごしたりする。なお，選択肢の内容は**安楽椅子型**の説明である。

2　×　**安楽椅子型**は，現実を受け入れて満足しており，**他人に頼りながら**生きる性格である。たとえば，自分から新しいことに挑戦するというよりも，のんびりと無理せず過ごすことを望む。なお，選択肢の内容は円熟型の説明である。

3　○　**防衛型**は，老いに対する不安を抑圧し若い時の**生活水準を維持したい**と望む性格である。退職後も会社のことを考えたり，たとえ体調が悪くても変わらない生活を続けようと頑張ったりする。

4　×　**憤慨型**は，自分の過去も老いも**受け入れられず**，さまざまな面で他人への不満が強く，周囲へ攻撃しやすい性格である。他人の親切も前向きに受け入れられない。なお，選択肢は**自責型**の説明である。

5　×　**自責型**は，自分の人生が失敗だったと考え，原因も自分にあると考えて**自己嫌悪**に陥り，ふさぎ込みやすい。**愚痴と後悔**を繰り返してしまう性格である。なお，選択肢の内容は**憤慨型**の説明である。

問題 20　正解 1　重要度 ☆☆☆　難易度 ★★★

脳とその機能

1　○　前頭葉は，**思考**，**意欲**，**創造性**，感情，**性格**，理性といった機能を司っている。前頭葉の下部には**運動性言語野**（言葉を話す機能）がある。

2　×　側頭葉は，**記憶**，**情動**，聴覚，嗅覚《きゅうかく》の機能を司っている。側頭葉の上部には**感覚性言語野**（言葉を理解する機能）がある。また，側頭葉は大脳辺縁系（海馬）とつながっており，**海馬**は記憶の一時的な保管場所である。

3　×　後頭葉は，色や形などの**視覚機能**を司っている。

4　×　小脳は，**運動**，**平衡感覚**，手足のなめらかな動きの機能を司っている。

5　×　脳幹には，中脳，橋，延髄という部分があり，**血圧・脈拍・呼吸の調節**，意識の覚醒の機能を司っている。

問題 21　正解 2　重要度 ☆☆　難易度 ★★

立ち上がり動作の主動作筋

1　×　上腕二頭筋は，**肘関節の屈曲《くっきょく》**時の主動作筋である。いわゆる「**力こぶ**」を作り出す筋肉である。少し重たい物を動かす時や，布団を引き上げたりする時に使う。

2　○　膝関節《しつかんせつ》を伸展させる主動作筋は**大腿四《だいたいし》頭筋《とうきん》**であり，立ち上がりや立位姿勢を保持する筋肉（抗重力筋《こうじゅうりょくきん》）である。膝関節を**屈曲**させる主動作筋は，**大腿二頭筋**である。

3　×　三角筋は，肩関節外転の主動作筋である。三角筋は肩全体を覆っており，腕をあげるほとんどの動きで使われており，肩関節を前・横・後ろに動かす。

4　×　下腿三頭筋《かたいさんとうきん》は，**足関節底屈《そくかんせつていくつ》・背屈**（かかとを上げる・足首を伸ばす）を行う筋肉である。

5　×　腸腰筋《ちょうようきん》は，**股関節屈曲**を行う筋肉で，**姿勢保持**の役割を担い**インナーマッスル**とも呼ばれる。腸腰筋が衰えると，姿勢が悪くなったり，つまずきやすくなったり，腰痛になりやすい。

問題 22　正解 4　重要度 ☆☆☆　難易度 ★

廃用症候群の症状

1　×　長期臥床によって心臓の機能や交感神経の活動が低下するため，**高血圧にはなりにくい**。寝たきりの状態から突然起き上がることによって，起立性低血圧やめまいを起こしやすい。

2　×　廃用症候群で起こりやすいのは**静脈血栓症**である。長期臥床により血液循環が停滞するため，静脈の循環不全が起こって血栓症が起きやすい。

3　×　身体を動かさないことによって筋線維は細くなり，筋肉はやせて**筋萎縮**が起こる。また，**関節拘縮**が起こり，**関節可動域も縮小**する。

4　○　身体を動かさないことによって，呼吸筋の筋肉量が減少したり，萎縮が起こり，肺活量が低下するなど**呼吸機能が低下**するために，疲れやすくなる。

5　×　胃腸の**蠕動運動の低下**によって，食欲低下や便秘といった消化機能の低下が起きる。

問題 23　正解 1　重要度 ☆☆☆　難易度 ★

褥瘡《じょくそう》の予防

1　○　体位変換時に摩擦や，皮膚表面と皮膚内部にずれが生じると，皮膚が弱くなり褥瘡《じょくそう》ができやすい。**身体を持ち上げ，引きずらない**ことが大切である。

2　×　排泄物《はいせつぶつ》による汚染も褥瘡を引き起こす原因になるが，おむつを重ねることによってむれて**湿潤**した状態も褥瘡を起きやすくする。そのため，**通気性をよくする**。

3　×　褥瘡予防には除圧が必要であり，**1～2時間ごと**の体位変換を行う。また，エアマットやクッションなどの工夫も必要であり，寝衣のしわを取り除くことも大切である。

4　×　入浴による**清潔保持**や**血行促進**は，褥瘡予防に効果がある。皮膚はごしごしこすらずに，**石鹸をよく泡立てて優しく丁寧に洗い，クリームなどで皮膚を保護**していく。

5　×　褥瘡予防は低栄養状態や脱水の状態によって起きやすいので，**栄養状態を保つ**ことが大切である。**高エネルギー，高たんぱく質**の食事を促す。

問題 24　正解 1　重要度 ☆☆☆　難易度 ★

唾液のはたらき

1　○　唾液には，アミラーゼという**酵素**が含まれていて，でんぷんを分解してブドウ糖にし，胃で**消化**しやすい状態にしている。よく噛むことで消化は進む。

2　×　唾液は，**副交感神経優位**では食物をスムーズに運ぶためにサラサラの唾液が多量に分泌される。**交感神経**が刺激されると抗菌作用のあるリゾチームを含んだ**粘液性**の唾液が出る。

3　×　**舌苔《ぜったい》**とは，食べかすや**細菌**，口腔《こうくう》内の粘膜が剥がれたものからできている。**唾液分泌量が少なくなり口腔内が乾燥してしまう**と，舌苔が増える。**口臭や味覚障害**の原因にもなる。

4　×　**唾液**は睡眠中にも分泌されており，口腔内の細菌などを洗い流して**清潔な状態**を維持し，**歯周病になるのを防いでいる**。これを，**自浄作用**という。

5　×　唾液量が**低下する**と**味覚**が感じにくくなる。唾液は食べ物を分解し，味物質を唾液の中に溶け込ませ，舌の表面にある味蕾《みらい》によって味を感じる。唾液がないと味を感じることができない。

問題 25　正解 4　重要度 ☆☆☆　難易度 ★

高齢者の脱水

1　×　脱水では血液量も減少し，また電解質のバランスも崩れて**活動性の低下**が起きるため，活動的なレクリエーションを促すことは**適切ではない**。

2　×　脱水では，水分とともに**塩分（電解質）**も失われているので，水分も塩分も補給する必要がある。

3　×　不感蒸泄《ふかんじょうせつ》とは，私たちが感じることなく（気づかないうちに）**皮膚や呼気《こき》から蒸発している水分**のことで，汗や尿は見えるので含まれない。不感蒸泄の量は**1日に900ml**といわれる。

4　○　高齢者は**感覚機能が低下**し，喉の渇きに**気づきにくい**ので，こまめに水分補給を促す必要がある。

5　×　人間は体温が高い時，汗を出して体温を下げる。脱水の状態では，からだの中の水分不足から汗を出せずに体温調節がうまくいかず，**体温は上昇しやすい**。

問題 26　正解 5　重要度 ☆☆☆　難易度 ★

入浴とかゆみ

1　×　石鹸は皮脂をとりすぎて**乾燥を増強**させたり，**刺激が強すぎ**てかゆみが増したりするおそれがあるので，低刺激性の石鹸を使い，ごしごしと洗わず，**優しく洗い，すすぎを十分に行う**。

2　×　41℃以上の熱いお風呂は血行がよくなり，それが刺激となって**かゆみが強まる**ため，お湯の温度は**38～40℃程度**にする。

3　×　入浴剤は**保湿成分**が入っているので，入れた方が皮膚の乾燥を防ぎ，**かゆみを軽減**させる。ただし，硫黄《いおう》の入った入浴剤は皮膚を乾燥させてしまうので気をつける。

4　×　入浴後はバリア機能が低下し水分が蒸発しやすいので，なるべく早く（**15分以内**），保湿ローションやクリームなどをからだ全体に塗ると，乾燥を防ぎかゆみを軽減することができる。

5　○　長湯をすると，**皮脂膜を溶かし保湿成分が流出し**乾燥の原因になるので，長湯はかゆみを増強しやすい。

問題 27　正解 3　重要度 ☆☆☆　難易度 ★★

便秘の種類と原因

1　×　**直腸性便秘**とは，排便を我慢することが習慣化することで**排便反射が低下**（直腸に便があっても便意を催さなくなる）して起こる便秘のことである。

2　×　**医原性便秘**とは，**薬の副作用**で起こる便秘のことである。痛み止めや制吐剤は腸の動きが抑えられてしまう。

3　○　**弛緩性便秘**とは，加齢や食事量・活動量の減少によって，**大腸の蠕動運動が低下**して起こる便秘のことである。

4　×　**器質性便秘**とは，**大腸がん**などの疾患によって，大腸が狭くなって起きる便秘のことである。

5　×　**痙攣性便秘**とは，**ストレス**などにより自律神経が乱れて，腸が**痙攣**を起こし便秘になることである。

問題 28　正解 5　重要度 ☆☆☆　難易度 ★★★

睡眠

1　×　**概日リズム（サーカディアンリズム）**とは，**約24時間周期**で活動（覚醒）と休息（睡眠）を作るリズムのことである。

2　×　**体内時計**は視床下部にあり，**太陽光**の刺激によって調整される。

3　×　高齢者では大脳を休ませる深い眠りの**ノンレム睡眠**の時間が減る。そして，筋肉を弛緩《しかん》させて身体を休ませ，脳は覚醒している浅い眠りの**レム睡眠**が多くなる。

4　×　**抗ヒスタミン薬**には眠気，判断力や集中力の低下などの副作用がある。

5　○　**松果体**から分泌されるメラトニンは，睡眠を促進するホルモンである。**太陽光**によってメラトニンの分泌量が変化し，睡眠・覚醒のリズムが作られる。

問題 29　正解 5　重要度 ☆☆☆　難易度 ★★

グリーフケア（悲嘆《ひたん》ケア）

1　×　妻との思い出や，妻への思いを表出する場がないと，悲しみや喪失感が増大するばかりである。心の整理をするためにも，**感情を表出**してもらう機会をつくる。

2　×　**グリーフケア**とは，**遺族の悲嘆を軽減**するためのケアのことである。

3　×　**サポートグループ**への参加は，悲嘆から回復した時期（一般的に 1 年くらい）に勧めるとよいと考えられている。

4　×　まずは妻の死を**受容**するためのかかわりが大切である。つまり，妻の死という現実をどう受け止めていくかが重要である。悲しみを乗り越え，自分の人生を再び歩むためには時間がかかる。安易な励ましなどは適切ではない。

5　○　大切な人の死を受け入れられない状態であるので，思いを表現できる**環境づくり**が大切である。

問題 30　正解 3　重要度 ☆☆　難易度 ★★

死亡直前の身体の変化

1　×　体力の減退に伴って**食欲がなくなる**。消化機能も低下し食べても吐いてしまうことがある。また，しだいに口渇感や空腹感を感じなくなっていく。

2　×　死亡する**前**には筋肉の硬直は起きない。筋肉は死亡後にいったん弛緩し，2～3 時間後から**死後硬直**がはじまる。

3　○　心肺機能の低下により血液循環が悪化し，体温はしだいに**低下**していく。

4　×　呼吸は，**不規則なチェーンストークス呼吸**（無呼吸，浅くゆっくりな呼吸，深く速い呼吸を繰り返す）になる。また，痰を出せずにゼーゼーといった音が出る**死前喘鳴《ぜんめい》**が出現する。

5　×　死亡の数日前から，血液循環の悪化により腎臓への血液が流れずに尿の生成が減少し，尿量も**少なく**なる。

発達と老化の理解

問題 31　正解 4　重要度 ☆　難易度 ★★★

乳幼児の心身の発達

1　×　4 か月頃は，**首がすわり支えられると座っていられる**ようになり，手のひら全体で積み木を握ろうとする。言葉にならない声を発し（**クーイング**），周りの人たちに微笑む**社会的微笑**が見られる。一人で立つことや話すことはできない。

2　×　6 か月頃は，**ひとりで座れる子も出てくる**が個人差がある。積み木を手のひら全体でつかめるようになるが，**指を使うことはまだできない**。

3　×　8 か月頃は，**支えると立つことができる**ようになってくるが，一人では立てない。知らない人をこわがるようになり**人見知り**の反応が出てくる。

4　○　1 歳頃は，つたい歩きや数秒間の**一人立ち**ができるようになる。**指を使って積み木をつかむ**ようになり，「ワンワン」などの**一語文**を話す。周囲の人の表情や反応を見て，自分の行動を決める**社会的参照**もできるようになる。

5　×　2 歳頃は，**ジャンプ**や**片足立ち**ができるようになり，靴下をぬごうとするなど**複雑なことができる**ようになる。個人差はあるが「ワンワン　きた」などの二語文や「おおきい　ワンワン　きた」などの三語文など，**多語文**も話すようになる。

問題 32　正解 4　重要度 ☆　難易度 ★★★

ボウルビィの理論

1　×　代理母実験を行ったのは**ハーロウ**である。母親と引き離された子ザルに２種類の人形を用意し，乳児と大人の関係形成には，接触の感触が快いことによる**安心感**が重要だと明らかにした。

2　×　自我同一性（アイデンティティ）の概念を提示したのは，**エリクソン**である。エリクソンは生涯を８つの発達段階に分け，それぞれの段階に心理社会的な**発達課題**を示した。

3　×　愛着を示す行動には個人差があることを提示したのは，**エインズワース**である。**ストレンジシチュエーション法**という方法で乳児の愛着行動の個人差を調べた。

4　○　ボウルビィは養育者との情緒的絆によって**愛着**（アタッチメント）が形成されることを提示し，その後，愛着対象の喪失という観点から，悲嘆過程には順序性があることを提示した。

5　×　悲嘆過程について二重過程モデルを提唱したのは，**ストローブ**と**シュト**である。喪失志向と回復志向の間で揺らぐことが自然であることから，**生活の立て直し**に向けた対処の必要性を述べた。

問題 33　正解 2　重要度 ☆☆　難易度 ★★★

子どもの身体的機能

1　×　発育のスピードや量は年齢・性別・個人差はあるが，一般的に身長は成人までに**頭部２倍**，上肢４倍，下肢５倍程度に成長する。**下肢の発育テンポが速い**。

2　○　体重は，出生後数日間は減少（生理的体重減少）するが，その後増えていき，一般的に**約３か月で２倍**になり，１年で約３倍に増える。人間の一生の中で一番成長する時期といえる。

3　×　BMI（Body Mass Index）は**青年期以降**の成長の度合いを評価する指標である。**BMI22 が標準体重**である。乳幼児期はカウプ指数が用いられ，学童期にはローレル指数が用いられる。

4　×　粗大運動とは大きな身体の動き（**姿勢の保持，移動運動**）を指し，微細運動とは**手や指先を使った細やかな動き**を指す。まずは粗大運動が発達し，続いて微細運動が発達する。

5　×　原始反射とは新生児が**無意識に反応**する動作のことであり，**生命を維持したり危険を回避したりするための反応**である。**出生後６か月**程度で消失し，自分の意思で動かす随意運動になっていく。

問題 34　正解 5　重要度 ☆☆☆　難易度 ★★

老年期の認知機能

1　×　自伝的記憶とは生涯におけるさまざまな経験やできごとについての記憶であるが，40 代以前の若い頃の記憶は，**10 代～20 代**のできごとを最も多く思い出す（レミニセンス・バンプという）。

2　×　加齢によって**注意機能は低下**する。つまり，複数のことを同時に行うことが難しくなったり，気が散りやすくなったりして，集中力が続きにくくなる。

3　×　次々に提示される情報を一時的に保持して，同時に再生するようなワーキングメモリ（**作業記憶**）は加齢による影響を**受けやすい**。

4　×　個人の経験やできごとに関する記憶である**エピソード記憶**は，加齢による影響を受けやすい。

5　○　新しいことを学習することや，新しい場面に適応するための**流動性知能**は，加齢の影響を受けて低下しやすい。加齢の影響を受けにくいのは，**結晶性知能**である。

問題 35 正解 3

重要度 ☆☆☆ 難易度 ★

適応機制

1 × 退行とは，受け入れがたい困難な状況を避けるために無意識に**幼児期の行動や態度**を取り，情緒を安定させる状態である。動画を見ることは，幼児的な行動ではないので**当てはまらない**。

2 × 攻撃とは，満たされない不快な状態を緩和するために無意識に物や他者に感情をぶつけたり，**乱暴な行動**を取ったりすることである。K さんに**当てはまらない**。

3 ○ 代償とは，目標とするものが得られない時，無意識に**代わりの獲得しやすいもの**で欲求を満たす状態のことである。K さんは，旅行に行けない気持ちを動画視聴によって満足しようとしている。

4 × 昇華とは，社会的に認められにくい衝動を社会的に承認されるような**価値の高い行為**に置き換えて満足しようとする状態である。K さんには**当てはまらない**。

5 × 抑圧とは，**認めたくない欲求や体験，感情**などを，心の中に**抑え込み**意識しないようにする状態である。K さんの状態には**当てはまらない**。

問題 36 正解 3

重要度 ☆☆☆ 難易度 ★

老化に伴う感覚機能の変化

1 × 老化によって，明るさに慣れる能力（明順応）よりも，**暗さに慣れる能力（暗順応）の方が低下**する。

2 × 高齢者は老化により音を感じる**内耳の機能低下**を起こしやすく，**感音性難聴になりやすい**。そのため，大きな高い声（高音域・高周波）は聞き取りにくくなる。

3 ○ 色を判断する色覚は，老化によって水晶体が変性し，黄色味を帯びてくすんで見える。そのため，**青色と緑色，白色と黄色，青色と紫色**は区別がつきにくくなる。

4 × 加齢により感覚全般において鈍化するが，高齢になると皮膚の乾燥や皮脂分泌低下によって，**かゆみの強い皮脂欠乏性皮膚炎になりやすい**。

5 × 味覚の感受性において**個人差は大きい**が，老化によって**味蕾の細胞数が低下**したり，**唾液の分泌量が減少**し，味覚の感受性は**低下**する。

問題 37 正解 1

重要度 ☆☆ 難易度 ★★

高齢者の歩行障害

1 ○ 腰部《ようぶ》脊柱管狭窄症《せきちゅうかんきょうさくしょう》は高齢者に多い病気で，**歩行中に足の痛み，しびれが起き歩けなくなる**が，しばらく座って休むと痛みやしびれはおさまり歩けるという**間欠《かんけつ》性跛行《せいはこう》**が特徴的である。

2 × パーキンソン病は，**前かがみの姿勢，小刻み歩行，突進現象，すくみ足**などの症状がある**神経の病気**であり，事例のような特徴の歩行障害は生じない。

3 × 老年期うつ病によって，**ふしぶしの痛み，腰痛，肩こり，頭重感**などは起きるが，事例のような特徴的な歩行障害は生じない。

4 × 脊椎圧迫骨折《せきついあっぱくこっせつ》は，自分の身体の重みを支えきれなかったり，**しりもち**をついたり，中腰で物を持ち上げた時などに起きる**背骨の骨折**で，**激しい痛み**により立ち上がれないこともある。

5 × 変形性膝関節症は，老化や肥満などによって**膝関節の軟骨がすり減り，痛みが生じる**病気である。**歩行開始時や長時間の歩行，階段を降りる時**に強い痛みが生じる。

問題 38 正解 5

重要度 ☆☆☆ 難易度 ★

めまいに対する介護福祉職の対応

1 × M さんの意思を尊重することは大切であるが，**食事量・水分量の不足による脱水症状**としてのめまいのおそれがあるので，M さんの食べられる食事形態の工夫や水分摂取の工夫をする必要がある。また，食欲のない原因を明らかにするためにも**医療職への報告相談**も大切である。

2　×　めまいが治るまで臥床を続けると，**廃用症候群（生活不活発病）**となり心身の機能低下を起こし，寝たきりの状態になるおそれがある。そばで見守り転倒予防をしていくことが大切である。

3　×　入浴時は血圧の変動があり，長く湯につかることは**一過性の低血圧を出現させる**ため，長く入ることは望ましくない。

4　×　降圧剤による低血圧によってめまいを起こす可能性はあるが，**体調不良による異常のおそれ**があるため，**医療者に報告相談**し対応をしていく必要がある。

5　○　立ちくらみやめまいは**起き上がり時**，また**食事摂取後**，**排泄後**，**入浴時**に起きやすいので，立ち上がる際には十分に気をつけて，ゆっくりと立ち上がることを勧めていく。また，転倒時にけがをしないように室内の整理整頓といった環境整備が必要である。

認知症の理解

問題 39	正解 2	重要度 ☆☆☆
		難易度 ★★★

認知症施策推進大綱

1　×　若年性認知症コーディネーターは，2015（平成27）年1月に策定された「**認知症施策推進総合戦略（新オレンジプラン）**」において，都道府県の相談窓口に配置されるようになった。認知症がある本人や家族からの相談を受けている。

2　○　認知症バリアフリーとは，認知症になってからもできる限り**住み慣れた地域**で普通に暮らし続けていくための障壁を減らしていくことである。

3　×　「認知症施策推進大綱」では，**共生と予防**を車の両輪としている。共生は**尊厳と希望**を持って**認知症とともに生きる**こと，予防は**認知症の発症を遅らせたり進行を穏やかにしたりする**ことを指す。

4　×　認知症サポーターの養成促進は，「**認知症施策推進総合戦略（新オレンジプラン）**」から開始されている。なお，2019年度からは，ステップアップ講座を受講した近隣の認知症サポーターがチームとなり，認知症の人や家族を支援する**チームオレンジ**という取り組みも始まった。

5　×　認知症の人や家族の視点の重視は「**認知症施策推進総合戦略（新オレンジプラン）**」で掲げられている。「認知症施策推進大綱」では，さらに**本人からの発信支援**を強調し，認知症本人の思いを積極的に発言できる機会を増やしている。

問題 40	正解 5	重要度 ☆☆
		難易度 ★

加齢による物忘れ

1　×　時間や場所，人についての混乱（見当識障害）は**認知症の物忘れ**では起きるが，加齢による物忘れでは**起きない**。

2　×　認知症の物忘れは体験したできごとを全部忘れるが，加齢による物忘れは**一部を忘れる**。たとえば，認知症では食事を食べたことを忘れ，加齢では食事の内容を忘れる。

3　×　認知症の物忘れは日常生活動作に支障がでるが，加齢による物忘れでは日常生活動作に**支障はでない**。

4　×　認知症の物忘れは，物忘れの症状が進行し，不可逆的であるが，加齢による物忘れは**進行しない**。

5　○　認知症の物忘れは，物忘れの自覚はないが，加齢による物忘れは**自覚がある**。

問題 41	正解 4	重要度 ☆☆☆
		難易度 ★

認知症の人への介護福祉職の対応

1　×　入所したばかりで環境が変わると**リロケーションダメージ**が起こり，不安が強くなる。**安心感**を持ってもらえるよう，最初は**特定の人**が関わったり，本人の私物を見えるところに置いたりする。

2 × 暴言・暴力・易怒性がみられた場合は，周囲の人や環境のどこに**原因**があるのか，**本人の気持ち**などもカンファレンスで話し合い，アセスメントし，今後のケアにいかす。

3 × **幻視**は**レビー小体型認知症**の人に多く現れる症状である。本人には実際に見えていて怖いので，強く否定するのではなく，**照明を明るく**したり，部屋の環境を調整して**影を減らし**たり，そばにいるなどして**安心**してもらう。

4 ○ 前頭側頭型認知症には，こだわりが強く同じ行動を繰り返すという**常同行動**がみられる。そういった場合，周囲の人との生活に支障がない行動に置き換えて，本人も納得できる生活習慣を確立する**ルーチン化療法**が効果的である。

5 × 同じ道を歩き回って戻ってくる症状を周回といい，前頭側頭型認知症に多く現れる。外出を無理に止めると暴力に結びつくので，**付き添って見守る**とよい。

問題 42	正解 4	重要度 ☆☆
		難易度 ★★★

薬物療法

1 × 軽度，中等度，高度といった**病期によって，薬の内容も投与量も変えて使う**。

2 × 回想法や音楽療法などの**脳活性リハビリテーションと並行**して薬物療法も行う。

3 × 行動・心理症状には，少量の**向精神病薬**が効く。

4 ○ 薬物療法によって症状はとめられないが，**進行を遅らせる**ことができる。

5 × **アリセプト**（ドネペジル塩酸塩）の副作用として，食欲低下などの**胃腸障害**があり，**リスパダール**（リスペリドン）の副作用として**パーキンソン症候群**がある。

問題 43	正解 1	重要度 ☆
		難易度 ★★★

成年後見制度

1 ○ 任意後見人とは，将来，判断能力が低下した場合に備えて，本人が選んでおいた後見人のことである。その人の**療養看護や財産管理に関する事務的なこと**を行っていく。

2 × 補助人とは，法定後見制度において，**判断能力が不十分な場合の後見人**のことである。相続の承認や特定の法律行為についての**代理権**が審判により，与えられる。

3 × 民生委員とは，**地域の身近な相談相手**としての役割が厚生労働大臣から委嘱された非常勤の地方公務員のことであり，財産管理などはできない。

4 × 成年後見人とは，法定後見制度において，**判断能力が常に欠けている場合の後見人**のことである。**財産管理の代理権，取消権**が与えられている。

5 × 保佐人とは，法定後見制度において，**判断能力が著しく不十分，日常生活にはそれほど支障がないが，財産管理などで不安な状態の場合の後見人**のことである。相続の承認や特定の法律行為についての代理権が審判により与えられる。

問題 44	正解 3	重要度 ☆☆☆
		難易度 ★★

ユマニチュード

1 × その人らしさを尊重する**パーソン・センタード・ケア**の実践を振り返る評価方法を**認知症ケア・マッピング**という。ブリーフィング（事前説明），マッピング（観察），フィードバックという手順で行う。

2 × 過去の記憶や本人が活躍した出来事といった**自分史**を楽しく振り返りながら，**自分の人生の意味**を再認識したり，自分という存在を確認したりするアプローチは，**回想法**である。

3 ○ 4つの柱（**見る，話す，触れる，立つ**）と5つのステップ（出会いの準備，ケアの準備，知覚の連結，感情の固定，再会の約束）を組み合わせ，**相手の能力を奪わない**ことを重視している。

4 × **共感**や**傾聴**することを通して認知症の

人の心に寄り添う考え方は，**バリデーション**である。バリデーションでは言葉よりもむしろ，**感情表出**を促すことを重視し信頼関係を築いていく。

5　×　チームで行うケアマネジメント方法はセンター方式である。視点は，その人らしいあり方，本人の**安心・快**，その人にとっての安全・健やかさ，馴染みの暮らしの継続などである。

問題 45	正解 4	重要度	☆☆
		難易度	★★★

レビー小体型認知症の症状

1　×　人格変化（前の性格とは変わってしまう）や反社会的行動（万引きなど）がみられるのは**前頭側頭型認知症**である。

2　×　レビー小体型認知症は，鮮明で具体的な内容の**幻視**が生じることが多い。

3　×　初期の段階に**もの盗られ妄想**の出現がみられやすいのは，**アルツハイマー型認知症**である。

4　○　レビー小体型認知症は，パーキンソン病と同様に神経伝達物質であるドーパミンが減少する。そのため**パーキンソン症状**があらわれ，嚥下障害が起きるため，**誤嚥性肺炎**になりやすい。

5　×　**レビー小体型認知症**では，小刻み歩行，前傾姿勢，突進現象，すくみ足といった**パーキンソン症状**が出やすいので，転倒する危険性が高い。

問題 46	正解 2	重要度	☆☆☆
		難易度	★★

認知症の人への対応

1　×　「息子さんが迎えに来る」と伝えることで一時的には安心するかもしれないが，迎えには来ないので何も解決していない。**うそをついた分，信頼関係構築を阻害する**ことにもなる。

2　○　「帰りたい」と繰り返すことには何か理由（不安や気がかりなこと等）があるので，**まずは話を聞かせてもらう**ことが大切である。体調も含めて職員間でのカンファレンスも必要である。

3　×　歌の会によって，**一時的に気が紛れる**かもしれないが，帰りたいという気持ちは変わらずにあるので，**問題の解決には至っていない**。

4　×　話していると興奮してしまうからといって一切話をしないようにすることは，正しい介護とはいえない。**拒否されたという感情**だけが生まれて，関係性も悪化していく。

5　×　「泊まることになっている」と説明されても納得できないので，帰りたい気持ちは変わらず，この問題は解決していない。

問題 47	正解 2	重要度	☆☆☆
		難易度	★★★

地域での認知症包括ケアシステム

1　×　認知症地域支援推進員は，すべての市町村に配置されることになり，配置場所は，**地域包括支援センター，市町村本庁，認知症疾患医療センター**等である。

2　○　認知症ケアパスとは，認知症の人への**適切なサービス提供の流れ**をまとめたものである。**本人，家族，多職種**がどのように関わり情報共有していくのか，**連携**に役立てられる。

3　×　認知症サポート医は，認知症の人の主治医（かかりつけ医）に，**助言**（専門的な鑑別診断やアセスメント）をする役割を担う。

4　×　認知症サポーターは，**近隣の認知症の人や家族を支援する**のが役割で，自分なりにできる簡単なことから実践することが期待されている。

5　×　認知症疾患医療センターでは，認知症**の的確な診断**と，**かかりつけ医や地域包括支援センターとの連携を強化**する役割を担う。

問題 48　正解 4　重要度 ☆☆☆　難易度 ★

多職種連携と情報共有

1　×　連絡を受けた管理栄養士がどのような状況にあり，どのようなルールで行動しているのかの状況把握は必要ではあるが，栄養課だけの問題にせず，**多職種全体**でのシステム作りが必要である。

2　×　ユニット内での情報確認のしくみを見直す必要もあるが，どこか一カ所の部署のせいにするのではなく，まずは**施設全体**での多職種連携システムを考え，さらに各部署での**徹底**が必要である。

3　×　多職種間での**情報共有**を口頭で行うのか，書類を介して行うのかなども含めてカンファレンスで話し合い，施設全体の問題としていくべきである。

4　○　今後，同じようなことが起こらないように，**具体的な対策を提案する**ことが重要である。また，これを機に，多職種間での**相互理解**をさらに深め，連携や協働のあり方を**見直す**べきである。

5　×　人手が足りなくて忙しすぎることでミスが生じたのかもしれないが，それを理由にしてしまうと，何も解決していかず何度も同じ状況が繰り返されるので，**前向きな話し合い**が大切である。

障害の理解

問題 49　正解 2　重要度 ☆☆☆　難易度 ★

ノーマライゼーション

1　×　ノーマライゼーションとは，障害があろうとなかろうと**当たり前の生活を送るために生活環境を整える**ことである。**本人の意向**に沿った支援が必要であり，職業訓練だけを重視しない。

2　○　**普通の生活**を送ることができるよう環境を整えることがノーマライゼーションの考え方なので，正しい。

3　×　ノーマライゼーションの考え方としては，障害があろうとなかろうと普通の生活ができることを目指すので，**疾病の治療を重視するわけではない**。

4　×　ノーマライゼーションの理念では，誰もが同じ社会の一員ととらえ，障害のある人も障害のない人も同じ生活状態での暮らしを目指すので，**障害者だけの活動を重視していない**。

5　×　誰もが住みたいところで自由に住むことが大切であるため，一人ひとりの思いに沿った場所で住めるよう調整することが大切である。よって，**施設の生活だけを重視していない**。

問題 50　正解 1　重要度 ☆☆☆　難易度 ★★★

障害者総合支援法の地域生活支援事業

1　○　地域活動支援センターとは，**障害のある人**が通い，**創作的活動**または**生産活動**の機会の提供，**社会との交流**等を行う施設である。障害者総合支援法の地域生活支援事業に位置づけられる。

2　×　行動援護は，知的障害や精神障害により自分一人で行動することが著しく困難である人への**外出支援**をいう。障害者総合支援法の**自立支援給付**の**介護給付**に位置づけられる。

3　×　地域定着支援は，施設から**自宅**に戻った障害者に対し，**連絡体制の確保**や**緊急時の対応**を行い，**地域生活が継続するためのサービス**。障害者総合支援法の**自立支援給付**に位置づけられる。

4　×　福祉ホームは，障害者に**低額な料金で居室等を提供**するサービスで，障害者総合支援法の**地域生活支援事業**に位置づけられる。D さんは**両親と暮らしており**当てはまらない。

5　×　自立訓練とは，**自立した日常生活または社会生活**ができるよう，身体機能や生活能力の向上のための訓練を行うことである。障害者総合支援法の**自立支援給付**の**訓練等給付**に位置づけられる。

問題 51　正解 4　重要度 ☆☆☆　難易度 ★

高次脳機能障害

1 ×　感情をコントロールすることが難しくなり，突然怒り出したり，社会的なルールや相手の気持ちを思いやることができなくなったりする状態は，**社会的行動障害**の症状である。

2 ×　気が散りやすくなり１つのことに集中できなくなり，２つのことを同時にしようとすると混乱する状態は，**注意障害**の症状である。

3 ×　自分で計画を立てることや，手順を考えながら行うことが難しくなって，簡単な料理でも順序よく行うことができなくなる状態は，**遂行《すいこう》機能障害《きのうしょうがい》**の症状である。

4 ○　脳の障害により，片側の空間が認識できない状態は，**半側空間無視《はんそくくうかんむし》**の症状である。片側をよくぶつけたり，食事を片側だけ残したりする。

5 ×　物の置き場所を忘れたり，新しいことが覚えられなかったりする状態は，**記憶障害**の症状である。忘れてしまう状態への自覚がなく，日常生活に支障が出る。

問題 52　正解 3　重要度 ☆☆　難易度 ★★★

障害受容の過程

1 ×　上田敏の障害受容のモデルは，一般的に５つの過程を段階的に進むと考えているが，**個別性**もあり，各段階を**行ったり来たりする**こともあると述べている。

2 ×　上田敏の障害受容モデルの**混乱期**は，障害の告知を受け，否認することができず，周囲を攻撃したり，自分に怒りを向けたり，抑うつ症状が出たりする。価値の転換が起きるのは**適応への努力期**である。

3 ○　障害を受容するためには心理的過程を経ていくだけでなく，本人を取り巻く**環境要因**が大きく影響を及ぼす。環境要因には，**意識的障壁**（こころない視線，障害者を弱い存在と捉える偏見）がある。

4 ×　障害受容における物理的障壁には，**歩道の段差**，車いす利用の通行を妨げる**障害物**，**出入口の段差**などの物理的な障壁がある。音声案内や点字がないのは，**情報の障壁**である。

5 ×　障害受容において，「自分には何ができるだろうか」という**価値転換**は，**ピアサポート**という同じ障害のある人の体験や考えを聞いたり，自分の思いに共感してもらったりすることで可能となりえる。

問題 53　正解 3　重要度 ☆☆☆　難易度 ★★

脊髄損傷《せきずいそんしょう》

1 ×　腰髄損傷《ようずいそんしょう》では，**下肢麻痺《かしまひ》**（**対麻痺**）となる。座位バランスは安定するので，長下肢装具をつけたり，杖を使ったりすることで歩行は可能となる。

2 ×　頸髄損傷《けいずいそんしょう》（C_7）では，肘《ひじ》を伸ばしたり曲げたりができるため，**寝返り**や**起き上がり**動作や**座位移動**が可能となり，肘を伸ばす（**プッシュアップ**）動作ができる。

3 ○　脊髄の完全損傷の場合，損傷した部位からの**感覚情報**を脳へ送ることができないため，**感覚知覚機能**は失われ，さらに脳からの運動指令が届かないため，**運動機能**は失われる。

4 ×　胸髄損傷《きょうずいそんしょう》（T_1）は，**体幹麻痺**，**下肢麻痺《かしまひ》**が起き，座位バランスは安定しない。上肢は全体的に動かせるが，**握力低下**はみられ，車いす動作や日常生活動作の**部分介助は必要**である。

5 ×　頸髄損傷（C_1 ～ C_3）では，呼吸障害が生じ**人工呼吸器**が必要になる。**四肢麻痺《ししまひ》**となるため，日常生活動作において全介助が必要となる。

問題 54　正解 1　重要度 ☆☆　難易度 ★★

注意欠陥多動性障害の人への支援

1 ○　Eさんは**注意欠陥多動性障害**と考えられるが，障害を持っていても大学生となり前向きに就職を考えているので，就職が実現するように目標を定めて，それに向かう環境づくりが大切である。

2　×　授業中は気が散りやすく集中が続きにくいので，他の学生の様子に気が散らないように，**一番前**に座って授業を受けることを勧める。

3　×　E さんは大学受験も乗り越え，頑張ってきているので，E さんが**働き続けられる職場を選ぶことで，就職も可能になる**と考えられる。最初からあきらめさせる必要はない。

4　×　注意欠陥多動性障害に対して薬物療法もあるが，それだけで治癒する障害ではないので，**症状や不安感を軽減するよう環境を整える**ことや，指導をしていくことが大切である。

5　×　対人関係でトラブルは生じやすいが，**周囲の人たちとの関わり**から**気持ちのコントロールをしていく方法を学ぶ**ので，控えてしまうことは適切ではない。

問題 55	正解 5	重要度	☆☆☆
		難易度	★★

筋萎縮性側索硬化症

1　×　筋《きん》萎《い》縮《しゅく》性《せい》側《そく》索《さく》硬《こう》化《か》症《しょう》は筋肉を動かすための神経が障害を受けて，筋肉を動かすことができなくなり筋力が低下していく。**呼吸筋の低下**による呼吸障害も生じ，**人工呼吸器**を使用することになる。

2　×　筋萎縮性側索硬化症の人の意識は，最後までしっかりしていて自律神経も障害されないので，尿意も便意も最後まであり，**排泄障害は起こらず**失禁もしない。

3　×　口や舌，喉などの筋肉も萎縮するため，**嚥下障害**が生じて経口摂取が困難になったり，構音障害が生じて声が出しにくくなったりする。

4　×　手指の筋力低下も起きるので筆談は難しい。**眼球を動かす筋肉**は保たれ，目で文字を示すことで意思表示が可能なので，**透明文字盤**によるコミュニケーションは有効である。

5　○　筋萎縮性側索硬化症では全身の筋肉が徐々に萎縮し，やがて四肢麻痺や呼吸障害などで自立困難となるが，感覚（**視力**，**聴力**など），**知能**，**意識**，**内臓機能**は最後まで保たれる。

問題 56	正解 5	重要度	☆☆☆
		難易度	★

うつ病への対応

1　×　「奥様に申し訳ないと思うなら，少しでも早く病気を治しましょう」のような励ましは，**F さんの精神的な負担や圧迫**につながる不適切な発言である。

2　×　**F さんの考えを否定するような意見**を述べることは不適切である。

3　×　「そんなこと言わずにもっと積極的に行動してみてください。頑張りましょう」のような**励ましは**，**F さんの精神的な負担や圧迫**につながる不適切な発言である。

4　×　「F さんは駄目な人間になられてしまいましたね。奥様がかわいそうです」と**F さんの落ち込みに追い討ちをかけるような発言**をすることは不適切である。

5　○　介護福祉職は，F さんの発言に対して，F さんの気持ちを**受け止め**，**共感的な理解**を示すことが大切である。

問題 57	正解 4	重要度	☆☆☆
		難易度	★

フォーマルな社会資源

1　×　地域のコンビニエンスストアの店員による見守りは，**インフォーマル**な社会資源である。地域の身近な存在で，とても役立つが，制度化されたものではない。

2　×　近隣の住民による声かけは，**インフォーマル**な社会資源である。制度化されていないが G さんに役立つ支援である。

3　×　ボランティアの人の見守りは，**インフォーマル**な社会資源である。

4　○　民生委員は，**フォーマル**な（制度化された）社会資源である。無償ではあるが，民生委員法に定められた任期３年の相談員である。フォーマルな社会資源は，他に**行政**によるサービス，**保健所**，**社会福祉協議会**などが含まれる。

5　×　家族会とは共通の課題や困難を抱えている人の家族支援を目的とする当事者会である。家族の交流を主な目的として悩み相談や勉強会で情報交換などを行う**インフォーマル**な社会資源である。

問題 58	正解 2	重要度 ☆☆
		難易度 ★★

相談支援専門員の役割

1　×　相談支援専門員は，**障害者**が地域で自立した日常生活，社会生活を送るための相談支援を行う。障害福祉サービスを**うまく利用できる**ようにサポートしていく。

2　○　サービス等利用計画とは，障害者が**地域での生活を継続**するために，さまざまな**社会資源**（グループホーム，療養介護，生活介護，自立訓練，就労移行支援など）と結びつける計画である。

3　×　サービス等利用計画に基づいた支援サービスが適切に提供されているかのモニタリングは，**相談支援専門員**が行う。モニタリング報告書は管轄の**市町村**に提出する。

4　×　主な働き場所は，**基幹相談支援センター**や**障害者施設**である。基幹相談支援センターは各地域にある**障害者向けの相談窓口**である。

5　×　相談支援専門員は，**障害者やその家族の相談に応じる**仕事である。相談に対する情報提供や助言，福祉サービスの利用につなげる支援，関連機関との連絡調整を行う。

＜領域：医療的ケア＞

医療的ケア

問題 59	正解 2	重要度 ☆☆
		難易度 ★★

消毒と滅菌

1　×　栄養剤の注入後に白湯を注入する理由は，チューブ内を洗い流し，**つまりや腐敗，雑菌の繁殖を防ぐ**ためである。消毒は，食器用洗剤で洗浄後，**次亜塩素酸ナトリウム**につけ置きをする。

2　○　医療的ケア（経管栄養・喀痰吸引）を実施する前には，手指消毒として必ず**石鹸**と**流水**で手を洗う必要がある。手洗いは，感染予防の**スタンダードプリコーション（標準予防策）**である。

3　×　滅菌とは，**すべての微生物**を死滅させること，または除去することであり，**病原性**の微生物を死滅させること，または弱くすることは**消毒**である。

4　×　滅菌物が開封してあるならば，**汚染**しているとみなし使用できない。滅菌物を使用する前に確認することは，①**滅菌済み**の表示，②**有効期限内**であること，③**開封していない**ことである。

5　×　次亜塩素酸ナトリウムは**塩素系消毒薬**で，他の消毒薬と混ぜると**危険**である。特に，**酸性**の消毒薬と混ぜると**有毒ガス**が発生する。また，皮膚への刺激が強いので，手袋をつけて換気をしながら使う。

問題 60	正解 4	重要度 ☆☆☆
		難易度 ★

痰を出しやすくするケア

1　×　痰を外に出す働きをしている気道粘膜の**せん毛運動**が活発になるためには，室内の湿度を **40 ～ 60%** に保つため適度の加湿が望ましい。

2　×　咳は**痰を出す**ための重要な機能であり，我慢させてはいけない。咳を十分に出せるよう，肺活量を維持したり，**腹筋**を鍛えたりする支援をしていく。

3 × 痰の**粘性**が強いと痰は出しにくいので，**身体全体の水分バランス**を整えるために水分量を控えてはいけない。

4 ○ 痰を効果的に出すためには，重力を利用した**体位ドレナージ**を行う必要がある。たとえば，右肺に痰があれば，右側を上にする左側臥位にする。

5 × 痰が出やすいよう**重力**を利用し体位を工夫するが，長時間の同一体位は身体的・精神的に苦痛や弊害を生じるため避けなければいけない。

問題 61　正解 5　重要度 ☆☆　難易度 ★★

医師の指示書

1 × 医師の指示書の有効期限は**6か月以内**とされている。また，利用者の状態が変化すれば，すぐに書き換えられる。

2 × 喀痰吸引は医行為であり，利用者の状態に応じて医師は指示書を変更していくので，**実施するたびに医師の指示書を確認**しなければならない。

3 × 実施する**介護福祉職**がその都度確認を行い，その後，実施していく。

4 × 介護福祉職が実施できる範囲として，**咽頭の手前まで**と規定されているので，それを守る必要がある。

5 ○ 医療的ケアは，2011（平成23）年の社会福祉士及び介護福祉士法の一部改正により，一定の教育や環境条件のもと，**医師の指示**により介護福祉士が実施できる行為と定められた。

問題 62　正解 2　重要度 ☆☆☆　難易度 ★★

経管栄養中の実施手順

1 × 胃ろう挿入部は，発赤などの感染徴候がなければ（医師の指示により），**消毒剤での消毒は行わない**。分泌物や栄養剤が漏れていたら，**ぬるま湯**で**濡らしたガーゼ**などで拭き取る。

2 ○ 医師の指示により決められた栄養剤の種類，量を注入するので，間違うことで利用者に害が及ぶ恐れがあるため，何度も**本人確認**が必要である。

3 × 経管栄養チューブが胃内に適切に挿入されていることの確認は，毎回，**看護職**が行う。介護職は，看護職が確認していることを確認する必要がある。

4 × 経管栄養チューブを固定しているテープがはがれている時は，チューブが抜けかかっている可能性があるため，**看護職**に**報告**して対処してもらう必要がある。

5 × 表情・顔色，嘔気・嘔吐，腹部膨満感・腹痛，呼吸状態などの観察は，**注入前**，**注入中**，**注入後**に行う必要がある。異常があれば看護職に報告する。

問題 63　正解 5　重要度 ☆☆☆　難易度 ★★

経管栄養時の異変対応

1 × 腹部膨満感がある時は，注入速度を**遅く**してみることがある。それでも改善しなければ看護職に連絡する。この場合は気分不快も訴えているので，すぐに看護職に報告する方がよい。

2 × 終了時に白湯を注入するのは，栄養剤がチューブに残り，細菌の繁殖を促し**感染源**になるのを防ぐためである。よって，常に白湯の注入は必要である。

3 × 注入終了後も上半身を起こした状態を30分から1時間保つのは，**嘔吐**《おうと》や食道への**逆流**を防ぐためであるので，すぐに上半身を下げて水平にする対応は適切ではない。

4 × 介護福祉士の判断で**注入量**等を変更してはならない。

5 ○ 利用者の状態を観察し，すぐに**看護職に連絡・報告**することが適切な対応である。

完全予想模試
②午後

解答・解説

合格によく効く!!

正解一覧

チェック欄	番号	正解番号				
	介護の基本					
	問題 64	①	②	③	❹	⑤
	問題 65	❶	②	③	④	⑤
	問題 66	①	②	❸	④	⑤
	問題 67	❶	②	③	④	⑤
	問題 68	①	②	③	④	❺
	問題 69	❶	②	③	④	⑤
	問題 70	①	❷	③	④	⑤
	問題 71	①	②	③	❹	⑤
	問題 72	①	❷	③	④	⑤
	問題 73	①	②	③	④	❺
	コミュニケーション技術					
	問題 74	①	②	③	❹	⑤
	問題 75	①	②	③	❹	⑤
	問題 76	①	②	❸	④	⑤
	問題 77	①	❷	③	④	⑤
	問題 78	①	②	❸	④	⑤
	問題 79	①	②	③	④	❺
	生活支援技術					
	問題 80	①	②	③	④	❺
	問題 81	❶	②	③	④	⑤
	問題 82	❶	②	③	④	⑤
	問題 83	❶	②	③	④	⑤
	問題 84	①	②	③	❹	⑤
	問題 85	①	②	③	④	❺
	問題 86	①	②	❸	④	⑤
	問題 87	❶	②	③	④	⑤
	問題 88	①	❷	③	④	⑤
	問題 89	①	②	③	④	❺
	問題 90	①	②	❸	④	⑤
	問題 91	①	②	③	❹	⑤
	問題 92	①	②	③	❹	⑤
	問題 93	①	②	❸	④	⑤
	問題 94	①	❷	③	④	⑤
	問題 95	①	②	③	④	❺
	問題 96	①	❷	③	④	⑤
	問題 97	①	②	③	❹	⑤
	問題 98	①	❷	③	④	⑤
	問題 99	①	②	③	④	❺
	問題100	❶	②	③	④	⑤
	問題101	①	❷	③	④	⑤
	問題102	①	❷	③	④	⑤
	問題103	①	②	③	❹	⑤
	問題104	①	②	③	④	❺
	問題105	①	❷	③	④	⑤
	介護過程					
	問題106	①	❷	③	④	⑤
	問題107	①	②	❸	④	⑤
	問題108	①	②	❸	④	⑤
	問題109	①	②	③	④	❺
	問題110	①	❷	③	④	⑤
	問題111	①	②	③	④	❺
	問題112	❶	②	③	④	⑤
	問題113	❶	②	③	④	⑤
	総合問題					
	問題114	①	②	❸	④	⑤
	問題115	①	②	③	❹	⑤
	問題116	①	②	③	❹	⑤
	問題117	①	②	③	❹	⑤
	問題118	❶	②	③	④	⑤
	問題119	①	②	③	④	❺
	問題120	①	②	❸	④	⑤
	問題121	①	②	③	❹	⑤
	問題122	①	②	③	❹	⑤
	問題123	①	❷	③	④	⑤
	問題124	①	②	❸	④	⑤
	問題125	❶	②	③	④	⑤

☆及び★印は次のような基準でつけました。

重要度	難易度
☆………注　意	★………普　通
☆☆……重　要	★★……　難
☆☆☆…最重要	★★★…超　難

＜領域：介護＞

介護の基本

問題 64	正解 4	重要度 ☆☆ 難易度 ★★★

高齢者人口の見通しと介護人材の需給推計

1 × 「今後の高齢者人口の見通しについて」によれば，2025 年頃，75 歳以上人口は，**都市部では急速に増加**し，もともと高齢者人口の多い地方でも緩やかに増加すると予測している。

2 × 「2025 年に向けた介護人材にかかる需給推計（確定値）について」によれば，2025 年度には 253 万人が必要と見込まれ，現状の増員ペースで進むと約 38 万人の介護職が不足すると推測している。よって，**2025 年頃，介護福祉職の需要はさらに高まっている**。

3 × 「今後の高齢者人口の見通しについて」によれば，2025 年頃に向けて「認知症高齢者の日常生活自立度」は、「何らかの認知症を有するが，日常生活は家庭内及び社会的にほぼ自立している段階」であるランクⅠではなく，「日常生活に支障を来すような症状・行動や意思疎通の困難さが多少見られても，誰かが注意していれば自立できる段階」である**ランクⅡ以上の人が増加していく**と予測している。なお，ランクⅢは「日常生活に支障を来すような症状・行動や意思疎通の困難さが見られ、介護を必要とする段階」，ランクⅣは「日常生活に支障を来すような症状・行動や意思疎通の困難さが頻繁に見られ、常に介護を必要とする段階」である。

4 ○ 「今後の高齢者人口の見通しについて」によれば，2035 年頃に向けて，**世帯主が 65 歳以上の単独世帯は増加していく**と予測している。

5 × 「今後の高齢者人口の見通しについて」によれば，75 歳以上の人の全人口に占める割合は増加していき，**2055 年には 26.1%**（2,401 万人）になる見込みである。

問題 65	正解 1	重要度 ☆☆☆ 難易度 ★★

リハビリテーションの意義，考え方

1 ○ リハビリテーションは単に病気やけがの治療などの身体機能の回復訓練のみではなく，**教育**や，**経済・社会**などの**全人的な回復**が求められる。

2 × リハビリテーションとレクリエーションは共に再びの**社会参加**を目指して行われ，**QOL(Quality of Life)** の向上を図る。よって，リハビリテーションとレクリエーションは対極にある概念ではない。

3 × リハビリテーションには，**医学的リハビリテーション**，**教育リハビリテーション**，**職業リハビリテーション**，**社会リハビリテーション**の 4 つの分野が定義づけられており，**相互に影響**しあっている。

4 × リハビリテーションは，介護老人福祉施設や介護老人保健施設などで実施される**施設サービス**と，訪問リハビリテーション，通所リハビリテーションといった**在宅**で実施されるものがある。

5 × 自立とは,「**身体的自立**」「**精神的自立**」「**経済的自立**」「**社会的自立**」の 4 つの種類がある。杖や，車いすなどを使用して日常生活を送ることができることで，**身体的自立**をしていると考えることができる。

問題 66	正解 3	重要度 ☆☆ 難易度 ★★

労働基準法

1 × 労働基準法とは，労働者における**労働**

条件（賃金，労働時間等）の最低基準を定めた法律である。労働者の安全と健康を守り，快適な職場環境づくりを目的とした法律は**労働安全衛生法**である。

2　×　労働基準法では，労働時間について，**休憩時間を除き，1週間40時間，1日8時間を超えてはならない**と規定している。

3　○　労働基準法第36条には，法定の労働時間を超える法定時間外労働や法定の休日に労働させる法定休日労働をさせる場合には，**あらかじめ労使で書面による協定を締結**しておくことが必要であると規定している。このことを通称「**36（サブロク）協定**」と呼んでいる。

4　×　使用者は，本人による**休業の請求の有無にかかわらず，**産後8週間を経過しない女性を就業させてはならない。ただし，産後6週間を経過した女性が就業を希望する場合は，医師が支障がないと認めた業務に就かせることは差し支えない。なお，産前については，使用者は，6週間以内に出産する予定の女性が**休業を請求した場合**においては就業させてはならない。

5　×　2019（平成31）年4月から，すべての企業・事業所で，年10日以上の年次有給休暇が付与される労働者に対して，年次有給休暇の日数のうち**年5日**については，使用者が時季を指定して**取得させる**ことが必要となった。なお，その際，使用者は労働者の意見を聴取し，その意見を尊重するよう努めなければならない。

問題 67　正解 1　重要度 ☆☆　難易度 ★★

介護福祉職が利用者に行える行為

1　○　介護福祉職は，**新生児以外の入院治療の必要がない人**に対してであれば，パルスオキシメーターを装着して，動脈血酸素飽和度を測定することができる。

2　×　糖尿病等の疾患に伴う専門的な管理が必要な利用者の場合は，医療行為となり，介護福祉職が爪切りとやすりがけを行うことはできない。また，爪とその周囲の皮膚に化膿や炎症などの異常がある場合の爪切り等も医療行為となり，どちらの場合も**医師や看護師**が行わなければならない。なお，特に何も問題のない利用者の場合は，介護福祉職が爪切り等を行うことが可能である。

3　×　点滴の管理は**医療行為**となるため，介護福祉職には行うことができない。

4　×　褥瘡《じょくそう》の患部のガーゼの交換は**医療行為**となるため，介護福祉職は実施できない。なお，専門的な判断や技術を必要としない切り傷，擦り傷などのガーゼ交換は，介護福祉職でも行うことができる。

5　×　介護福祉職は、一包化された内服薬であれば内服介助を行うことができるが、一包化されていない場合はできない。

問題 68　正解 5　重要度 ☆☆　難易度 ★★★

介護保険制度の訪問介護で対応可能な支援

1　×　訪問介護は，利用者の入浴・排泄・食事介護等の**身体介護**と掃除・洗濯等の**生活援助**に大別される。**利用者不在の留守時の対応**は**対象外**である。

2　×　訪ねてきた親戚《しんせき》にお茶を入れることは，利用者の生活支援に直接関係ないため，訪問介護の**対象外**である。

3　×　処方箋《しょほうせん》を交付するのは**医師**であるため，訪問介護員は処方薬の交付はできない。しかし，利用者や家族が病院や薬局に薬を取りに行けない場合，**生活援助**の一環として薬を受け取ることはできる。

4　×　飼い犬の散歩は利用者の生活支援には直接関係しないため，介護保険制度における訪問介護の**対象外**である。

5　○　電子体温計等による腋窩《えきか》の体温測定や外耳道での体温測定は，食事・排泄・入浴介護等と同じく**身体介護**に含まれる。よって，訪問介護員は利用者への体温測定を行うことができる。

問題 69　正解 1　重要度 ☆☆　難易度 ★★

ユニットケア

1　○　ユニットケアでは担当職員を一定期間**固定**して配置する等，利用者となじみの関係が成立するような配慮も必要となる。

2　×　利用者同士の関わりは，同じユニット内の相互交流に限定する必要はない。他のユニットの利用者とも交流の機会をつくり，**交流の幅を広げていく**ことが重要である。

3　×　寝食《しんしょく》分離の視点からも居室からの離床を促し，**共有スペース（リビングスペース）**で他の利用者と一緒に食事を楽しむことができるように支援していく必要がある。ただし，利用者の意向や状態によっては居室で食事をとる場合もある。

4　×　ユニットケアでは，原則として全室個室とし，おおむね**10人以下**（15人を超えない）のグループを一つの生活単位（ユニット）として支援を展開していく。

5　×　介護老人福祉施設等のうち，ユニットケアを採用している個室ユニット型施設では，プライバシーの保護や感染症予防等の観点から，多床室や新たに個室的多床室を設置することが**禁止**されている。ユニットケアでは**原則，全室個室**となる。

問題 70　正解 2　重要度 ☆☆　難易度 ★★

地域包括支援センター

1　×　市町村が外部の事業所に委託することもあり，**日常生活圏域（中学校区）に1つ**の目安で設置されることが多い。

2　○　地域包括支援センターでは，高齢者虐待の防止や早期発見を含む**権利擁護**のために必要な事業も行っている。

3　×　原則として**保健師，社会福祉士，主任介護支援専門員**の3職種を置くことになっている。

4　×　地域包括支援センターでは，要支援1や要支援2と判定された人に対して**介護予防ケアマネジメント**や**介護予防支援**を行っている。

5　×　地域包括支援センターは，老人福祉法ではなく，**介護保険法**に基づいて設置されている。

問題 71　正解 4　重要度 ☆☆　難易度 ★★

介護福祉職のうつ病について

1　×　うつ病の治療法の1つとして，薬を使用することもある。ただし，副作用が出る薬もあるので，**主治医とよく相談して使用する**。

2　×　うつ病になると，好きだった食べ物を食べても**おいしいと感じられなかったり**，それまで好きだったことをしても**楽しみを感じられなくなったりする**。

3　×　うつ病と診断された場合，まずは十分に**休養**を取ることが大切である。**睡眠や休息時間を増やす**ことで，身体や脳の疲れをとることがうつ病の改善につながるので，仕事量は**減らす**ことが適切である。

4　○　うつ病の治療法の1つとして，**カウンセリング**がある。主治医や心理カウンセラーに対面し，職場や人間関係の**ストレスへの対処法**などの適切なアドバイスを受けることで，現在の症状緩和だけでなく，今後の**再発防止**にもつながる。

5　×　うつ病になると，**脳の活動力が低下**することで，不眠や，気持ちが落ち込む症状があらわれるといわれる。

問題 72　正解 2　重要度 ☆☆　難易度 ★

介護福祉士の災害時の支援

1　×　要配慮者は，**災害対策基本法**に規定されている。

2　○　要配慮者は，**高齢者，障害者，乳幼児**その他の特に配慮を要する者とされている。具体的には，**妊婦**や**傷病者，外国人**などにも配慮が必要だと考えられる。

3　×　避難行動要支援者の円滑かつ迅速な避難を図る観点から，個別避難計画を作成する努力義務があるのは，**市町村長**である。なお，避難行動要支援者とは，**要配慮者**のうち，災害が発生した際に**自身で避難することが困難**で，円滑かつ迅速な避難を図るために特に支援を要する人のことである。

4　×　介護福祉士は，福祉専門職による**災害派遣福祉チーム（DWAT）**の一員として，災害発生直後の被災地に入ることもある。

5　×　高齢者や障害者，乳幼児など，災害時に一般避難所では避難生活が難しいと考えられる人たちに配慮した，市町村指定の避難所を，**福祉避難所**という。

問題 73　正解 5　重要度 ☆☆　難易度 ★★★

保健・医療・福祉に関連する人材

1　×　サービス管理責任者は，**個別支援計画**を作成する。児童発達支援計画を作成するのは児童発達支援管理責任者である。

2　×　言語聴覚士は，音声・言語・聴覚の機能や摂食・嚥下《えんげ》の機能に障害のある人に対して，**言語訓練**や**摂食・嚥下訓練**等を実施する。視機能検査や視機能回復のための訓練を行うのは**視能訓練士**である。

3　×　義肢装具士は，**義肢**（義手・義足）や**装具**（上肢装具，体幹装具，短下肢装具等の下肢装具）の**採寸・採型**，**製作**，**身体への適合調整**を実施する。基本的な動作能力の回復を目指し，関節可動域訓練や歩行訓練，温熱や電気等による物理療法を行うのは**理学療法士**である。

4　×　職場適応援助者（ジョブコーチ）は，障害者が職場に適応し定着して働けるよう，その**職場**に出向いて**障害特性に応じた支援**等を実施する。社会的適応能力の回復を目指し，日常生活動作や調理等の訓練，自助具や福祉用具の選定を行うのは**作業療法士**である。

5　○　民生委員は，民生委員法に基づくフォーマルな社会資源の１つで，都道府県知事の推薦で厚生労働大臣が委嘱《いしょく》し，**児童委員**を兼ねている。任期は３年である。

コミュニケーション技術

問題 74　正解 4　重要度 ☆☆☆　難易度 ★★★

コミュニケーションの技法

1　×　利用者の話を聞き，それを繰り返すことを**繰り返し**という。**反射**は，利用者の言葉や表情等から相手の**感情**を受け取り，それを利用者に伝えることである。

2　×　援助者が利用者の話す内容を受け止めた上で，重要な部分に焦点を絞って質問を行うのは，**焦点化**である。

3　×　利用者が話した内容を利用者自身が理解できるように整理して端的にまとめて伝えることを**要約**という。

4　○　直面化とは利用者の感情と行動の**矛盾《むじゅん》点**を指摘したり，心の葛藤《かっとう》をうかがわせる態度について話題にしたりする中で，利用者が**自分自身と向き合う機会**を提供する技法である。

5　×　利用者が伝えたい内容を上手く表現できない場合に，質問等を行って，その内容を明らかにすることを**明確化**という。言い換えは利用者が話した内容を**別の言葉**を使って簡潔に返す技法である。

問題 75　正解 4　重要度 ☆☆☆　難易度 ★★

加齢性（老人性）難聴

1　×　加齢性（老人性）難聴は，加齢に伴う内耳の障害によって引き起こされる**感音性難聴**に分類される。感音性難聴の場合，聞き取りづらいからといって，耳元で大きな声で話されるとかえって音が響いて余計に言葉が認識できなくなる。

2　×　五十音表の活用は，発声や発音がうまくできなくなる**構音障害**のある人が相手に自分の意思を伝える際に有効である。Bさんは他の利用者に自ら話しかける等，発声や発音には問題がみられないため五十音表の活用が**適切とはいえない**。

3　×　Bさんは耳鼻咽喉《いんこう》科の医師から加齢性（老人性）難聴と診断を受けている。よって，補聴器の使用の有無については介護福祉職ではなく，耳鼻咽喉科の**医師とよく相談**して，購入するかどうかを判断する必要がある。

4　○　Bさんは，発話には問題がなく，相手の声が聞き取りづらい点が課題となっている。そこで介護福祉職はBさんと会話する中で，Bさんが聞き取りづらかった内容については**筆談**で伝えるようにする。加齢性（老人性）難聴の場合，筆談のほか，**写真や絵**，**ジェスチャー**等を交えた会話も有効である。

5　×　加齢性（老人性）難聴は感音性難聴の一種であり，特に**高音域**の音が聞こえにくくなる。よって，甲高《かんだか》い声で話すのではなく，できるだけ**低い**声で話すとよい。

問題 76　正解 3　重要度 ☆☆☆　難易度 ★★

利用者の娘に対する介護福祉職の対応

1　×　この発言は，Cさんの発言を**否定**するものであり，適切な応答であるとはいえない。娘が自分達のことを説明することでCさんが**混乱**し，普段の生活が穏やかに過ごせなくなるため適切ではない。

2　×　この発言は，肢1と同様，Cさんが娘との関係を理解できていないにもかかわらず，娘という立場をCさんに伝えることになり，**混乱**させるので適切でない。

3　○　この発言は，Cさんの**自尊心**に配慮した最も適切な方法である。Cさん自身にとっては，娘とは**初対面**であり，現在，自分は警察官として働いているという認識をしている。そのことを否定せずに，**肯定的**な反応をすることを助言することは介護福祉職として適切な応答である。

4　×　この発言は，娘の質問に対する**答えになっていない**。また，娘の戸惑う気持ちに**寄り添えていない**ため適切ではない。

5　×　この発言は，娘の質問に対する**答えになっていない**。Cさん自身の**自尊心を傷つけない対応**としては望ましいが，娘は，**「他人のように接してくる父親」**に対しての相談をしているため適切ではない。

問題 77　正解 2　重要度 ☆☆　難易度 ★★★

余命が短い利用者の家族への対応

1　×　家族から相談された場合，介護福祉職としての知見や考えなどを一緒に検討することは必要であるが，医師から余命が短いと伝えられたばかりの時点で，**介護福祉職が発言する内容ではない**。

2　○　介護福祉職には，Cさんと家族が残された時間を穏やかに過ごすことができるよう，支援をすることが求められる。

3　×　肢1と同様，**現段階で延命措置について確認することは適切ではない**。家族からの申し出や，延命措置について検討が必要となった時点で，話し合いの場を持ち，検討してもらうことが大切である。

4　×　余命が短いからこそ，**Cさんと家族の時間を大切にしてもらう**ことが必要である。

5　×　死の近い人でも，**聴覚は最期まで残っている**ことが知られている。介護福祉職は，家族に，できる限りCさんに話しかけてもらうように伝える必要がある。

問題 78　正解 3　重要度 ☆☆　難易度 ★

申し送りの方法

1　×　申し送りにおいて報告者は，利用者への介護上の留意点だけでなく，利用者の**状況を客観的**に報告する必要がある。その際は，聞き手側が理解しやすいよう，**5W1H**（いつ，どこで，誰が，何を，どのように）に基づき伝えるとよい。

2　×　申し送りにおいて報告者は，**客観的な事実**を正確かつ簡潔に，まず**結論**から要点を押さえて伝える必要がある。申し送りでは，自分自身の意見や感想を優先して伝えることを控えるようにする。

3　○　申し送りにおいて報告者は，利用者の健康状態に**異変**がなかったことも含めて利用者の状況や実施した**支援内容・方法**とその結果等を**報告**する必要がある。

4　×　他の業務を行いながら報告を聞くと，**重要な情報**を聞き漏らし，利用者への適切な支援が遅れる等，不適切な対応につながる危険性がある。報告を受ける際は，**報告者**と向き合い，**集中して聞く**。

5　×　申し送りも業務に含まれるため，**勤務時間内**で実施することが基本である。よって，申し送りの際，報告内容に不明な点があった際は，**その場での確認**が基本となる。

問題 79	正解 5	重要度	☆☆
		難易度	★★

介護老人福祉施設で介護福祉職が作成する記録

1　×　施設内であったとしても，介護記録の作成途中で席を外す際は，指定された**保管場所**に必ず**介護記録**を戻す。

2　×　ケアカンファレンスでは，参加メンバーが利用者の意向を踏まえ，生活課題や介護計画等を検討していくため，利用者の氏名を匿名《とくめい》にする**必要はない**。ただし，施設とは別の場所で事例研究等に用いる場合は，事前に利用者や家族に説明して同意を得た上で匿名《とくめい》化する必要がある。

3　×　アセスメントシートには，利用者の健康状態，心身機能・身体構造，活動，参加，個人因子，環境因子などの**ICF（国際生活機能分類）**に基づく情報に加え，それらから導き出された**生活課題**（ニーズ）等を記載する。利用者に関する基本的な情報を記載するのは**フェイスシート**である。

4　×　利用者に関する**個人情報**が記載された介護記録は，外部への情報の流出や不正利用を防ぐため，施錠《せじょう》できる場所に**保管**し，自宅には**持ち帰らない**。特にUSBフラッシュメモリは携帯には便利であるが紛失の危険性が高い。

5　○　**常体**《じょうたい》とは文末に「～である」「～だ」等を用いる文体であり，**介護記録**等の作成に適している。一方，**敬体**《けいたい》は「～ます」「～です」等を用いる文体で，柔らかく丁寧な印象を読み手に与えるので，家族等への連絡の際に用いるとよい。

生活支援技術

問題 80	正解 5	重要度	☆☆☆
		難易度	★★

高齢者の生活空間と転倒を防ぐための安全対策

1　×　高齢者の場合，開き戸は開閉が複雑なため，バランスを崩し転倒しやすい。よって，寝室のドアは**引き戸**が望ましい。

2　×　トイレの便器は，和式便器の場合，立位時にふらついたり，立ち上がりにくくなったりするため，**洋式便器**が望ましい。

3　×　浴室を全面タイル張りにすると，すべりやすく転倒するおそれがあるので，**タイル張りでない**ほうが望ましい。

4　×　階段の手すりの設置位置は，踏面《ふみづら》から**75～80cm**程度が適切である。

5　○　台所と食卓の間は，物を持って移動することが多いため動線を**短くする**とよい。

問題 81	正解 1	重要度	☆☆
		難易度	★

住環境の整備や寝具の手入れ

1　○　24時間換気システムとは，家の中の空気を自動的に循環させて入れ換える仕組みである。化学物質による室内空気汚染が原因で発症する**シックハウス症候群**の予防のため，新築住宅には24時間換気システム等の機械換気設備を導入することが**義務付け**られている。

2　×　急激な温度変化により血圧が上下に大きく変動し，身体に負担をかけるヒートショックを予防するためには，浴室と脱衣室，居室とトイレなどの温度差を**小さく**する必要がある。ヒートショックは温度差が大きくなる**冬場**に起こりやすい。

3　×　布団を強く叩《たた》けば，布団の中に潜むダニの死骸《しがい》や糞《ふん》が飛び散り，布団全体に広がるおそれがある。また，布団の生地《きじ》を**傷める**原因にもなるため，布団の表面にこまめに**掃除機**をかけるのが有効である。

4　×　湿度が低いとウイルスや細菌等をガードする鼻腔《びくう》内の線毛の動きが**低下**したり，目や喉の**乾燥**を感じたりする。感染症のリスク軽減のためには，**換気**等に加え，湿度を**50～60%**程度にする。

5　×　ホームエレベーターは介護保険制度における住宅改修の**支給対象外**である。

問題 82　正解 1　重要度 ☆☆☆　難易度 ★★

利用者が臥床したままのシーツ交換

1　○　ベッドの高さは介護福祉職の身長に合わせて調整することで，介護福祉職の**腰にかかる負担が減る**。利用者が臥床している場合は声を掛けてからベッドを上げ，シーツ交換が終了したら，**もとの高さに戻す**。

2　×　利用者の転落防止のため，まず介護福祉職が**作業する側を外して，反対側に移動する前にサイドレールをつける**。シーツ交換が終了したら，左右のサイドレールがついていることを確認する。

3　×　利用者の**体温低下を防ぐ**ため，室温を調節したうえで**毛布やタオルケット**をかけて行う。厚手の掛け布団などは，足元に置くと作業の効率が悪くなる。

4　×　介護福祉職は腰に負担をかけないよう，**支持基底面積**を広くとって行う。

5　×　はずしたシーツは，表面のごみや汚れを広げないように**丸めて**持ち運ぶ。

問題 83　正解 1　重要度 ☆☆　難易度 ★★

片麻痺で車いすを使用している利用者への支援

1　○　車いすに深く座り直す場合は，まず利用者が**前傾姿勢**をとる。次に介護福祉職は利用者を支えて**重心**を左右にずらしながら，**腸骨**や膝頭を押す。この**座り直し**の方法を用いれば，利用者にも介護福祉職にも負担をかけることなく，利用者の身体をバックサポート（背もたれ）側に近づけられる。

2　×　片麻痺のある利用者がベッドから車いすに移乗する場合は，**健側**の足を軸にして移乗するため，端座位になっている利用者の**健側斜め前**に車いすを置く。

3　×　ベッドから車いすに移乗する場合，移乗しやすいよう，利用者は**浅く**座り，**前傾姿勢**をとる。

4　×　スロープも含めて坂道は**後ろ向き**に下りるのが基本である。介護福祉職も後ろ向きになり，車いすを下側から支えるようにして下りる。前向きで下りると，前方に**転落**する危険性がある。

5　×　ドアを通過する際は，先にドアを開けた状態にする。その上で介護福祉職は，片手ではなく，**両手**で車いすのハンドグリップをしっかりと握って車いすを押す。

問題 84　正解 4　重要度 ☆☆☆　難易度 ★

自立度の高い左片麻痺がある利用者が，仰臥位から端座位に体位変換する場合の手順

1　×　介助バーは，利用者がベッドから**起き上がったり**，車いすへ移乗したりする際に補助の役割をする**ベッドに取り付けられる手すり**である。左片麻痺があるため，**健側**である**右側の手**で介助バーをつかんで，**身体を右側に向ける**。

2　×　**健側である右側**の足の膝を曲げて，**患側である左側**の足の下に入れることで，身体を横に向けることができる。

3　×　**健側である右側**の足を使えば，**麻痺が**

残る左足も一緒に**右端**に寄せることができる。

4　○　体を起こすときは，足をベッドから下ろしながら，介助バーをつかんでいる**健側の右側の肘**を使って，頭を上げて上半身を起こす。

5　×　ベッドの端に座ることができたら，**両足底**を床にしっかりとつけてから，座位姿勢をとる。

問題 85　正解 5

重要度 ☆☆　難易度 ★★

介護福祉職が行う利用者の爪切り

1　×　爪やすりは，**一定方向**に少しずつかける。左右に往復させると爪の層が壊れてしまう。

2　×　**介護福祉職**が利用者の指先をしっかり持つことが必要である。利用者のもう一方の手は**楽な位置**においてもらう。

3　×　健康な爪の場合は介護福祉職が爪切りを行うことができるが，**糖尿病**で**巻き爪**がある場合は，医行為として，**医療職**が爪切りを行う。

4　×　爪切り後は，爪割れを防ぐために，クリームなどつけて**保護**する方がよい。

5　○　爪は水分に浸《ひた》すことで**柔らかくなる**ため，入浴後に実施することが適切である。

問題 86　正解 3

重要度 ☆☆☆　難易度 ★

座位姿勢の利用者への食事介護

1　×　頭部を後屈《こうくつ》した姿勢は**気道確保**につながり，食べ物が気管に入る**誤嚥《ごえん》**のリスクを高めてしまう。誤嚥防止のため，**顎《あご》**を軽く引き，やや**前傾姿勢**で食事をとる。

2　×　**足底**を床につけた上で，テーブルと身体の間には握りこぶし**1個分程度**の隙間《すきま》をつくる。また，テーブルの高さは腕を乗せて肘が**90度**に曲がる程度とする。

3　○　片麻痺のある利用者の食事介護は**健側**から行うのが基本である。患側（麻痺側）の口腔内に食べ物を入れた場合，上手く**咀嚼《そしゃく》**できず，食べ物が溜《た》まってしまう。

4　×　利用者の目線よりも上方から食べ物を口に運んだ場合，顎が後屈しやすく，**誤嚥**の危険性が高まってしまう。一方，利用者の目線より**下方**から食べ物を口に運ぶと食べやすく，**誤嚥予防**にもつながる。

5　×　消化を助けるため，**食後30分～1時間程度**は**座位姿勢**のままでいることが望ましい。食後，そのまま仰臥位となった場合，**逆流性食道炎**の原因にもつながりやすい。

問題 87　正解 1

重要度 ☆☆☆　難易度 ★★

利用者の状態・状況に応じた食事支援

1　○　食材が小さめの場合，**咀嚼《そしゃく》回数**が**減って早食い**につながり，満腹感を感じる前に食べ過ぎてしまうこともある。食材を**大きめ**に切ってあれば，咀嚼回数が**増え**，よく噛むことで満腹中枢がより早く刺激され，少量でも**満腹感**を得られる。

2　×　嚥下《えんげ》障害がある場合，食材を細かく刻むと**食塊《しょっかい》形成が行いにくくなり**，食べた時に口の中で食材がバラバラとまとまらず，かえって飲み込みにくくなってしまう。その結果，**誤嚥《ごえん》**の危険性が高まる上，料理自体の**見た目**も悪くなってしまう。

3　×　個人差はあるが，牛乳は下痢の症状を**助長**させるおそれがある。このほか，**炭酸飲料**や**ビール**，**コーヒー**等もおなかを刺激するため，下痢《げり》の時は控える。

4　×　慢性閉塞性肺疾患（COPD）がある場合，一気に食事すると胃が膨《ふく》れ，**呼吸しづらくなる**。また，食事の時間が長くなると**体力を消耗**してしまう。よって，**1回の食事量を減らし回数を増やす**ようにする。

5　×　慢性閉塞性肺疾患（COPD）等の呼吸器疾患があると，胃が膨《ふく》れると**横隔膜《おうかくまく》**が**圧迫**され**呼吸しづらくなる**。よって，呼吸器疾患がある場合，胃が膨《ふく》れる原因となる**食物繊維**が多い芋類の摂取は控える。

問題 88　正解 2　重要度 ☆☆　難易度 ★★★

ビタミンの種類とビタミン欠乏症

1 ×　暗い場所で目が見えづらくなる**夜盲症**は，**視力を調整する働き**があるビタミンAが不足すると起きる欠乏症である。

2 ○　**骨を形成するビタミンD**が不足すると，**くる病**や**骨《こつ》粗《そ》鬆症《しょうしょう》**になるおそれがある。くる病とは骨が弱いため，骨格異常等を引き起こす病気である。

3 ×　倦怠感《けんたいかん》や手足の浮腫，しびれ等の症状が起きる**脚気**は，**疲労回復の働き**がある**ビタミン** B_1 が不足すると起きる欠乏症である。

4 ×　血液が固まって出血を止める働きに支障が起きる血液凝固不良は，**止血作用**がある**ビタミンK**が不足すると起きる欠乏症である。

5 ×　貧血や歯肉出血，皮下出血等の症状がある**壊血病**は，**鉄分の吸収や免疫機能の向上**に役立つ**ビタミンC**が不足すると起きる欠乏症である。

問題 89　正解 5　重要度 ☆☆　難易度 ★★

高齢者の低栄養状態

1 ×　低栄養状態の高齢者は，特に**良質なたんぱく質**を多く摂取するよう心がける必要がある。肉や魚が苦手であっても，卵や豆腐等でたんぱく質を摂るようにする。

2 ×　食事は単に栄養補給のためだけでなく，他の人と交流し，楽しみが得られる時間でもある。居室に閉じこもり，一人で食事をすることで，**孤独感が強まり**，寂しさから**食欲が低下**するおそれもある。

3 ×　ふくよかな体型の人でも，低栄養状態になる場合もある。例えば，体重の低下がみられなくても，糖質や脂質に偏った食事をしていれば，たんぱく質等の栄養が不足し，**低栄養状態**になってしまう。

4 ×　低栄養になると，**体力や免疫力の低下**に加え，**認知機能が低下**することもある。

5 ○　個人差もあるが，具体的には，体重が**6か月間に2～3kg減少**した場合，または**1～6か月間の体重減少率が3%以上**の場合，低栄養状態が疑われる。

問題 90　正解 3　重要度 ☆☆　難易度 ★★

利用者へのシャワー浴と部分浴

1 ×　難聴がある場合，シャワーの音で声が余計に伝わりづらくなるため，シャワー**を止めて**から，利用者に**見える**位置で，**ジェスチャー**も交えながら話す。

2 ×　シャワーをかける際は，心臓への負担を軽減するため，心臓から**遠い末梢《まっしょう》**である**足元**から行う。その後，**中枢《ちゅうすう》**である心臓に向かってシャワーをかけていく。

3 ○　手浴を実施する際，個人差はあるが，手指は**5～10分**程度お湯に浸《ひた》す。その後，指と指の間などを優しく洗っていく。

4 ×　可能な場合は座位で足浴を行うが，それが無理な場合はベッド上で足浴を行う場合もある。ベッド上で足浴を行う際は，**頭・背中側**をギャッチアップする。

5 ×　足浴を実施する場合は，足部から**下腿《かたい》**まで湯に浸《つ》かったほうが，**静水圧**作用によって血液循環が良くなり，全身が温まりやすくなる。利用者の身体状況によっては足部だけ湯に浸かる場合もある。

問題 91　正解 4　重要度 ☆☆☆　難易度 ★★★

胃ろうカテーテルを挿入している人の入浴介護

1 ×　入浴の際に，カテーテル挿入部を何かで覆《おお》ったりする必要はない。**そのままで**湯船につかることも可能である。

2 ×　カテーテル挿入部の周囲は，**石鹸《せっけん》を使ってきれいに洗う**ことが望ましい。

3 ×　こすって洗うと，**皮ふを痛めてしまう**ため，やさしく洗うようにする。

4 ○　入浴介助は，看護師と連携して行うことが望ましい。

5 ×　入浴後は，タオルで**押さえぶき**をして水分を取り除いたあと，**自然乾燥**させる。カテーテル挿入部の消毒は必要ない。

問題 92　正解 4　重要度 ☆☆　難易度 ★

ポータブルトイレの設置場所

1，2，3，5 ×　4 ○

片麻痺がある場合，ポータブルトイレは，利用者がベッドで寝た位置の**健側の足元**に設置する。よって，足先のCは不適切である。また，左片麻痺のあるEさんがベッドで仰臥位となった場合，AとBは**患側（麻痺側）**となるため，サイドレール（ベッド柵）をつかむことが難しく，端座位になりにくい。よって，AとBも不適切である。DとEはEさんが仰臥位をとった際に健側の右側にある。仮にEの位置にポータブルトイレを設置した場合は，**サイドレール**が移乗の妨げとなる。以上を踏まえると，Dの位置にポータブルトイレを設置するのが適切である。

問題 93　正解 3　重要度 ☆☆☆　難易度 ★★

おむつ交換時の留意点

1　×　おむつと腹部の間に**ゆとり**を作りすぎると尿が漏《も》れやすくなり，おむつと腹部の間に隙間《すきま》がないように装着した場合，腹部を**圧迫**するおそれがある。おむつを装着する際は，おむつと腹部の間に**指1～2本分**程度のゆとりを持たせるとよい。

2　×　おむつは，上のテープを**斜め下向き**に，下のテープを**斜め上向き**に，腰前面**4か所**で留める。

3　○　立体ギャザーが内側に倒れていたり，つぶれたりしているとおむつから尿が漏《も》れやすくなる。**立体ギャザー**が尿漏《も》れを防ぐ堤防の役割を果たすよう，**外側**に起こし，鼠径《そけい》部にフィットさせる。

4　×　感染症予防の観点から汚れた部分が表に出ないようにするため，おむつを片付ける際は尿の吸収面を**内側**にして丸める。

5　×　陰部洗浄を行う際は，**38～39℃程度**のぬるま湯（微温湯）を使用する。女性の場合は，**恥骨**《ちこつ》部から**肛門**に向けて拭き，感染症の防止を図る必要がある。

問題 94　正解 2　重要度 ☆☆☆　難易度 ★★

食中毒の予防

1　×　冷凍食品には**保存料**を使用していない商品もある。よって，一度解凍したものを再度冷凍したり，常温保存したりすると，活動を停止していた**細菌**が一気に増殖し，**食中毒**の原因となる場合もある。

2　○　たとえ生食用の海産魚介類であっても，食中毒の原因となる**腸炎ビブリオ菌**が存在するおそれがある。腸炎ビブリオ菌は**真水**に弱いため，生食用の海産魚介類は，真水で**よく洗い流す**ようにする。

3　×　シチューやカレー等の煮込み料理を常温で保存した場合，**ウエルシュ菌**が大量に増殖し，食中毒を起こすおそれがある。ウエルシュ菌は，たとえ100℃で1時間加熱したとしても**死滅せず**，**37～45℃前後**で最も**繁殖しやすい**。よって，加熱調理後，速やかに**10℃程度以下に冷やして**保存する。

4　×　豚肉や鶏肉等の食肉には食中毒の原因となるサルモネラ菌やカンピロバクターが生息している。これらによる食中毒を防ぐためには，食肉の中心部が**75℃以上**で**60秒（1分）以上**加熱し，サルモネラ菌やカンピロバクターを死滅させる。

5　×　カキ等の二枚貝は**ノロウイルス**に汚染されているおそれがあるため，食肉以上に加熱する。二枚貝は，中心部が**85～90℃以上で90秒間以上**加熱し，ノロウイルスによる食中毒を防ぐ。なお，ノロウイルスによる食中毒は冬に発生しやすい。

問題 95　正解 5　重要度 ☆☆　難易度 ★★★

洗濯上の留意点

1　×　ポリエステルや綿，アクリル等は，塩素系漂白剤を使って漂白するのに**適した素材**である。

2　×　ナイロンやアセテートは，塩素系漂白剤を使って漂白するのに**適さない**。

3　×　血液等のたんぱく質の汚れに対し，高温のお湯で洗濯すると凝固してしまうので，**アンモニア水や漂白剤等を使用**するとよい。

4　×　液体酸素系漂白剤は，**水洗いが可能なすべての繊維製品に使用することが可能**である。よって，水洗いできる絹やウールを洗濯する際にも有効である。

5　○　蛍光増白剤の入った洗剤で淡色のものを洗うと，**変色する恐れ**がある。

問題 96　正解 2　重要度 ☆☆　難易度 ★★★

洗濯表示

1　×　**A**は，液温は**40℃**を限度とし，洗濯機で**弱い**洗濯ができることを示している。

2　○　**B**は，塩素系及び酸素系漂白剤の**使用禁止**を示している。

3　×　**C**は，**日なたのつり干し**がよいことを示している。

4　×　**D**は，底面温度**110℃**を限度として**スチームなし**でアイロン仕上げができることを示している。

5　×　**E**は，パークロロエチレン及び石油系溶剤による**ドライクリーニング**ができることを示している。

問題 97　正解 4　重要度 ☆☆☆　難易度 ★★★

台所用洗剤で落としやすいしみの種類

1　×　口紅は**油性**のため，**ベンジン**を使用すると落としやすい。

2　×　クレヨンは**油性**のため，**ベンジン**を使用すると落としやすい。

3　×　墨汁は，**不溶性**のため，**歯磨き粉**をつけて**揉み洗い**をするか，**米粒をすりこむ**と落としやすくなる。

4　○　ミートソースは**水油混合**のため，**台所用洗剤**を使用すると落としやすい。

5　×　油性ボールペンは**油性**のため，**ベンジン**を使用すると落としやすくなる。

問題 98　正解 2　重要度 ☆　難易度 ★★★

悪質商法への対応法とクーリング・オフ制度

1　×　注文した覚えのない商品を受け取らないのは，**送りつけ商法**への対応法である。なお，**催眠《さいみん》商法**はSF商法とも呼ばれ，販売会場で初めのうちは無料で日用品や食料品を配って会場を盛り上げさせ，「もらわないと損だ」という心理（催眠状態）にさせた上で，高額な商品（市価より高額）を買わせようとする商法である。友人と一緒に行っても，友人もその会場の雰囲気にのみ込まれ，気づけば友人も自分も不要な買い物をしてしまうおそれもある。催眠商法への対応法は，**販売会場に出かけない**ようにすることである。

2　○　**点検商法**とは，屋根や外壁，床下，水道，排水管等の設備を無料で点検することを理由に自宅を訪ね，「このまま放置しておくと危険です」等，不安をあおる言葉をかけ，不当な工事契約や器具等の交換・購入を迫る商法である。この場合「無料点検」といった安易な言葉にのらず，**見知らぬ業者を家の中に勝手に入れない**ことが基本的な対応となる。

3　×　**クーリング・オフ**は，契約後，一定の期間内であれば，**その契約を無条件で取り消す**ことができる制度である。**電話勧誘販売や訪問販売，連鎖《れんさ》販売取引**（**マルチ商法**）等が対象となる。

4　×　**訪問販売にはクーリング・オフ制度が適用**される。一方，**通信販売や店舗で商品を購入した場合には，クーリング・オフ制度が適用されない**。

5　×　**業務提供誘引販売取引や連鎖販売取引**（**マルチ商法**）のクーリング・オフ期間は，法定契約書を受領してから**20日間以内**である。一方，**訪問販売や訪問購入，電**

話勧誘販売，**特定継続的役務《えきむ》提供**でクーリング・オフが適用される期間は**8日以内**である。なお，**業務提供誘引販売取引**とは「仕事を提供するので収入が得られる」と誘った上で，その仕事に必要であるとして商品等を買わせる商法である。

問題 99	正解 5	重要度 ☆☆
		難易度 ★★

睡眠に影響を及ぼす嗜好品や薬物

1 × タバコに含まれる**ニコチン**には，**興奮作用**があるため，眠る前の喫煙は避けた方がよい。

2 × コーヒー，紅茶，緑茶，チョコレートなどに含まれる**カフェイン**には，**覚醒作用**があり，その作用は数時間続くので，夕食後には摂取しない方がよい。

3 × 少量の飲酒は，寝つきを良くすると言われるが，**大量の飲酒は，睡眠が浅くなる**。また，寝る前の大量の飲酒を長期間続けるとアルコール依存症による睡眠障害につながる恐れがある。

4 × **睡眠導入薬**は，服用して15分から1時間で入眠することができるが，**効果の持続時間は短い**。

5 ○ 中途覚醒や早朝覚醒，熟睡できない人には，**効果の持続時間が長い睡眠持続薬**が適している。

問題 100	正解 1	重要度 ☆☆☆
		難易度 ★★

夜間の安眠を促す行動

1 ○ 朝の光は目覚めを良くするだけでなく，**体内時計がリセット**され，昼間は覚《かく》醒《せい》，夜間は睡眠というリズムをつくりやすくする。さらに朝日を浴びることで睡眠にかかわる**メラトニン**というホルモンが脳内で生成され，夜間の睡眠を促進する効果も期待できる。

2 × 1時間以上昼寝をしてしまうと夜に眠って休むというリズムがつくりにくくなる。昼寝は15時までの**20～30分以内**とし，夜の睡眠に影響を与えない程度にとどめる必要がある。

3 × 就寝直前に食事を取ると，**胃腸の消化活動が活発**になり，**寝つきが悪くなる**ため，控えた方がよい。食事は，**就寝の3時間前頃まで**に済ませておくとよい。

4 × 負荷の高い運動は心拍数を上げ，**交感神経を優位**にし，身体を興奮状態にしてしまう。就寝前は軽いストレッチなど，心身がリラックスできる運動がよい。

5 × テレビは利用者の視覚・聴覚を刺激するほか，番組の内容によっては利用者の交感神経を優位にするなど，余計に眠れない環境をつくる。また，明るいテレビ画面を見ることで，睡眠を促す**メラトニンの分泌が妨げられる**可能性もある。

問題 101	正解 2	重要度 ☆☆☆
		難易度 ★★

死後のケア

1 × 死後，早くて**1～2時間**，通常でも**2～3時間**が経過すると**死後硬直《こうちょく》**が始まり，関節が動かなくなり，筋肉が硬化する。よって，医師による**死亡診断書**が出された後，家族等とのお別れを行い，その後，**できる限り速やかに**死後のケアを行うようにする。

2 ○ 日本の文化・習慣では，亡くなった場合，和式着物は**左前**に合わせ，**帯紐《おびひも》を縦結び**にすることになっている。

3 × 死後硬直が進む前に枕を**高く**したり，丸めたタオルを**顎《あご》の下**に入れたりして，口が開いたままにならないようにする。丸めたタオルは，口が閉じたら外す。

4 × 死亡後の全身清拭は，**アルコール**に浸《ひた》した脱脂綿で拭き清める。また，水に湯を注いだ**逆さ水**を使用する場合もある。

5 × 髭剃《ひげそ》りによって皮膚の表面（表皮）も削られ，そこが乾燥して硬くなり，黒く変色する**革皮様化《かくひようか》**がみられることもある。これを防ぐためにも，髭剃り前にはシェービングフォームやオイル等を塗って皮膚への負担を軽減し，髭剃り後は**保湿クリーム**を塗って被膜をつくり，乾燥から皮膚を守る。また，顔は**白い布**で覆《おお》う。

問題 102　正解　2　重要度 ☆☆☆　難易度 ★

人生の最終段階（終末期）の支援

1　×　人生の最終段階（終末期）では，水分摂取量に加え，**唾液《だえき》量**が減少し，細菌が繁殖しやすい。よって，口腔《こうくう》ケア用ウェットシート等を用いて，**口腔内**の汚れを取り除き，**誤嚥《ごえん》性肺炎**を予防する。

2　○　呼吸が苦しそうな場合には，**気道**が確保されやすい姿勢をとる等，利用者の呼吸が少しでも楽になるよう支援する。

3　×　聴覚機能は最期まで**残る**とされている。意識がなくなっても，利用者が安心できるように**声かけ**することは重要である。

4　×　人生の最終段階（終末期）になると食欲が**低下**する。この時期はカロリーの高い食事よりも，利用者の**嗜好《しこう》**を重視し，本人が食べたい食事を**少量**ずつ無理のない範囲で摂取することが大切である。

5　×　同一体位が続けば，圧迫による身体の痛みや**褥瘡《じょくそう》**が発生する危険性もある。よって，人生の最終段階（終末期）においても**体位変換**を行い，同一体位による苦痛を回避することが介護福祉職には求められている。

問題 103　正解　4　重要度 ☆☆☆　難易度 ★★

デスカンファレンス

1　×　デスカンファレンスとは，利用者の死後のケアを振り返り，**悲しみを共有**することにある。素直に**悲しみを表現**したり，**家族の悲嘆《ひたん》を受け入れたりする**ことや，**次のケアへ活かす**ことが目的である。

2　×　デスカンファレンスは，ケアに携わった**他職種**の参加も呼びかける。

3　×　他職種や家族の参加を呼びかけることで利用者のケアを振り返り，次のケアへ活かすことや，家族，介護福祉職の**精神的な安定**を目指すことも目的に含まれる。

4　○　介護福祉職自身もケアを振り返り，悲嘆を受け入れることで**精神的なケア**へと活かされる。

5　×　利用者の家族へは，励ましの言葉だけでなく**悲嘆も受け入れる**。悲嘆は自身が悲しみから立ち直るための重要な段階であるため，無理になくす必要はない。

問題 104　正解　5　重要度 ☆　難易度 ★★★

要介護 3 の利用者が貸与可能な福祉用具

1　×　座位保持椅子は，障害者総合支援法における**補装具費支給制度**の対象種目の 1 つであり，介護保険制度の対象種目ではない。頭部保持具や**起立保持具**等と同じく**障害児のみ**が支給対象である。

2　×　移動リフトの吊《つ》り具は，利用者の身体が吊り具に直接触れるため，福祉用具貸与に適さず，**特定福祉用具販売**の対象種目となっている。一方，**移動用リフト自体**は，福祉用具貸与《たいよ》の対象種目となっており，原則として**要介護 2 ～ 5** の利用者が貸与（レンタル）することができる。

3　×　自動排泄処理装置の本体部分は，**福祉用具貸与**の対象種目となっている。ただし，それを貸与（レンタル）できるのは，原則として**要介護 4 と要介護 5** の利用者となる。

4　×　排泄予測支援機器は，2022（令和 4）年 4 月から介護保険制度における**特定福祉用具販売**の対象種目に追加された。**排泄予測支援機器**を装着すると，膀胱内の尿量を感知し，一定量に達したと推定された時に本人や家族に通知される。これによって排尿のタイミングを逃さず，適切な排泄支援を行うことができる。

5　○　マットレスやサイドレール等，介護用ベッドである特殊寝台と一体的に使用されるものを特殊寝台付属品と呼ぶ。特殊寝台付属品は**福祉用具貸与**の対象種目で，原則として**要介護 2 ～ 5** の利用者が貸与（レンタル）できる。

問題 105　正解　2　重要度 ☆☆　難易度 ★★

スライディングボードを活用した支援

1　×　寝たきりの利用者をベッド上で水平移動する際に活用できる福祉用具は，**スライディングシート**（**スライディングマット**）である。スライディングボードはベッドから車いす等への移乗時，**座位姿勢**のまま**臀部《でんぶ》**を滑らせる形で行え，利用者と介護福祉職双方にとって負担を軽減することができる。

2　○　ベッドと臀部が密着していた場合，スライディングボードを臀部の下に入れ込むことはできない。利用者の上半身を**斜め前方**に傾け，**臀部**を浮かせてからスライディングボードを入れるようにする。

3　×　スライディングボードを使うためには，アームサポートが**取り外せる**タイプか，アームサポートが**跳ね上がる**タイプの車いすを準備しなければならない。アームサポートが固定されていると，スライディングボードを車いすの座面に置くことが困難となる。

4　×　スライディングボードの使用の際は重力による滑り落ちる力を活用するため，多少の**高低差**をつけるとよい。ベッドから車いすに移乗する場合は，ベッドを車いすの座面より少しだけ**高く**する。車いすからベッドに移乗する際は，ベッドを車いすの座面より少し**低く**しておく。

5　×　スライディングボードを使用する際，介護福祉職は，利用者の**前方**から支援する。また，座位姿勢では，臀部とスライディングボードの摩擦抵抗が強く，スライディングボードを抜くことが難しいため，介護福祉職は利用者の前方に位置して利用者の身体を傾け，**臀部とスライディングボードの間に隙間《すきま》**をつくる。その結果，スライディングボードを容易に抜くことができる。

介護過程

問題 106　正解　2　重要度 ☆☆☆　難易度 ★★★

介護過程の意義と目的

1　×　介護過程は，利用者が望む「生活」「人生」を送れるように実施するものであり，**QOL**（クオリティ・オブ・ライフ），つまり生活や人生の質の向上を目指すものである。

2　○　介護過程を展開することにより，**客観的**で根拠（エビデンス：evidence）に基づいた介護実践を可能にする。

3　×　介護過程は介護福祉職の業務の効率化を目指すためのものではなく，利用者の**生活課題**を解決するプロセスである。

4　×　集団ケアではなく，利用者一人ひとりの**個別ニーズ**に対応するものである。

5　×　介護計画の立案は介護過程の**プロセス**の一つであり，目的ではない。

問題 107　正解　3　重要度 ☆☆☆　難易度 ★★

アセスメントのあり方

1　×　介護福祉職は，利用者の望む生活を実現または継続するために，あくまでも**利用者の視点からアセスメント**する必要がある。よって，先入観を持つことで，利用者を適切にアセスメントできなくなる。

2　×　介護福祉職は自分の価値観に基づきアセスメントしてはならない。利用者に関する**客観的事実**（**情報**）**に基づきアセスメント**する必要がある。

3　○　介護福祉職は利用者の言動の裏に隠された**生活課題**（**ニーズ**）を察したり，今後，利用者に起こり得る**生活課題**を予測したりするため，**的確な推察力**を持つことが大切である。

4　×　**情報収集**の後，専門的な視点や知識等に基づき，**情報の関連づけ・統合・解釈**

を行い，利用者の生活課題を見出す。

5 × 生活課題を見出す際は，利用者の弱み（マイナス面）だけではなく，同時にその人がしたいこと（**意欲**）や好きなこと（**嗜好**），できること（**能力**）等の**強み（プラス面）も含めて検討**する必要がある。こうした利用者が本来持っている強さに焦点をあてることをストレングス視点という。

問題 108　正解 3　重要度 ☆☆☆　難易度 ★★

介護福祉職が行う情報収集

1 × 利用者との間に**信頼関係を築くことで得られる情報**もあるので，短期間に集中して行うものではない。

2 × 利用者ができないことだけでなく，利用者自身の**何かに取り組もうとする意思や周りの人・環境などのプラスの面**など，**利用者および環境を含めた生活全般**を把握する必要がある。

3 ○ サービス開始間もない利用者は，不安や遠慮などから，**本音を話せない**場合があることを理解したうえで，介護福祉職は，利用者が**安心して言いたいことを言えるような関係や環境**を作る必要がある。

4 × 認知症の利用者であっても，**利用者本人から聴取することを基本**とし，利用者の家族などからも聴取する。

5 × 利用者の考え方や捉え方などの**主観的情報**と，介護福祉職などが観察できる**客観的な情報**を記録する。

問題 109　正解 5　重要度 ☆☆　難易度 ★★

SOAP 方式の記録

1 × **SOAP（ソープ）方式**の記録では，**S**（subjective data）の**主観的情報**，**O**（objective data）の**客観的情報**，**A**（assessment）の**アセスメント**，**P**（plan）の**計画**について，それぞれ整理して記載する。利用者の発言内容は，SOAP でいう **S** の**主観的情報**に該当する。

2 × 生活課題（ニーズ）の検討は，**A** の**アセスメント**に該当する。

3 × 介護計画は，SOAP でいう **P** の**計画**に該当する。

4 × 介護福祉職が判断したことは，SOAP でいう **A** の**アセスメント**に該当する。**S** の利用者の**主観的情報**と **O** の介護福祉職等による**客観的情報**に基づき，**A** の**アセスメント**で判断・分析等を行い，その利用者の**生活課題**を検討することになる。

5 ○ 介護福祉職が観察した事実は，SOAP でいう **O** の**客観的情報**に**該当**する。

問題 110　正解 2　重要度 ☆☆　難易度 ★★★

介護福祉職によるアセスメントの視点

1 × 夜間，熟眠するためにはベッドを含めて居室環境の情報が重要となる。ただし，「居室で昼寝をせずに」と G さんが発言しているため，日中は**居室のベッド**で眠れていると予測できる。よって，居室のベッドの状況が夜間の睡眠を妨げる原因となっているとは**考えにくい**。

2 ○ まずは，G さんが日中，どのくらいの時間，眠っているのか，逆にどのくらいの時間，活動しているのかを**確認**する必要がある。その上で日中の睡眠時間が**長く**，活動量が**少ない**ことが夜間の熟眠を妨げている原因となっているようであれば，日中の活動量を増やす方向性で検討していく必要がある。なお，日中の活動量を増やすにあたり，G さんの趣味や生活習慣等の情報収集も重要となる。

3 × 家族の面会の有無を含め，家族との関係は利用者への支援において重要な情報となる。ただし，「居室で昼寝をせずに，夜間しっかりと眠りたい」という希望に対してみた場合，その重要度は高くない。

4 × 高齢者の場合は**夜間頻尿**の影響で夜，何回もトイレに行かなければならず，その分，十分に眠れない人もいる。よって，**尿意の**有無を確認することも必要だが，

Gさんが夜間頻尿で困っているというような記述はみられない。まずは日中の睡眠や活動の状況に焦点を当てる。

5　×　食の嗜好《しこう》つまり食事の好みは，Gさんが施設サービスを利用する上で確認すべき事項であるが，「居室で昼寝をせずに，夜間，しっかりと眠りたい」という希望に対しては，その重要度は**高くない**。

問題 111　正解　5

重要度　☆☆
難易度　★★

目標に応じた支援内容・方法

1　×　短期目標に「居室からリビングまで杖を使って，転ばずに自分の力で歩くことができる」とあるため，歩行器の使用は**適切ではない**。また，Hさんには右片麻痺があり，左手のみで歩行器を支えることになるため，歩行器の使用は**難しいと思われる**。

2　×　歩行練習において**理学療法士**との連携は重要となる。ただし，短期目標には「居室からリビングまで杖を使って」という記載があるため，**歩行器**の使用は不適切である。

3　×　Hさんには**右片麻痺**があるため，杖歩行では，麻痺側（患側）の**右斜め後方**に転倒しやすい。よって，介護福祉職は**右斜め後方**で見守る必要がある。

4　×　長期目標には「**リビング**で，いすに座って，家族と一緒に食事」という記載がみられる一方，「居室で食事をしたい」というような希望は確認できない。また，Hさんは杖を使って施設内を歩行しているため，食事を居室まで運んでもらうのは**残存能力の活用**や**寝食《しんしょく》分離**という観点からも不適切である。

5　○　Hさんには「居室からリビングまで杖を使って，**転ばずに**自分の力で歩くことができる」という短期目標がある。よって，転倒注意への意識を喚起《かんき》し，転倒予防を図るためにも，**声かけ・見守り**を行ってリビングに移動するように**促す**ことは適切といえる。

問題 112　正解　1

重要度　☆☆☆
難易度　★★

介護過程の評価

1　○　**実施しなかった介護計画についても，評価は行う**。介護過程では，介護計画を実施した結果について評価することはもちろんのこと，アセスメントや介護計画の作成は適切に行われたか等，**介護過程全体を通しての評価**も求められる。また，作成した介護計画をなぜ実施しなかったか，という評価も今後の支援の質を高める上で重要となる。

2　×　介護過程は「アセスメント→介護計画の作成→実施→評価」を繰り返しながら展開される。つまり，**長期目標が達成されたかどうかは評価によって判断される**ことになる。また，長期目標が達成されたとしても，利用者は満足しているか，新たな生活課題が発生していないか，介護福祉職としての支援内容・方法は適切であったか等の視点で評価する必要がある。同様に短期目標が達成されたからといって，評価を省略してもよいという理由にはならない。

3　×　介護過程は一人ひとりの利用者に応じた個別支援の展開でもある。そもそも**他の利用者に評価を伝える必要性はない**。また，利用者の許可を得ないまま，評価した内容を他の利用者に伝えることは，**プライバシーの保護の観点からも問題**となる。

4　×　介護計画の実施によって，利用者は満足したか，何か不満な点はないか等の**満足度の評価も重要**である。その際は，利用者の発言だけでなく，表情にも着目しながら評価を行う。

5　×　利用者の心身の状態等が変化した場合は，**その都度，評価を行い**，場合によっては介護計画を修正していく必要がある。

問題 113　正解 1　重要度 ☆☆　難易度 ★

サービス担当者会議

1 ○ サービス担当者会議は，**利用者とその家族**が参加することが基本である。

2 × サービス担当者会議は，**介護支援専門員（ケアマネジャー）**が招集し開催する。

3 × サービス担当者会議では，開催前に作成したケアプランの**原案**をもとに，計画の内容について協議をする。そして，それをもとに調整し，利用者と家族に説明をして同意を得てから，ケアプランとして確定する。

4 × **介護支援専門員（ケアマネジャー）**がサービス担当者会議の記録をまとめるのが基本である。

5 × サービスを変更する場合は，**利用者本人とその家族**の意向を確認して，**同意**を得る必要がある。

＜総合問題＞

総合問題

（総合問題 1）

問題 114　正解 3　重要度 ☆☆☆　難易度 ★

事例のＪさんが入所している施設

1 × 認知症対応型共同生活介護は認知症グループホームとも呼ばれる。具体的には認知症のある利用者が**定員５～９人**の家庭的な雰囲気の中で**共同生活**しながら日常生活上の支援を受けることができる。事例には「入所定員 29 名以下」と記載してあるため，認知症対応型共同生活介護はＪさんが入所している施設ではない。

2 × 介護老人保健施設は利用者の**在宅（家庭）復帰**を目指し，医師による医学的管理の下，看護・介護による支援に加え，**リハビリテーション**や**栄養管理**等のサービスを併せて提供する介護保険施設の１つである。介護老人保健施設は**要介護１以上**で入所できる。事例には「要介護３以上でなければ入所できない施設」と記載してあるため，介護老人保健施設はＪさんが入所している施設ではない。

3 ○ 地域密着型介護老人福祉施設は**入所定員 29 名以下**で，原則**要介護３以上**でなければ入所できない。よって，Ｊさんが入所している施設は地域密着型介護老人福祉施設となる。なお，地域密着型介護老人福祉施設は市町村が指定・監督する地域密着型サービスの１つである。

4 × 地域密着型特定施設では養護老人ホームや有料老人ホーム等のうち**入所定員 29 名以下**の**介護専用型特定施設**の入所者が特定施設サービス計画に基づいて日常生活上の世話や機能訓練等を受ける。地域密着型特定施設は**要介護１以上**で入所できるため，Ｊさんが入所している施設ではない。

5 × 介護老人福祉施設は特別養護老人ホームとも呼ばれている。ただし，介護老人福祉施設は**介護保険法**，特別養護老人ホームは**老人福祉法**がそれぞれ根拠法となっている点に注意が必要である。具体的には特別養護老人ホームといった場合，**市町村による入所措置の対象施設**となる。一方,Ｊさんは要介護３の認定を受け，自宅で生活していた際は介護保険法で通所介護を利用していたため，**介護保険法に基づくサービスの利用対象**と考えるのが妥当である。さらに「入所定員が 29 名以下」との記載からも，安易に特別養護老人ホームを選択してはならず，地域密着型特別養護老人ホーム（地域密着型介護老人福祉施設）の選択肢がないかどうかも含めて確認する必要がある。

問題 115　正解 4　重要度 ☆☆☆　難易度 ★★

失禁の種類（原因）とその対策

1 × 反射性尿失禁は**脊髄損傷**がある人等にみられることが多く，尿がたまったことを脳が感知できず，失禁してしまう。一方，事例には「歩き回る時間は1回につき約5分から10分程度であったが，歩き終えると，尿取りパッドの中に失禁していることが何回かあった」と記載してあることから，Jさんはトイレの場所がわからず，迷っている間に失禁してしまう**機能性尿失禁**であると推察できる。

2 × 溢流《いつりゅう》性尿失禁は**前立腺肥大症**がある**男性**等に多く，尿が少しずつ膀胱から漏《も》れ出てしまう。溢流性尿失禁への対応としては前立腺肥大や糖尿病等の**原因疾患を治療**することが基本となる。事例には少しずつ漏れ出てしまうという記述はない。

3 × 切迫性尿失禁は「トイレに行きたい」と感じて，すぐに漏れてしまう。対策としては泌尿器科を受診し，**服薬による治療**を行うことが重要である。事例にはすぐに漏れてしまうという記述は見当たらない。

4 ○ Jさんの場合，「歩き回る時間は1回につき約5分から10分程度であったが，歩き終えると，尿取りパッドの中に失禁していることが何回かあった」と記載してあることから，トイレの場所がわからず，迷っている間に失禁してしまうことが推察できる。つまり，Jさんには**認知機能の低下に伴う機能性尿失禁**が該当する。対応としては，まずトイレに行きたいが，トイレの場所がわからず，迷っているJさんを見つける必要がある。つまり，Jさんの場合，**歩き回る＝トイレに行きたい**というサインである可能性が高いため，**歩き回り始めたJさんを早期に発見し，その後，円滑にトイレに誘導**することが介護福祉職には求められる。

5 × 腹圧性尿失禁は**高齢の女性**に多く，咳やくしゃみをした時や重い物を持った時等，急に腹圧がかかると漏れてしまう。対応としては**骨盤底筋体操**が有効となる。事例には腹圧がかかると失禁してしまうというような記述はみられない。

問題116	正解 4	重要度 ☆☆☆
		難易度 ★★★

ケアカンファレンスでの介護福祉職の意見

1 × Jさんの**安全面に配慮することは重要**であるものの，施設で生活する利用者はJさんだけではない。また，介護福祉職の数も限られている。さらにJさん専属の介護福祉職を1名配置したとしても，介護福祉職は不規則勤務であるため，**同じ介護福祉職が24時間365日の体制でJさんが転ばないように見守ることは不可能**に近い。よって，Jさん専属の介護福祉職を1名配置することは，支援方針として不適切である。

2 × 何度も転倒しそうになった場合には，**転倒する危険性が高い**と考えることは適切である。ただJさんは，歩行にふらつきがみられるものの，何とか**自分の力で歩くことができている**。よって，**自立支援や残存能力の活用**という視点から考えても，Jさんの移動手段を**車いすに変更するのは時期尚早《しょうそう》**であり，不適切である。

3 × 例えば，徘徊で転倒を繰り返す利用者に対し，向精神薬等の薬物を用いると，かえって**薬の副作用**でふらつきが強く出て**転倒の危険性を高めてしまう**恐れがある。また，薬を処方するかどうかの判断は医師が行うものであり，**介護福祉職が安易に薬の処方について意見を述べるのは不適切**な対応である。

4 ○ Jさんが**安全に移動できる動線を確保**するためにも，**環境整備は重要**である。例えばJさんが歩き回っているルートを把握し，そのルート上につまずきやすい物や障害物があれば片付けるようにする。

5 × Jさんの家族に対し，事前に転倒の危険性を伝えておくことは情報共有の意味でも重要となる。一方，仮にJさんが転倒事故を起こした場合，Jさんを担当する介護福祉職個人が責任を負うのではなく，**施設として責任を負う**必要がある。

（総合問題 2）

問題 117　正解　4

重要度 ☆☆☆
難易度 ★★

右片麻痺の人の杖歩行

1　×　麻痺がある利用者は患側に力が入れられず，バランスを崩したとき患側に倒れやすい。そのため，介助者は利用者の**麻痺側の後方**に位置する。また，介助の際は，利用者の**前腕**を支え，もう一方の手は利用者の**腰**に添えて身体を支えると良い。Kさんの左側前方とあるが，左側は健側なので，適切ではない。

2　×　Kさんの左側後方とあるが，**左側は健側**となるため，**適切ではない**。

3　×　Kさんの右側前方とあり，患側に位置していることになるが，前方に位置しているため適切ではない。前方よりも後方にバランスを崩しやすい特徴があるため，介助者は**後方**に位置するとよい。

4　○　右側の後方とあるように，**患側の後方**に位置するため**最も適切な位置**である。

5　×　真後ろでは，利用者の身体を適切に支えることができないだけでなく本人の**表情の確認**や**前方の障害物などの把握**ができず危険である。そのため適切ではない。

問題 118　正解　1

重要度 ☆☆☆
難易度 ★★

利用者に配慮した住宅改修

1　○　室間の床の段差の解消は，**介護保険の住宅改修**における段差を解消するための改修となる。Kさんは室間のちょっとした段差でつまずくことが増えたとあり，室間の床の段差を解消することは，Kさんに配慮した住宅改修であるといえる。

2　×　居室のとなりに新しくトイレを増設するという工事は，介護保険の住宅改修の対象には**含まれない**。トイレに関する介護保険の住宅改修では，**和式便器から洋式便器**への取替え工事，**便器の位置・向きの変更**などが対象となっている。

3　×　腰掛便座とは，排泄に関する福祉用具で，主に洋式便座や和式便座に設置し，利用者の立ち座りを楽にすることや，排泄姿勢を負担なくとれるようにすることを目的としている。腰掛便座は介護保険の住宅改修ではなく，**特定福祉用具販売の購入種目**に位置付けられている。

4　×　玄関にスロープを設置する工事内容は，**介護保険の住宅改修**の段差を解消するための改修となる。しかし，スロープは，主に**車いす走行時に使用する**もので，Kさんは，杖での歩行をしているため，**適切ではない**。

5　×　階段の片側に手すりを設置するときは，**降りるときに健側**にくるように設置する。降りるときに右側とあるが，右側はKさんの**患側のため適切でない**。なお，手すりの高さは75～80cm，太さは親指と他の指先が触れるくらいがよい。

問題 119　正解　5

重要度 ☆☆☆
難易度 ★★★

利用者の特性に応じたコミュニケーション

1　×　Kさんは聴覚に障害があるわけではない。そのため，話し手は，声の大きさではなく，**表情**などに注意し，Kさんの視界に入り，話すようにする。

2　×　Kさんは，右片麻痺であることや，訪問介護員の話す内容は理解できているが，伝えたいことを言葉にできずに**困った表情**をしていることから，「理解面」よりも「**表出面**」に困難さがあることが推察できる。また，Kさんは**言語知識**に関する面で困難さが生じていることが推察できる。そのため，五十音表を活用することは**難しい**といえる。

3　×　手話は，聴覚に障害がある人のコミュニケーション手段である。言語獲得前の失聴の場合に活用されており，**高齢になって**改めて覚えるのは**難しい**とされる。

4　×　閉ざされた質問とは，「はい」か「いいえ」で答えることができる質問のことである。質問に対して，うなずきや首をふるといった非言語コミュニケーションを活用し**意思表示ができる**ため，表出面が困難なKさんにとっても有効なコミュニケーション方法であるといえる。閉じられた質問を控えることは**適切ではない**。

5　○　Kさんは，表出面での困難さが推察できるため，**写真やイラスト**などを用いて，意思の確認や考えなどを引き出すことが，有効なコミュニケーション方法の一つであるといえる。

（総合問題 3）

問題 120　正解　3　重要度 ☆☆☆　難易度 ★★★

ICF（国際生活機能分類）における「個人因子」と「参加」の関係を示すもの

この問題で正答を導き出すためには，以下に示すICF（国際生活機能分類）を構成する6つの要素とその意味・内容について理解しておかなければならない。

ICFを構成する6つの要素	意味・内容
健康状態	疾病，ケガ，ストレス　等
心身機能・身体構造	精神や身体の働き，身体の一部分の状態　等
活動	ADL（日常生活動作），IADL（手段的ADL）　等
参加	社会的な出来事への関与，生活上の役割　等
個人因子	年齢，生活歴，趣味，思い，希望，価値観　等
環境因子	本人以外の人，物，建物，制度，サービス　等

1　×　「会社の事務部門で新たに働き始め」は**社会的な役割の変更**に該当するため「**参加**」を示す。一方「職場までは電動車いすで通勤している」は**移動**に該当するため「**活動**」となる。ただし，電動車いすのみに着目すれば「環境因子」となる。

2　×　「頸髄損傷」は**疾病やケガ**に該当するため「**健康状態**」を示す。一方「排泄のコントロールが困難となった」は**膀胱・直腸の機能障害**に該当するため「**心身機能・身体構造**」となる。

3　○　「景色を見ながら走ることの楽しさを忘れられず」はLさん自身の**思いや嗜好**，**過去の出来事**に関係するため「**個人因子**」を示す。一方「車いすマラソン大会に出場する準備を始めた」は**地域社会への参加**に該当するため「**参加**」となる。

4　×　「玄関の段差を解消した」は**物的環境**に該当するため「**環境因子**」を示す。一方，「自宅から1人で外出できるようになった」は**移動**に該当するため「**活動**」となる。

5　×　「指先が思うように動かない」は**身体の動き**に該当するため「**心身機能・身体構造**」を示す。一方「自助具を使用して食事をしている」については**食事動作**に該当するため「**活動**」となる。ただし自助具のみに着目すれば「環境因子」となる。

問題 121　正解　4　重要度 ☆☆☆　難易度 ★★★

頸髄損傷がある利用者の日常生活での注意点

1　×　Lさんは，損傷レベルC_6の頸髄損傷で，現在，電動車いすを使用して会社まで出勤していることから**座位姿勢が可能**であることがわかる。ただし，座位姿勢のままではズボンを大腿部や**臀部に通すことは困難**である。

2　×　**自己導尿**とは自分の手で消毒済みのカテーテルを尿道口から入れて尿を体外に出す方法である。会社等，**自宅以外**の場所でも自己導尿は**実施できる**。なお，自己導尿は腹圧をかけやすくするため，利用者が座位姿勢で行うのが基本である。

3　×　**起立性低血圧**は急に身体を起こした時に血圧が下がり，めまいや立ちくらみ等の症状が発生するものである。発熱を起こしているわけではないため，頭部を冷やす必要はない。起立性低血圧が生じた際はベッドで横になったり，リクライニング式車いすを使用している場合は背もたれを倒したりする等，**頭部を下げ，脳への血流を促す**対応を行うようにする。

4　○　頸髄損傷の場合，麻痺部分の皮膚で**発汗障害**が起きる。その影響で暑くても汗をかかないため，体内に熱がこもり，**うつ熱**が生じやすい。うつ熱を起こした際は自分自身で**体温調節を行えなくなる**ため，適宜**冷房**を使用したり，**濡れタオル**で冷やしたりする等の対応をする。

5　×　膀胱への尿の溜《た》まりすぎや便秘は**自律神経**を刺激する。その結果，**自律神経過反射**を引き起こし，**血圧の急激な上昇**をもたらす場合がある。よって，自己導尿や膀胱留置カテーテルによって適切に排尿するとともに医師の指示に基づき下剤や浣腸等を使用して便秘に対処していく。

問題 122　正解　4

重要度	☆☆☆
難易度	★★★

移動支援事業

1　×　**移動支援事業**の対象は，**市町村**が外出時の移動の支援が必要と認めた障害者等である。

2　×　移動支援事業は，**障害者総合支援法**における**市町村地域生活支援事業**のサービスである。**訓練等給付**には自立訓練（機能訓練・生活訓練），就労移行支援，就労継続支援（A型：雇用型・B型：非雇用型），共同生活援助（グループホーム），自立生活援助，就労定着支援がある。

3　×　移動支援事業は通勤以外にも買い物や散髪等，**社会生活上必要不可欠な外出**と市町村が認めれば利用できる。さらに地域の会合やスポーツ教室への参加等についても，**社会参加のための外出**として認められれば移動支援事業の対象となる。

4　○　移動支援事業を利用する場合，**障害支援区分（1～6）は必要ない**。なお，訓練等給付に関しても，その利用にあたっては障害支援区分の要件はない。

5　×　現状，介護保険制度の中には障害者総合支援法における移動支援事業のようなサービスは**存在しない**。

（総合問題 4）

問題 123　正解　2

重要度	☆☆☆
難易度	★★★

放課後等デイサービス

1　×　**放課後等デイサービス**の利用対象は学校（幼稚園・大学を除く）に就学している**6歳から18歳までの障害児**（身体障害，知的障害，精神障害，発達障害等がある小学生・中学生・高校生）である。ただし，引き続き放課後等デイサービスの利用が必要と認められた場合には，満20歳に達するまで利用できる。

2　○　放課後等デイサービスを利用するにあたり，障害の種類別に**身体障害者手帳**や**療育手帳**，**精神障害者保健福祉手帳**を有している**必要はない**。その代わり，専門家の意見等に基づき，その障害児が放課後等デイサービスを必要としている状況にあることを認めてもらう必要がある。

3　×　放課後等デイサービスは**学校の授業終了後**のほか，夏休みや冬休み等の**長期休業中**にも利用可能である。具体的には，授業の終了後，または休業日に児童発達支援センター等の施設に通わせ，生活能力の向上のために必要な訓練や社会との交流の促進などを行う。

4　×　一般的に学校から事業所，事業所から自宅までは放課後等デイサービス事業所が送迎を行う。**家族が必ずしも送迎する必要はない**。

5　×　放課後等デイサービスは児童福祉法の一部改正により，2012（平成24）年4月に**児童福祉法**に位置づけられた。

問題 124　正解　3

重要度	☆☆☆
難易度	★★★

放課後等デイサービスを利用する自閉症スペクトラム障害のある児童への職員の対応

1　×　**自閉症スペクトラム障害**の場合，音や振動，におい等の**感覚刺激**に対して過敏に反応してしまう特性がある。また，事例文を読む限り，Mさんに聴覚障害があることは記載されていない。よって，返事がないという理由だけで大きな声で伝えるのは不適切である。

2 × 興奮状態が起きた際は，職員として，しばらく様子を見るのではなく，Mさんがなぜ興奮状態となったのか，その**原因を把握**する必要がある。職員として，その時の様子をしっかりと**記録**し，**家族**や**担当の医師**に連絡することが求められる。また，興奮時はMさん自身に加え，周囲の子どもたちに危険が及ばないよう，**適宜介入**することも重要である。

3 ○ 「○月○日に変更にならないというわけではない」等，**二重否定**を含んだ表現は**理解しにくい**ため，使わないようにする。さらに口頭だけでなく，絵や図等の**視覚情報**も交えてわかりやすく伝えることが重要である。その際は，一度にたくさんの情報を提供するとわかりづらくなるため，**簡潔明瞭**に伝えることを意識する。

4 × 自閉症スペクトラム障害の場合，話している相手と**目を合わせられない**，話している相手よりも**特定のものに関心が向く**といった特性がある。まず職員として，そのような特性があることを理解し，その子どもを**受容**することが求められる。その上で，自閉症スペクトラム障害には相手のことを考える等の**想像力**にも**障害**がみられるため，相手の目を見ながら話を聞くように促されても，なぜ，そうしなければならないのか，Mさん自身には理解できず，かえってMさんを**混乱**させてしまう恐れもある。

5 × 自閉症スペクトラム障害の場合，**対人関係**を持つことが**苦手**で，**1人で遊ぶ**傾向がある。Mさんの場合も，1人で積み木をして遊んでいることが多い。よって，職員は無理に仲間づくりをしようとはせず，その時々の状況に応じて，無理のない範囲で他の子どもたちとMさんが交流の機会をもてるように支援していく必要がある。

問題 125	正解 1	重要度 ☆☆☆
		難易度 ★★★

放課後等デイサービスを利用する児童の個別支援計画を作成する際に責任を持つ職員

1 ○ **児童発達支援管理責任者**は**放課後等デイサービス**のほか，障害児入所施設や障害児通所支援事業所，児童発達支援事業等において，個々の児童の状況に応じた**個別支援計画**を作成するとともに，その計画に基づいた支援が行われるように管理していく責任がある。

2 × **児童自立支援専門員**は窃盗《せっとう》や傷害等の非行問題がある児童等が入所する**児童自立支援施設**において，そうした児童の生活や学習，職業等に関する指導を行い，社会的な自立を支援する。

3 × **児童指導員**は放課後等デイサービスのほか，児童発達支援センターや児童養護施設，乳児院，障害児入所施設等で児童の生活指導等を行っている。ただし，個別支援計画を作成する際に責任を持つ職員ではない。

4 × **サービス管理責任者**は生活介護や療養介護等の**障害福祉サービス**を提供する事業所において，**個別支援計画**の作成や相談・助言，連絡調整等を行っている。

5 × **サービス提供責任者**は，介護保険制度では**訪問介護事業所**に配置が義務付けられている。具体的には介護支援専門員（ケアマネジャー）が作成したケアプラン（居宅サービス計画等）に基づいて**訪問介護計画書**を作成したり，利用者に対して訪問介護員が訪問介護計画に沿ってサービスを提供しているかを確認したり，関係する機関・施設・事業所との連携・調整を図ったりしている。なお，障害者総合支援法では**居宅介護事業所**にサービス提供責任者が配置されている。

MEMO

MEMO

本書の正誤情報等は、下記のアドレスでご確認ください。
http://www.s-henshu.info/kfym2405/

上記掲載以外の箇所で正誤についてお気づきの場合は、**書名・発行日・質問事項（該当ページ・行数・問題番号**などと**誤りだと思う理由）・氏名・連絡先**を明記のうえ、お問い合わせください。

・web からのお問い合わせ：上記アドレス内【正誤情報】へ
・郵便または FAX でのお問い合わせ：下記住所または FAX 番号へ

※電話でのお問い合わせはお受けできません。

［宛先］ コンデックス情報研究所
『介護福祉士　法改正と完全予想模試 '25 年版』係
住　　所：〒 359-0042　埼玉県所沢市並木 3-1-9
FAX 番号：04-2995-4362　（10:00 ～ 17:00　土日祝日を除く）

※本書の正誤以外に関するご質問にはお答えいたしかねます。また受験指導などは行っておりません。
※ご質問の受付期限は、2025 年 1 月の試験日の 10 日前必着といたします。
※回答日時の指定はできません。また、ご質問の内容によっては回答まで 10 日前後お時間をいただく場合があります。
あらかじめご了承ください。

監修：亀山　幸吉（かめやま　こうきち）
淑徳大学短期大学部名誉教授、元介護福祉士試験委員。
日本介護福祉学会理事、東京都介護福祉士現任研修運営委員、社会福祉士試験委員等を歴任。

執筆者：松永 繁　岩手県立大学社会福祉学部人間福祉学科講師
長谷川 美貴子　淑徳大学人文学部人間科学科教授
福田 明　松本短期大学介護福祉学科教授
品川 智則　東京 YMCA 医療福祉専門学校介護福祉科専任教員

編著：コンデックス情報研究所
1990 年 6 月設立。法律・福祉・技術・教育分野において、書籍の企画・執筆・編集、大学および通信教育機関との共同教材開発を行っている研究者・実務家・編集者のグループ。

介護福祉士法改正と完全予想模試 '25年版
2024年８月１日発行

監　修　亀《かめ》山《やま》幸《こう》吉《きち》
編　著　コンデックス情《じょう》報《ほう》研《けん》究《きゅう》所《しょ》
発行者　深見公子
発行所　成美堂出版
〒162-8445　東京都新宿区新小川町1-7
電話(03)5206-8151 FAX(03)5206-8159
印　刷　大盛印刷株式会社

ISBN978-4-415-23873-9
落丁･乱丁などの不良本はお取り替えします
定価は表紙に表示してあります